자연수의 혼합 계산

1 단원 개념정리 자연수의 혼합 계산

개념 1 덧셈과 뺄셈이 섞여 있는 식

• (　　)가 없을 때

$31-12+8=19+8=27$ (① $31-12$, ② $19+8$)

⇨ 덧셈과 뺄셈이 섞여 있는 식은 앞에서부터 차례로 계산합니다.

• (　　)가 있을 때

$31-(12+8)=31-20=$ ❶ (① $12+8$, ② $31-20$)

⇨ 덧셈과 뺄셈이 섞여 있고, (　　)가 있는 식에서는 (　　) 안을 먼저 계산합니다.

개념 2 곱셈과 나눗셈이 섞여 있는 식

• (　　)가 없을 때

$50\div5\times2=10\times2=$ ❷ (① $50\div5$, ② 10×2)

⇨ 곱셈과 나눗셈이 섞여 있는 식은 앞에서부터 차례로 계산합니다.

• (　　)가 있을 때

$50\div(5\times2)=50\div10=5$ (① 5×2, ② $50\div10$)

⇨ 곱셈과 나눗셈이 섞여 있고, (　　)가 있는 식에서는 (　　) 안을 먼저 계산합니다.

개념 3 덧셈, 뺄셈, 곱셈이 섞여 있는 식

• (　　)가 없을 때

$40-8\times3+15=40-24+15$

$=$ ❸ $+15$

$=31$

(① 8×3, ② $40-24$, ③ $+15$)

⇨ 덧셈, 뺄셈, 곱셈이 섞여 있는 식은 곱셈을 먼저 계산합니다.

• (　　)가 있을 때

$(40-8)\times3+15=32\times3+15$

$=96+15$

$=111$

(① $40-8$, ② 32×3, ③ $96+15$)

⇨ 덧셈, 뺄셈, 곱셈이 섞여 있고, (　　)가 있는 식에서는 (　　) 안을 먼저 계산합니다.

개념 4 덧셈, 뺄셈, 나눗셈이 섞여 있는 식

• (　　)가 없을 때

$10+15\div5-3=10+3-3$

$=13-3$

$=$ ❹

(① $15\div5$, ② $10+3$, ③ $13-3$)

⇨ 덧셈, 뺄셈, 나눗셈이 섞여 있는 식은 나눗셈을 먼저 계산합니다.

• (　　)가 있을 때

$(10+15)\div5-3=25\div5-3$

$=5-$ ❺

$=2$

(① $10+15$, ② $25\div5$, ③ $5-3$)

⇨ 덧셈, 뺄셈, 나눗셈이 섞여 있고, (　　)가 있는 식에서는 (　　) 안을 먼저 계산합니다.

개념 5 덧셈, 뺄셈, 곱셈, 나눗셈이 섞여 있는 식

• 덧셈, 뺄셈, 곱셈, 나눗셈이 섞여 있는 식의 계산

$96\div3-(2+5)\times4=96\div3-7\times4$

$=32-7\times4$

$=32-28$

$=4$

(① $2+5$, ② $96\div3$, ③ 7×4, ④ $32-28$)

⇨ 덧셈, 뺄셈, 곱셈, 나눗셈이 섞여 있는 식은 곱셈과 나눗셈을 먼저 계산하고, (　　)가 있으면 (　　) 안을 가장 먼저 계산합니다.

| 정답 | ❶ 11 ❷ 20 ❸ 16 ❹ 10 ❺ 3

▶ 덧셈과 뺄셈이 섞여 있는 식 ~ 곱셈과 나눗셈이 섞여 있는 식

스피드 정답표 1쪽, 정답 및 풀이 16쪽

[01~04] □ 안에 알맞은 수를 써넣으세요.

01 $54-18+13=\square+13=\square$ (① $54-18$, ②)

02 $54-(18+13)=54-\square=\square$ (① $18+13$, ②)

03 $72\div4\times2=\square\times2=\square$ (① $72\div4$, ②)

04 $72\div(4\times2)=72\div\square=\square$ (① 4×2, ②)

[05~06] 계산해 보세요.

05 $32+19-27$

06 $15\times8\div20$

[07~08] 보기와 같이 계산 순서를 나타내고 계산해 보세요.

보기

$27+(36-18)=27+18=45$ (① $36-18$, ②)

07 $72-(16+25)$

08 $6\times(8\div2)$

09 계산 결과를 찾아 이으세요.

$52-28+19$	5
$52-(28+19)$	27
	43

10 계산 결과를 비교하여 ○ 안에 >, =, <를 알맞게 써넣으세요.

$24\times8\div16$ ○ $96\div(3\times2)$

점수

▶ 덧셈, 뺄셈, 곱셈이 섞여 있는 식

스피드 정답표 1쪽, 정답 및 풀이 16쪽

[01~03] □ 안에 알맞은 수를 써넣으세요.

01 $17+8-5\times2=17+8-\square$

①, ②, ③

$=\square-\square$

$=\square$

02 $48-3\times4+5=48-\square+5$

①, ②, ③

$=\square+5$

$=\square$

03 $(7+15)\times3-40=\square\times3-40$

①, ②, ③

$=\square-40$

$=\square$

[04~05] 계산 순서에 맞게 기호를 써 보세요.

04

$54+13-9\times4$

㉠ ㉡ ㉢

(　　　　　)

05

$2\times(21-8)+15$

㉠ ㉡ ㉢

(　　　　　)

[06~08] 계산해 보세요.

06 $8+6\times12-5$

07 $4\times(8-3)+26$

08 $36+7\times(12-8)$

09 계산 결과가 더 작은 것의 기호를 써 보세요.

㉠ $5\times(7+2)-18$
㉡ $17+2\times8-9$

(　　　　　)

10 계산을 바르게 한 사람의 이름을 써 보세요.

민수: $76-(4+2)\times7=34$
다현: $6+4\times8-17=63$

(　　　　　)

[01~03] □ 안에 알맞은 수를 써넣으세요.

01 $25-18\div6+7=25-\square+7$

①, ②, ③

$=\square+7$

$=\square$

02 $48\div(12-6)+9=48\div\square+9$

①, ②, ③

$=\square+9$

$=\square$

03 $50+24-16\div4=50+24-\square$

②, ①, ③

$=\square-\square$

$=\square$

[04~06] 계산해 보세요.

04 $27\div(12-9)+18$

05 $63\div(17-8)+12$

06 $25+14\div7-3$

07 보기 와 같이 계산 순서를 나타내고 계산해 보세요.

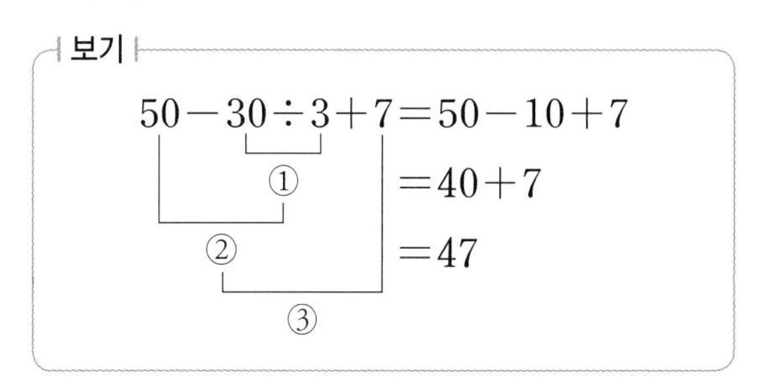

⇨ $16+7-54\div9$

08 다음 중 계산 결과를 바르게 말한 사람의 이름을 써 보세요.

$12+(25-7)\div3$

선미: 10!

영주: 18!

민석: 6!

(　　　　　　　)

09 크기를 비교하여 ○ 안에 >, =, <를 알맞게 써넣으세요.

7 ○ $(40+2)\div7-3$

10 두 식의 계산 결과의 차를 구하세요.

- $60+(30-18)\div3$
- $60+30-18\div3$

(　　　　　　　)

1 단원 쪽지시험 4회 자연수의 혼합 계산

점수

▶ 덧셈, 뺄셈, 곱셈, 나눗셈이 섞여 있는 식

스피드 정답표 1쪽, 정답 및 풀이 16쪽

[01~03] □ 안에 알맞은 수를 써넣으세요.

01 $45\div5-7+8\times12=\square-7+8\times12$

①, ②, ③, ④

$=\square-7+96$

$=\square+96$

$=\square$

02 $9\times7\div(25-4)+5=9\times7\div\square+5$

②, ①, ③, ④

$=63\div\square+5$

$=\square+5$

$=\square$

03 $21+(12-9)\times12\div4=21+\square\times12\div4$

①, ②, ③, ④

$=21+\square\div4$

$=21+\square$

$=\square$

[04~05] 가장 먼저 계산해야 하는 부분에 밑줄을 그어 보세요.

04 $52-18\times2\div6+13$

05 $36\div(8-4)+12\times7$

[06~08] 계산해 보세요.

06 $56-2\times9\div3+14$

07 $54\div9\times(4+7)-32$

08 $25+14\div7-3\times6$

09 크기를 비교하여 ○ 안에 >, =, <를 알맞게 써넣으세요.

$5\times9-(16+17)\div3$ ○ 34

10 계산을 바르게 한 사람의 이름을 써 보세요.

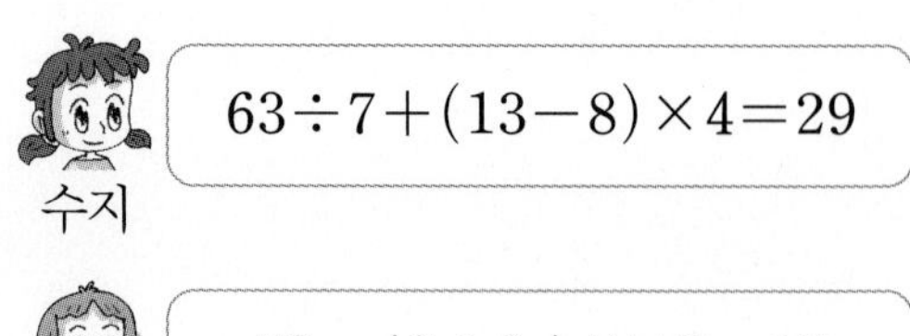

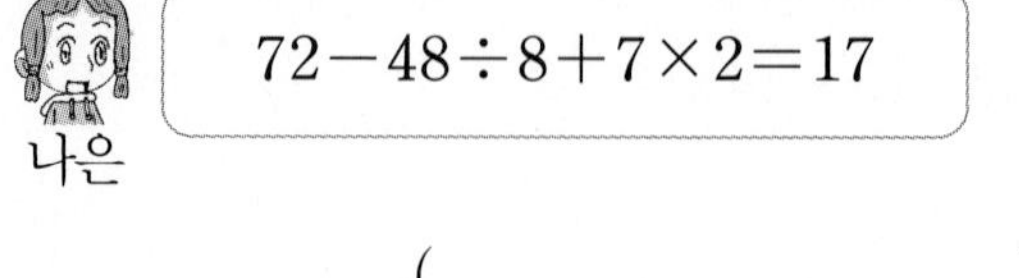

(　　　　　　　　)

5·1

Chunjae
Makes
Chunjae

▼

[수학 단원평가]

기획총괄 박금옥
편집개발 지유경, 정소현, 조선영, 최윤석
디자인총괄 김희정
표지디자인 윤순미, 여화경
내지디자인 박희춘
제작 황성진, 조규영

발행일 2021년 10월 1일 2판 2024년 10월 1일 4쇄
발행인 (주)천재교육
주소 서울시 금천구 가산로9길 54
신고번호 제2001-000018호
고객센터 1577-0902

※ 이 책은 저작권법에 보호받는 저작물이므로 무단복제, 전송은 법으로 금지되어 있습니다.

※ 정답 분실 시에는 천재교육 교재 홈페이지에서 내려받으세요.
※ KC 마크는 이 제품이 공통안전기준에 적합하였음을 의미합니다.
※ 주의
책 모서리에 다칠 수 있으니 주의하시기 바랍니다.
부주의로 인한 사고의 경우 책임지지 않습니다.
8세 미만의 어린이는 부모님의 관리가 필요합니다.

난이도 A B C

점수

스피드 정답표 1쪽, 정답 및 풀이 16쪽

01 가장 먼저 계산해야 하는 부분에 ○표 하세요.

$35+4\times2-16$

[02~03] □ 안에 알맞은 수를 써넣으세요.

02 $52-17+24=\square+24$

$=\square$

03 $64\div8\times9=\square$

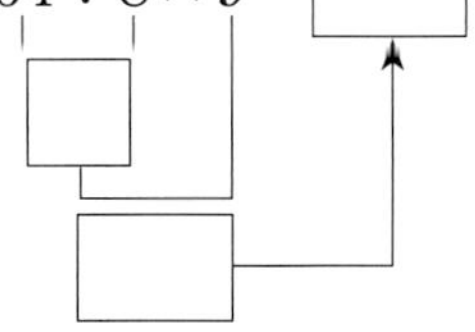

04 계산 순서를 바르게 나타낸 것에 ○표 하세요.

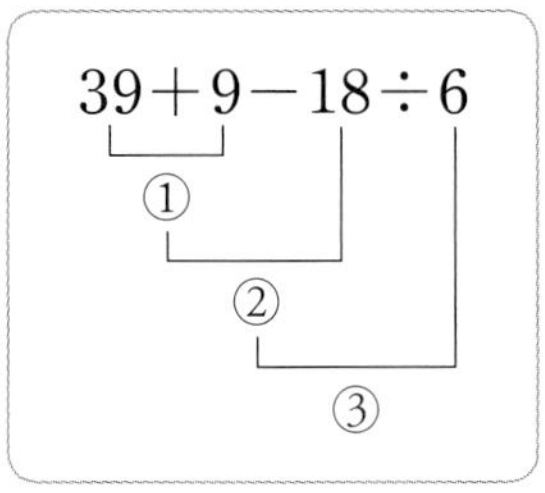
39+9−18÷6
①
②
③

( )

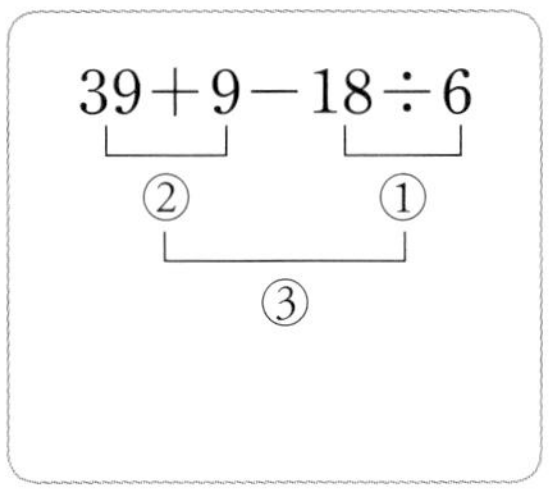
39+9−18÷6
②
①
③

( )

05 계산 순서에 맞게 기호를 써 보세요.

$40+64\div16\times12-8$

(↑ ㉠ +, ↑ ㉡ ÷, ↑ ㉢ ×, ↑ ㉣ −)

( )

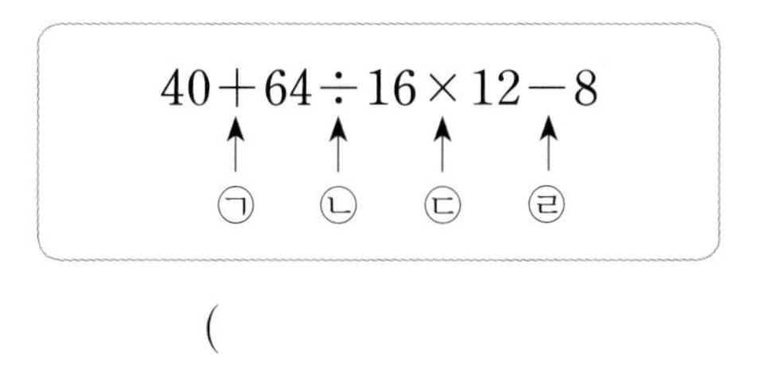

[06~07] 계산해 보세요.

06 $54-(17+25)$

07 $24\times(16\div4)$

08 다음 중 ( )가 없어도 계산 결과가 같은 것은 어느 것일까요? ·············· ( )

① $40-(16+7)$ ② $7\times(6+20)$

③ $(17+22)\times3$ ④ $83-(24\times2)$

⑤ $72\div(3\times4)$

09 |보기|와 같이 계산 순서를 나타내고 계산해 보세요.

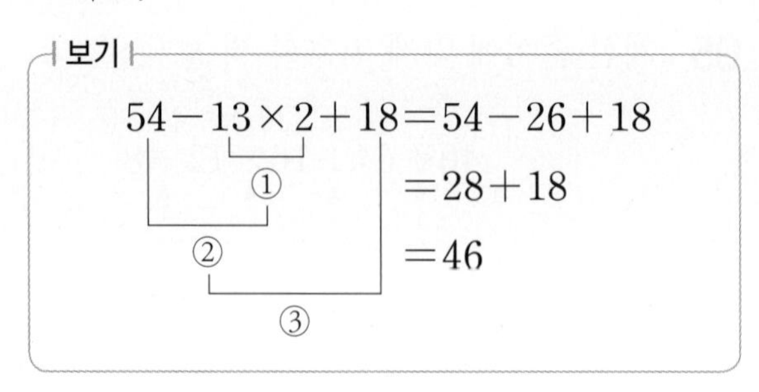

⇨ $33+4\times7-38$

10 계산 결과를 찾아 이으세요.

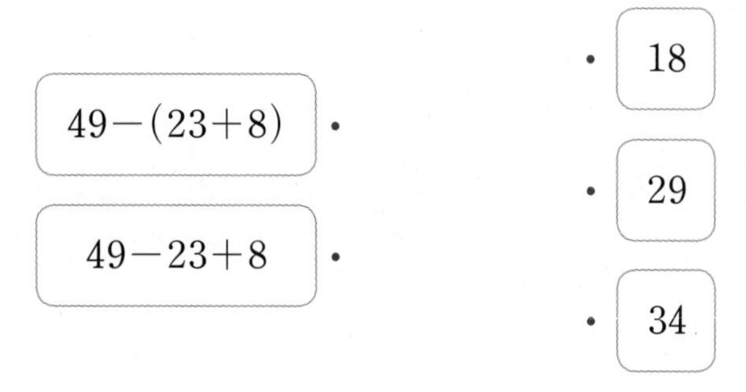

11 계산 결과를 비교하여 ○ 안에 >, =, <를 알맞게 써넣으세요.

$48\div2\times3$ ○ $48\div(2\times3)$

12 계산기에 쓰인 식을 계산해 보세요.

(   )

13 계산이 잘못된 곳을 찾아 옳게 고쳐 계산해 보세요.

$24\times(16-7)=384-7$
①
$=377$
②

⇨ $24\times(16-7)$

14 하나의 식으로 나타내어 계산해 보세요.

19와 25의 합을 4로 나눈 몫

식 (□+□)÷□=□

답 ______

15 다음 중 문제를 해결하는 데 알맞은 식은 어느 것일까요? ····················· (　　　)

혜정이네 반 학생 20명과 은수네 반 학생 16명이 4팀으로 나누어 야구 경기를 하였습니다. 한 팀에 몇 명씩일까요?

① $20+16\div4$　② $20-16\div4$
③ $(20+16)\div4$　④ $(20-16)\div4$
⑤ $20+16\times4$

16 다음 중 계산 결과를 바르게 말한 사람의 이름을 써 보세요.

$15+(24-18)\times14\div7$

(　　　　　　)

17 두 식의 계산 결과의 합을 구하세요.

$75\div(5\times3)$　　$6\times18\div12$

(　　　　　　)

18 은혁이와 민주의 대화를 읽고 한 사람에게 나누어 줄 연필은 몇 자루인지 구하세요.

$12\times\square\div\square=\square$(자루)

19 버스에 55명이 타고 있었습니다. 이번 정류장에서 23명이 내리고 11명이 탔습니다. 지금 버스에 타고 있는 사람은 몇 명일까요?

(　　　　　　)

20 다음 식이 성립하도록 (　　)로 묶어 보세요.

$23 + 54 \div 6 - 4 = 50$

A 난이도 B C

점수

스피드 정답표 1쪽, 정답 및 풀이 17쪽

01 두 번째로 계산해야 하는 부분을 찾아 기호를 써 보세요.

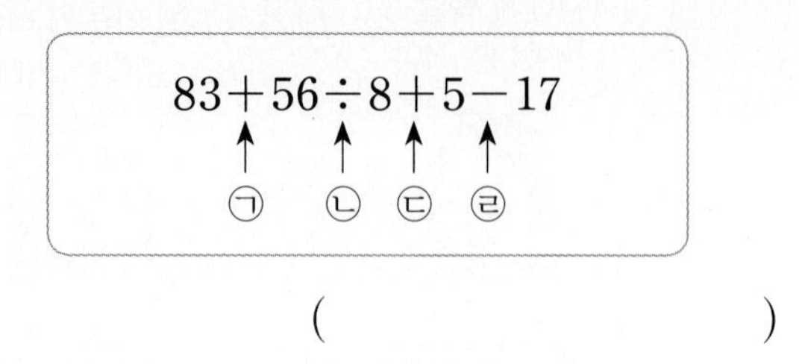

(　　　　　　　　)

[02~03] □ 안에 알맞은 수를 써넣으세요.

02 $74-23+36=\square+36$

$=\square$

03 $80-42\div7\times8=\square$

04 계산 순서에 맞게 □ 안에 번호를 써넣으세요.

$42\div7+(17-8)\times2$

□ □ □ □

[05~06] 계산해 보세요.

05 $80-(26+34)$

06 $8\times(48-33)+9$

07 계산 순서를 <u>잘못</u> 나타낸 것의 기호를 써 보세요.

㉠ $42\div7\times(9-3)+4$
① ② ③ ④

㉡ $36-8\div(2\times2)+5$
① ② ③ ④

(　　　　　　　　)

08 계산 결과를 찾아 이으세요.

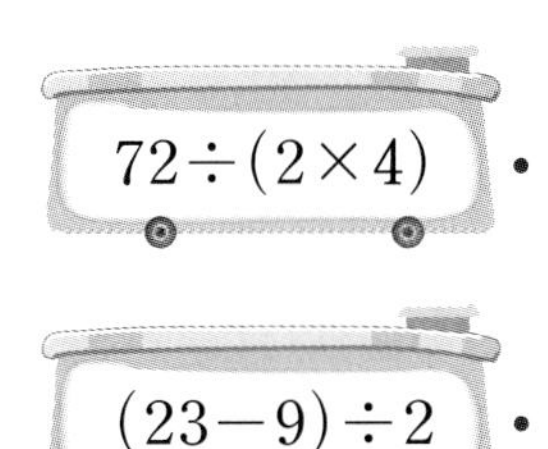

• 5

• 7

• 9

09 |보기|와 같이 계산 순서를 나타내고 계산해 보세요.

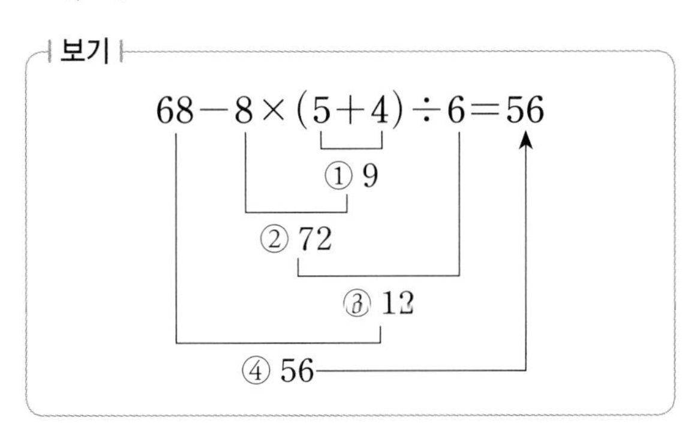

⇨ $39+(47-26) \div 3 \times 5$

10 크기를 비교하여 ○ 안에 >, =, <를 알맞게 써넣으세요.

$63 \div 9+12$ ○ 21

11 (　)가 없어도 계산 결과가 같은 것의 기호를 써 보세요.

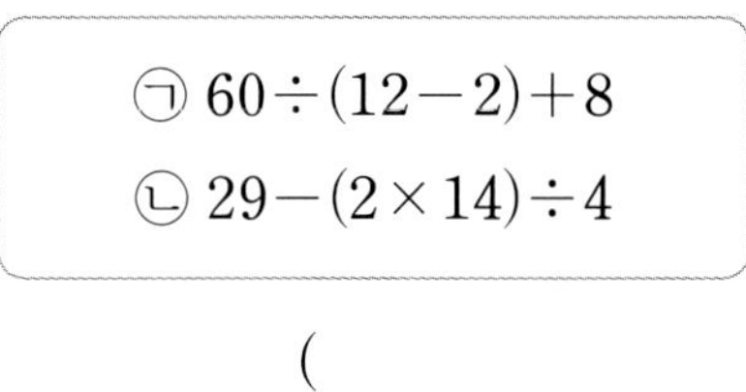

(　　　　　　)

12 다음 중 계산을 바르게 한 것의 기호를 써 보세요.

㉠ $57-(9+2) \times 3=153$

㉡ $4 \times 2+(7-3) \times 4=24$

(　　　　　　)

13 다음 계산 결과보다 8 작은 수를 구하세요.

$52-(6+8)+15$

(　　　　　　)

14 하나의 식으로 나타내어 계산해 보세요.

식 ________________

답 ________________

15 문제를 하나의 식으로 바르게 나타내어 푼 사람의 이름을 써 보세요.

> 종이학을 한 사람이 1시간에 4개씩 만들 수 있다고 합니다. 13명이 종이학 156개를 만들려면 몇 시간이 걸릴까요?

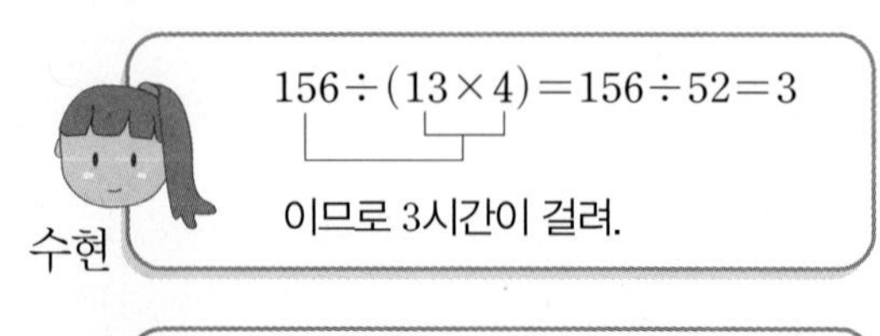

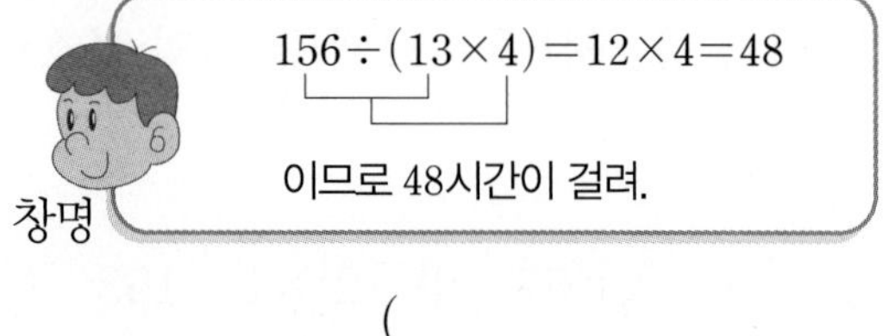

(　　　　　　　　　)

16 두 식의 계산 결과의 차를 구하세요.

- $16+(32-17)\div 5$
- $120\div 12+(7-4)$

(　　　　　　　　　)

17 남학생이 24명, 여학생이 17명 있습니다. 그 중에서 안경을 쓰지 않은 학생은 31명입니다. 안경을 쓴 학생은 몇 명일까요?

$24+\square-\square=\square$(명)

18 초콜릿 48개가 있습니다. 남학생 4명과 여학생 2명이 각각 5개씩 먹었습니다. 남은 초콜릿은 몇 개일까요?

$48-(4+\square)\times\square=\square$(개)

19 승아는 3일에 한 번씩 수영장에 갑니다. 승아가 6주 동안 수영장에 간 날은 며칠일까요?

(　　　　　　　　　)

20 다음 식이 성립하도록 □ 안에 +, −, ×, ÷의 기호를 알맞게 써넣으세요.

$26+40\ \square\ 2-14=92$

단원평가 3회 자연수의 혼합 계산

점수

스피드 정답표 2쪽, 정답 및 풀이 18쪽

01 가장 먼저 계산해야 하는 부분에 ○표 하세요.

$73-(12+4)-7+36$

02 보기와 같이 계산 순서를 나타내어 보세요.

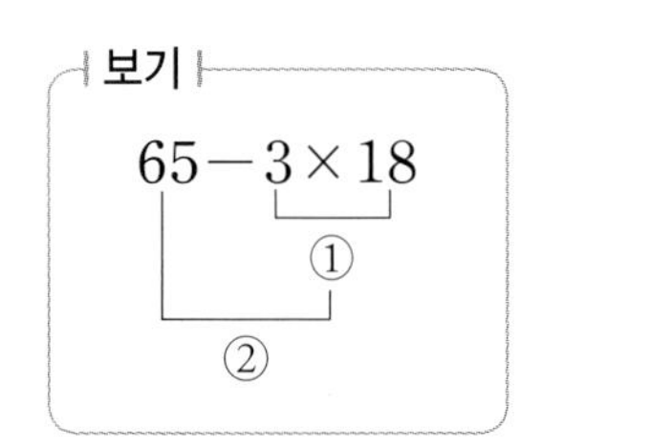

$32\div4+10$

03 □ 안에 알맞은 수를 써넣으세요.

$48-5+6\times3=48-5+\square$ (① 6×3, ② $48-5$, ③)

$=43+\square$

$=\square$

04 빈칸에 두 식의 계산 결과가 같으면 ○표, 다르면 ×표 하세요.

$42-(8+27)$	
$42-8+27$	

[05~06] 계산해 보세요.

05 $56\div(4\times2)$

06 $70-4\times(9+3)$

07 다음 중 (　　)가 없어도 계산 결과가 같은 것은 어느 것일까요? ·············· (　　　)

① $52-(18+9)$　② $8\times(6+4)$

③ $42+(6\times7)$　④ $56\div(9-5)$

⑤ $72\div(2\times4)$

08 빈칸에 알맞은 수를 써넣으세요.

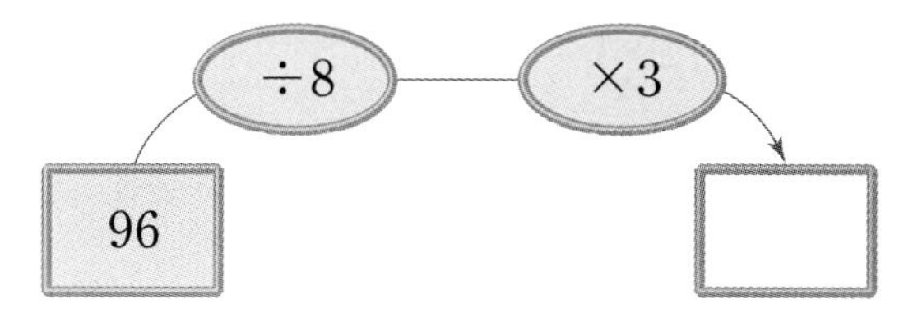

09 계산 결과를 비교하여 ○ 안에 >, =, <를 알맞게 써넣으세요.

$$16\times5\div4 \bigcirc 9+(23-15)$$

10 계산을 바르게 한 사람의 이름을 써 보세요.

- 지수: $25+(44-11)\div3=36$
- 병찬: $68-20\times9\div3=144$

( )

11 다음 중 주어진 문제를 풀기 위해 하나의 식으로 바르게 나타낸 것은 어느 것일까요? ···································( )

자두가 12개씩 33봉지와 15개씩 17봉지 있습니다. 자두는 모두 몇 개일까요?

① $12+33+15+17$
② $12\times33+15+17$
③ $12+33\times15+17$
④ $12\times33+15\times17$
⑤ $(12+33)\times(15+17)$

12 다음 계산 결과보다 10 큰 수를 구하세요.

$$50-(45+15)\div6\times3$$

( )

13 우종이가 말하는 수는 얼마일까요?

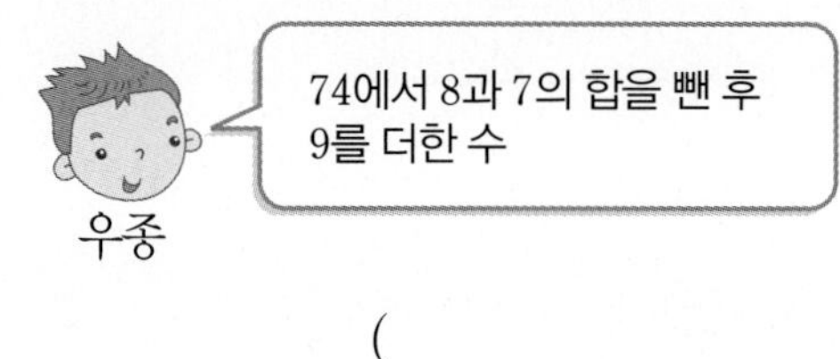

( )

14 두 식의 계산 결과의 차를 구하세요.

㉠ $24+(18-2)\times7$
㉡ $56-(9+3)\div4$

( )

15 수민이가 딴 사과는 모두 몇 개인지 하나의 식으로 나타내어 구하세요.

식

답

16 가 ◎ 나=(가+나)×(가÷나)라고 약속할 때 다음을 계산해 보세요.

49 ◎ 7

(　　　　　　)

서술형

17 연필 한 타에 연필이 12자루 들어 있습니다. 연필 4타를 8명에게 똑같이 나누어 주었을 때, 한 사람은 연필을 몇 자루 가지게 되는지 풀이 과정을 쓰고 답을 구하세요.

풀이

답

18 ㉮ 초콜릿은 5개에 3500원이고, ㉯ 초콜릿은 3개에 2700원입니다. ㉯ 초콜릿 1개는 ㉮ 초콜릿 1개보다 얼마나 더 비쌀까요?

(　　　　　　)

19 □ 안에 알맞은 수를 구하세요.

$5+\square\times(23-18)=100$

(　　　　　　)

20 다음 식이 성립하도록 □ 안에 +, ×, ÷를 한 번씩만 써넣으세요.

$7\ \square\ 5\ \square\ 6\ \square\ 2=38$

A 난이도 B C

점수

스피드 정답표 2쪽, 정답 및 풀이 18쪽

01 □ 안에 알맞은 수를 써넣으세요.

$18\times(36\div9)=18\times$ □

$=$ □

02 계산 순서를 바르게 나타낸 것에 ○표 하세요.

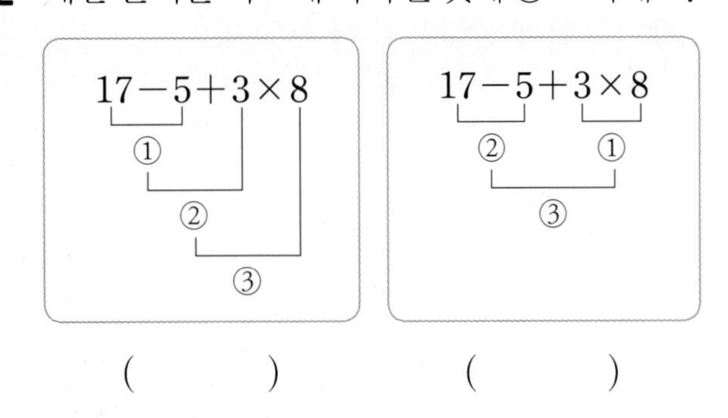

(　　　)　　(　　　)

03 다음 중 식에서 가장 먼저 계산해야 하는 부분이 잘못된 것은 어느 것일까요? (　　　)

① $56\div7-4$ ⇨ $56\div7$

② $240\div4\times5$ ⇨ 4×5

③ $192\div(4\times8)$ ⇨ (4×8)

④ $63+57-39$ ⇨ $63+57$

⑤ $2500-(700+850)$ ⇨ $(700+850)$

[04~05] 계산해 보세요.

04 $14+18-(6-4)$

05 $4\times8+(26-5)\div7$

06 보기 와 같이 계산 순서를 나타내고 계산해 보세요.

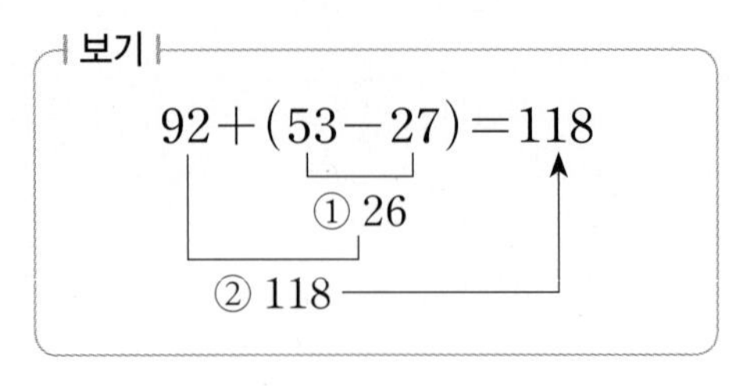

⇨ $84-(54+7)+3$

07 크기를 비교하여 ○ 안에 >, =, <를 알맞게 써넣으세요.

$210\div(5\times6)$ ○ 8

08 지영이가 잘못 계산한 것입니다. 계산이 잘못된 곳을 찾아 옳게 고쳐 계산해 보세요.

$24+(19-3)\div4=24+16\div4$
$=40\div4$
$=10$

⇩

$24+(19-3)\div4$

09 계산 결과를 찾아 이으세요.

$5\times(48\div6)-7$　　$97-(5+4)\times7$

32　　33　　34

10 ㉠과 ㉡의 곱을 구하세요.

㉠ $54\div(6\times3)$
㉡ $5\times80\div10$

(　　　　　　)

[11~12] 선생님이 민지네 모둠 5명에게 노란색 색종이 12장, 파란색 색종이 13장을 똑같이 나누어 주었습니다. 민지가 꽃 장식을 만드는 데 색종이를 2장 썼다면 민지에게 남은 색종이는 몇 장인지 알아보려고 합니다. 물음에 답하세요.

11 먼저 계산해야 하는 부분을 (　　)로 묶어 민지가 받은 색종이는 몇 장인지 하나의 식으로 나타내어 구하세요.

$(12+\square)\div\square=\square$(장)

12 민지가 꽃 장식을 만들고 남은 색종이는 몇 장인지 하나의 식으로 나타내어 구하세요.

$(12+\square)\div\square-\square=\square$(장)

13 하나의 식으로 나타내어 계산해 보세요.

56에서 8을 뺀 수를 12로 나눈 몫에 3을 더한 수

식 ____________________

답 ____________________

14 상미네 학교 강당에 한 개에 5명씩 앉을 수 있는 긴 의자를 놓으려고 합니다. 의자를 한 줄에 3개씩 몇 줄을 놓아야 4학년 학생 540명이 모두 앉을 수 있을까요?

(　　　　　　)

15 성냥개비로 그림과 같이 삼각형을 만들고 있습니다. 삼각형을 8개 만드는 데 필요한 성냥개비는 모두 몇 개일까요?

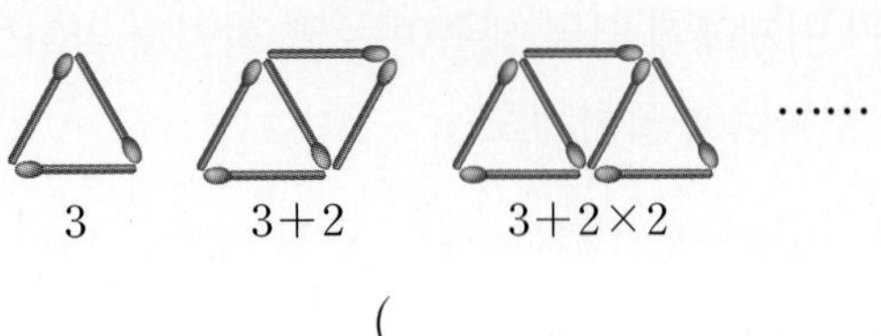

( )

16 대화를 읽고 미호와 영은이가 가지고 있는 사탕은 모두 몇 개인지 구하세요.

( )

17 □ 안에 들어갈 수 있는 자연수는 모두 몇 개인지 구하세요.

$15+6\times2<\square<(15+6)\times2$

( )

18 □ 안에 알맞은 수를 써넣으세요.

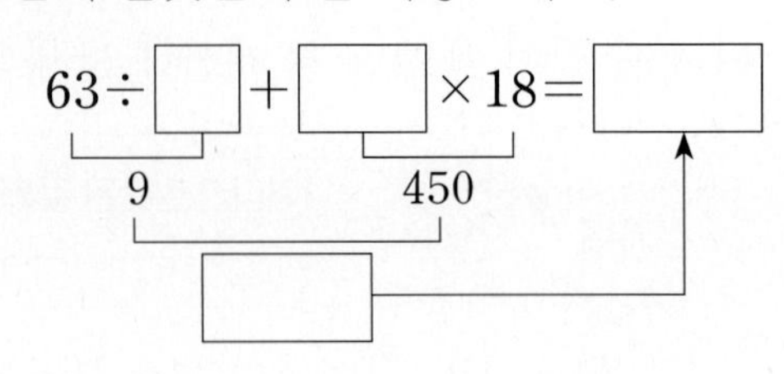

19 다음 식이 성립하도록 ( )로 묶어 보세요.

$4 \times 15 - 9 \div 3 = 8$

서술형

20 주어진 식을 이용하는 문제를 만들고 풀어 보세요.

$65-9\times7$

문제

답

A B C 난이도

단원평가 5회 자연수의 혼합 계산

점수

스피드 정답표 2쪽, 정답 및 풀이 19쪽

01 계산 순서에 맞게 □ 안에 번호를 써넣으세요.

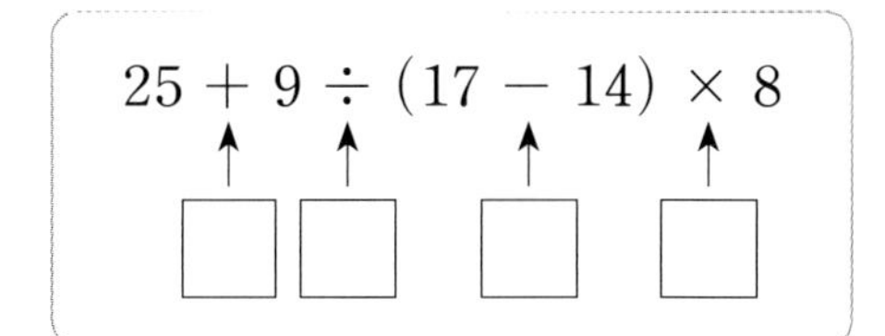

02 □ 안에 알맞은 수를 써넣으세요.

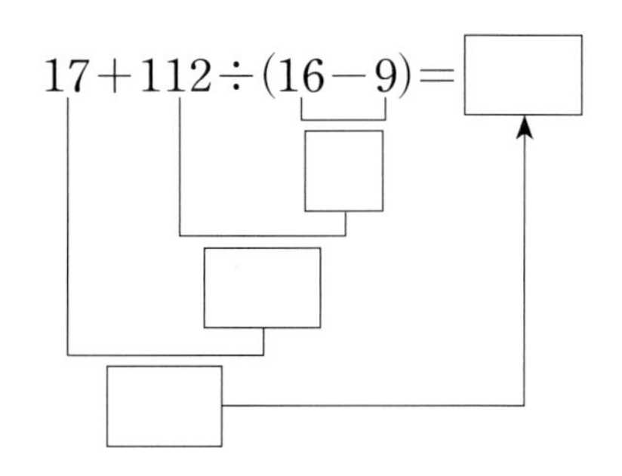

[03~04] 계산해 보세요.

03 $120 \div (6 \times 5) \times 3$

04 $73 - 4 \times (13 + 8) \div 6$

05 계산 결과를 찾아 이으세요.

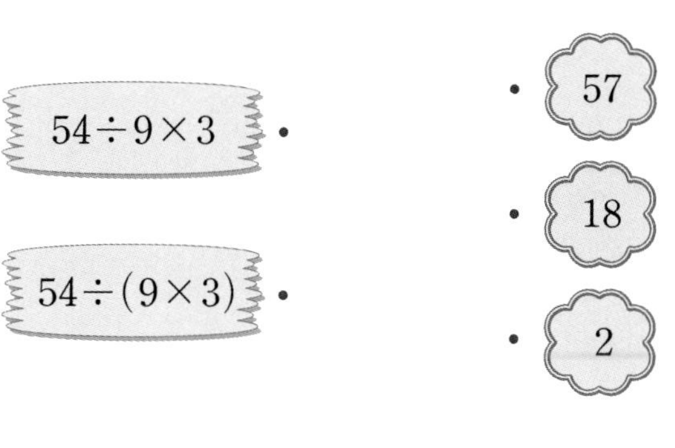

06 바르게 계산한 식과 연결된 동물을 써 보세요.

( )

07 보기 와 같이 계산 순서를 나타내고 계산해 보세요.

보기

$58 - (4+8) \div 3 = 58 - 12 \div 3$
$= 58 - 4$
$= 54$

①, ②, ③

⇨ $48 \div (12 - 8) + 9$

08 계산에서 잘못된 곳을 찾아 옳게 고쳐 계산해 보세요.

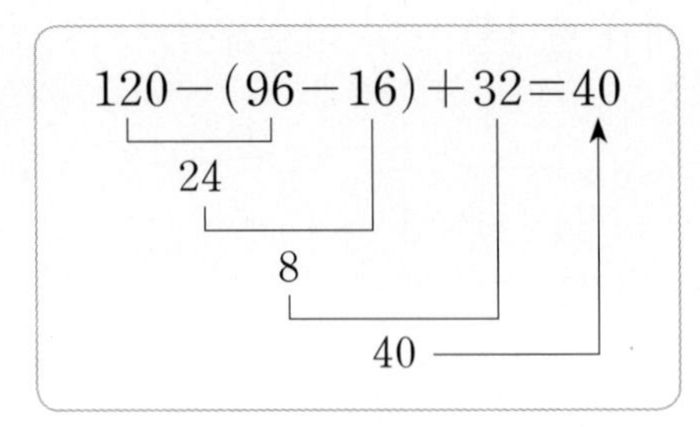

⇨ $120-(96-16)+32$

09 62에서 16과 9의 합을 2배 한 값을 뺀 수는 어느 것일까요? ······················ (　　　)

① 64　② 48　③ 74
④ 15　⑤ 12

10 계산을 바르게 한 사람의 이름을 써 보세요.

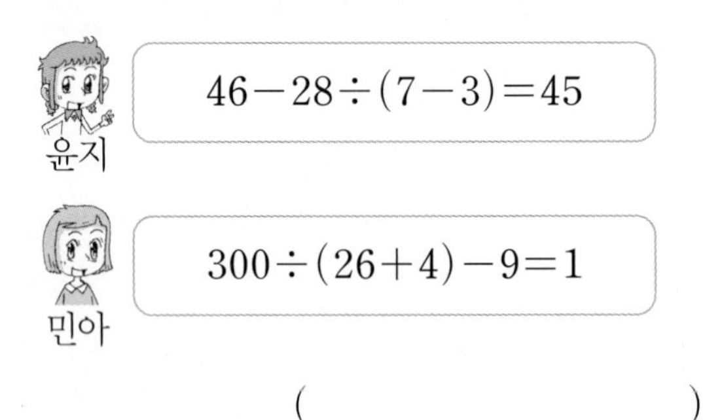

(　　　　　　　　)

11 ㉠과 ㉡의 합을 구하세요.

㉠ $26-4\times9\div6$
㉡ $48\div(8+4)\times9$

(　　　　　　　　)

[12~13] 붙임딱지를 이용하여 그림과 같이 모양을 만들고 있습니다. 물음에 답하세요.

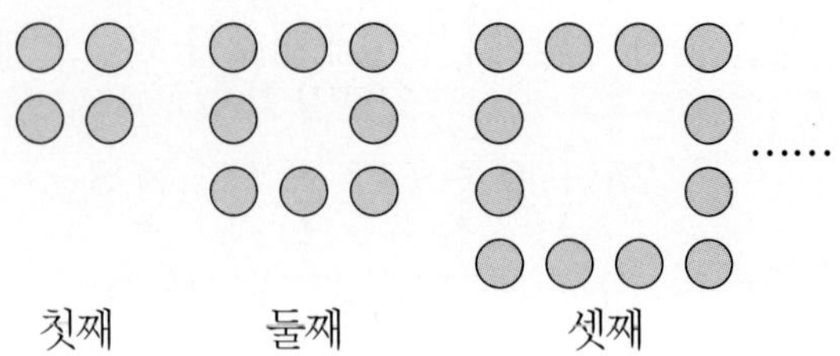

첫째　　둘째　　셋째

12 모양을 만드는 데 필요한 붙임딱지의 수를 식을 세워 구하세요.

구분	식	붙임딱지의 수(개)
첫째	4	4
둘째	4+4	8
셋째	4+4×2	12
넷째		
다섯째		

13 아홉째 모양을 만드는 데 필요한 붙임딱지의 수를 구하세요.

(　　　　　　　　)

14 다음 중 계산 결과가 가장 큰 것을 찾아 기호를 써 보세요.

㉠ $32+29-8$　　㉡ $180\div9\times4$
㉢ $84\div4\times5$　　㉣ $72-(16+28)$

(　　　　　　　　)

서술형

15 계산이 잘못된 이유를 설명해 보세요.

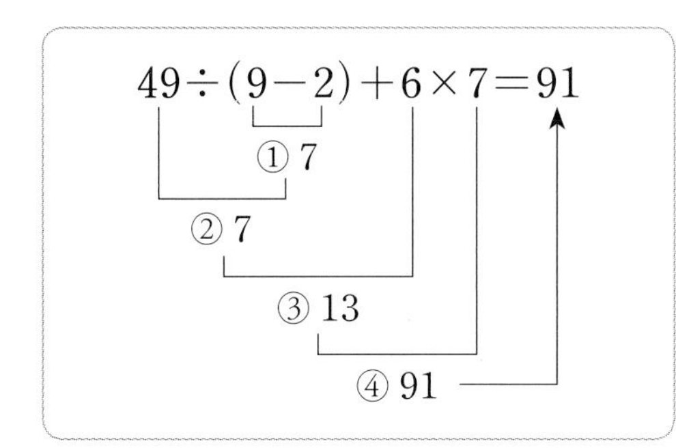

설명 ______________________

____

16 대화를 읽고 영주와 지혁이가 일주일 동안 줄넘기를 모두 몇 번 했는지 하나의 식으로 나타내어 구하세요.

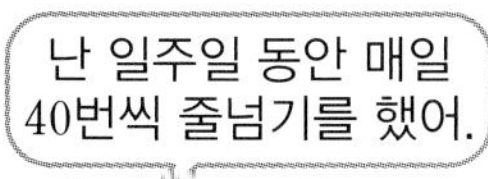

영주

난 일주일 중 2일은 쉬고 나머지 날은 줄넘기를 30번씩 했어.

지혁

식 ______________________

답 ______________________

17 온도를 나타내는 단위에는 섭씨(℃)와 화씨(°F)가 있습니다. 다음을 보고 현재 기온 화씨 59 °F는 섭씨로 나타내면 몇 ℃인지 구하세요.

> 화씨온도에서 32를 뺀 수에 5를 곱하고 9로 나누면 섭씨온도입니다.

(　　　　　　　　)

18 □ 안에 알맞은 수를 써넣으세요.

$41-(7-\square)+16=54$

19 보기 와 같은 방법으로 27★9를 계산해 보세요.

보기

㉮★㉯=㉮+(㉮−㉯)÷㉯

(　　　　　　　　)

서술형

20 자동차 60대를 주차할 수 있는 주차장에 자동차가 8대씩 4줄로 주차되어 있었습니다. 이 중 17대가 빠져나갔다면 앞으로 주차장에 몇 대의 자동차를 더 주차할 수 있는지 풀이 과정을 쓰고 답을 구하세요.

풀이

답 ______________________

단계별로 연습하는

서술형평가 자연수의 혼합 계산

점수 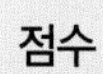

스피드 정답표 2쪽, 정답 및 풀이 20쪽

01 다음을 계산하면 얼마인지 답을 구하세요.

120에서 50을 뺀 수를 7로 나눈 몫에 12를 더합니다.

❶ 위에서 나타내는 수를 하나의 식으로 나타내어 보세요.

$(120-\square)\div 7+\square$

❷ ❶에서 나타낸 식을 계산하면 얼마인지 답을 구하세요.

(　　　　　　　)

02 노란색 색종이 15장씩 8묶음과 파란색 색종이 20장씩 9묶음이 있습니다. 파란색 색종이는 노란색 색종이보다 몇 장 더 많은지 구하세요.

❶ 노란색 색종이는 모두 몇 장일까요?

$15\times\square=\square$(장)

(　　　　　　　)

❷ 파란색 색종이는 모두 몇 장일까요?

$20\times\square=\square$(장)

(　　　　　　　)

❸ 파란색 색종이는 노란색 색종이보다 몇 장 더 많은지 하나의 식으로 나타내어 답을 구하세요.

식 $20\times\square-15\times\square=\square$

(　　　　　　　)

03 가◎나=(가+나)÷5라고 약속할 때 다음을 계산하여 답을 구하세요.

(60◎5)◎37

❶ 60◎5를 계산해 보세요.

60◎5=(60+□)÷5=□÷5=□

❷ (60◎5)◎37을 계산하여 답을 구하세요.

(60◎5)◎37=□◎37=(□+37)÷5=□÷5=□

(　　　　　　　　　　)

04 친구 4명이 붕어빵 7개, 어묵 5개를 사 먹었습니다. 돈을 4명이 똑같이 나누어 내려면 한 명이 얼마씩 내야 하는지 구하세요.

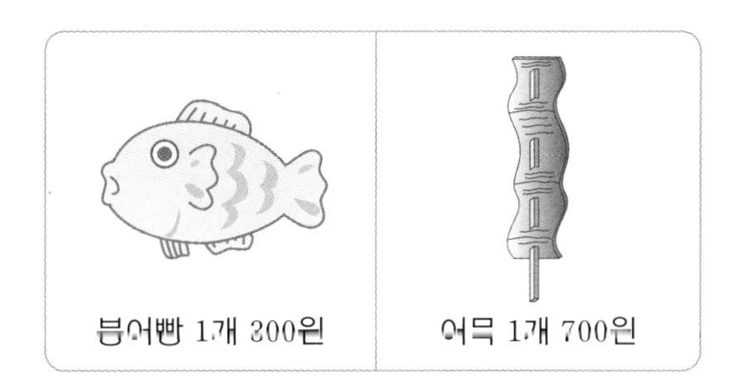

❶ 붕어빵 7개의 값은 얼마일까요?

300×□=□(원)

(　　　　　　　　　　)

❷ 어묵 5개의 값은 얼마일까요?

700×□=□(원)

(　　　　　　　　　　)

❸ 돈을 4명이 똑같이 나누어 내려면 한 명이 얼마씩 내야 하는지 하나의 식으로 나타내어 답을 구하세요.

식 (300×□+700×□)÷4=□

(　　　　　　　　　　)

풀이 과정을 직접 쓰는

서술형평가 자연수의 혼합 계산

점수

스피드 정답표 3쪽, 정답 및 풀이 20쪽

01 다음을 계산하면 얼마인지 풀이 과정을 쓰고 답을 구하세요.

9와 18을 더한 수에 4를 곱한 수를 9로 나눕니다.

풀이

답 ________

어떻게 풀까요?

- 9와 18을 더한 수에 4를 곱해야 하므로 ( )를 이용하여 하나의 식으로 나타내어 봅니다.

02 사탕은 초콜릿보다 몇 개 더 많은지 풀이 과정을 쓰고 답을 구하세요.

사탕: 20개씩 8봉지

초콜릿: 30개씩 5봉지

풀이

답 ________

어떻게 풀까요?

- 사탕은 (20×8)개, 초콜릿은 (30×5)개임을 이용하여 하나의 식으로 나타내고 답을 구합니다.

03 가◎나=(나−가)×3이라고 약속할 때 다음은 얼마인지 풀이 과정을 쓰고 답을 구하세요.

(7◎18)◎42

풀이

답

어떻게 풀까요?

• ( ) 안에 있는 7◎18을 먼저 계산해 봅니다.

04 친구 5명이 떡볶이 3인분, 튀김 2인분을 사 먹었습니다. 돈을 5명이 똑같이 나누어 내려면 한 명이 얼마씩 내야 하는지 풀이 과정을 쓰고 답을 구하세요.

떡볶이 1인분
2500원

튀김 1인분
3000원

풀이

답

어떻게 풀까요?

• 먼저 떡볶이 3인분과 튀김 2인분의 값을 각각 구하여 한 명이 얼마씩 내야 하는지 하나의 식으로 나타내고 답을 구합니다.

자연수의 혼합 계산

스피드 정답표 3쪽, 정답 및 풀이 21쪽

01 승재는 사탕을 15개 가지고 있었습니다. 친구 5명에게 2개씩 준 후 동생에게 3개를 얻었습니다. 지금 승재가 가지고 있는 사탕은 몇 개일까요?

( )

02 계산 결과가 큰 순서대로 기호를 쓰세요.

㉠ $5\times8-15\div3$
㉡ $(11+3)\times(24\div8)$
㉢ $65-(19+8)\div3\times4$

( )

03 계산을 하세요.

$$53-7\times(5+3)\div4$$

( )

04 6개에 4200원인 자두와 7개에 2940원인 귤이 있습니다. 자두 1개는 귤 1개보다 얼마나 더 비싼지 구하세요.

( )

05 준수는 10000원을 가지고 시장에 갔습니다. 6개에 4500원 하는 오이 5개와 15개에 6000원 하는 양파 10개를 샀습니다. 준수에게 남은 돈은 얼마일까요?

( )

CONTENTS

2

약수와 배수

단원 개념정리 약수와 배수

개념 1 약수와 배수

- 약수: 어떤 수를 나누어떨어지게 하는 수

$12\div1=12$	$12\div2=6$
$12\div3=4$	$12\div4=$ ❶ □
$12\div6=2$	$12\div12=1$

⇨ 12의 약수: 1, 2, 3, 4, 6, 12

- 배수: 어떤 수를 1배, 2배, 3배……한 수

4를 1배 한 수: $4\times1=4$,

4를 2배 한 수: $4\times2=8$,

4를 3배 한 수: $4\times3=$ ❷ □

⋮

⇨ 4의 배수: 4, 8, 12……

개념 2 약수와 배수의 관계

- 약수와 배수의 관계 알아보기

15는 3과 5의 배수

$15 = 3 \times 5$

3과 5는 15의 약수

15는 3과 5의 배수입니다.
3과 5는 15의 약수입니다.

개념 3 공약수와 최대공약수

- 공약수: 두 수의 공통된 약수
- 최대공약수: 두 수의 공약수 중에서 가장 큰 수

8의 약수	①, ②, ④, 8
12의 약수	①, ②, 3, ④, 6, 12

⇨ 8과 12의 공약수: 1, 2, ❸ □
8과 12의 최대공약수: 4

개념 4 최대공약수 구하기

- 45와 75의 최대공약수 구하기

방법 1 여러 수의 곱으로 나타낸 곱셈식을 이용하여 구하기

$45=5\times3\times3$ $75=5\times3\times5$

$5\times3 = 15$, $5\times3 = 15$ ⇩ 45와 75의 최대공약수

방법 2 45와 75의 공약수를 이용하여 구하기

45와 75의 공약수 ⇨ 5) 45 75
9와 15의 공약수 ⇨ 3) 9 15
3 5

⇨ 45와 75의 최대공약수: $5\times3=$ ❹ □

개념 5 공배수와 최소공배수

- 공배수: 두 수의 공통된 배수
- 최소공배수: 두 수의 공배수 중에서 가장 작은 수

2의 배수	2, 4, ⑥, 8, 10, ⑫, 14, 16, ⑱, 20……
3의 배수	3, ⑥, 9, ⑫, 15, ⑱, 21, 24, 27, 30……

⇨ 2와 3의 공배수: 6, 12, 18……
2와 3의 최소공배수: ❺ □

개념 6 최소공배수 구하기

- 30과 50의 최소공배수 구하기

방법 1 여러 수의 곱으로 나타낸 곱셈식을 이용하여 구하기

$30=3\times2\times5$ $50=2\times5\times5$

⇨ 30과 50의 최소공배수:
$3\times2\times5\times5=150$

방법 2 30과 50의 공약수를 이용하여 구하기

2) 30 50
5) 15 25
3 5

⇨ 30과 50의 최소공배수:
$2\times5\times3\times5=150$

| 정답 | ❶ 3 ❷ 12 ❸ 4 ❹ 15 ❺ 6

01 약수를 구하려고 합니다. □ 안에 알맞은 수를 써넣으세요.

$28\div1=28$　　$28\div2=14$
$28\div4=\square$　　$28\div7=\square$
$28\div14=2$　　$28\div28=\square$

28의 약수: 1, 2, 4, □, □, □

02 배수를 구하려고 합니다. □ 안에 알맞은 수를 써넣으세요.

7을 1배 한 수: $7\times1=\square$
7을 2배 한 수: $7\times2=\square$
7을 3배 한 수: $7\times3=\square$
⇨ 7의 배수: □, □, □……

[03~04] 약수를 구하세요.

03 14의 약수

(　　　　　　)

04 45의 약수

(　　　　　　)

05 9의 배수를 가장 작은 수부터 5개 써 보세요.

(　　　　　　)

06 식을 보고 □ 안에 '약수'와 '배수'를 알맞게 써넣으세요.

$5\times7=35$

35는 5와 7의 □입니다.
5와 7은 35의 □입니다.

[07~08] 두 수가 약수와 배수의 관계인 것에 ○표, 아닌 것에 ×표 하세요.

07

6	48

(　　　　　　)

08

7	45

(　　　　　　)

09 8의 배수를 모두 찾아 기호를 써 보세요.

㉠ 80　㉡ 42　㉢ 53　㉣ 64

(　　　　　　)

10 36의 약수는 모두 몇 개일까요?

(　　　　　　)

점수

▶ 공약수와 최대공약수 ~ 최대공약수 구하기

스피드 정답표 3쪽, 정답 및 풀이 21쪽

01 다음을 보고 15와 20의 공약수를 모두 구하세요.

- 15의 약수: 1, 3, 5, 15
- 20의 약수: 1, 2, 4, 5, 10, 20

(　　　　　　　　)

02 공약수와 최대공약수를 구하려고 합니다. □ 안에 알맞은 수를 써넣으세요.

12의 약수: 1, 2, 3, 4, □, □
18의 약수: 1, 2, 3, □, □, □

⇨ 12와 18의 공약수: 1, 2, □, □

12와 18의 최대공약수: □

03 곱셈식을 보고 두 수의 최대공약수를 구하세요.

$20=2\times2\times5$
$16=2\times2\times2\times2$

⇨ 20과 16의 최대공약수: 2×□=□

04 두 수의 공약수를 모두 구하세요.

24　　16

(　　　　　　　　)

05 10과 45의 공약수와 최대공약수를 구하세요.

공약수 (　　　　　　　　)

최대공약수 (　　　　　　　　)

[06~07] 두 수의 최대공약수를 구하려고 합니다. □ 안에 알맞은 수를 써넣으세요.

06

```
2) 28  42
7) 14  21
    □   □
```

⇨ 28과 42의 최대공약수: 2×□=□

07

```
3) 45  54
□) 15  □
    □   □
```

⇨ 45와 54의 최대공약수: 3×□=□

[08~09] ◯ 안에 두 수의 최대공약수를 써넣으세요.

08

8
20

09

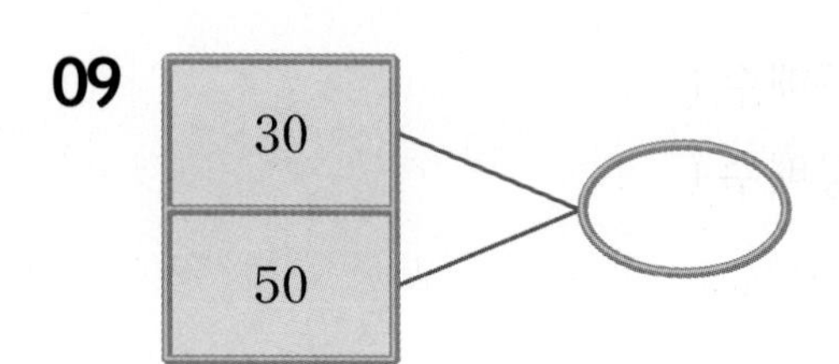

10 최대공약수가 27인 두 수의 공약수를 모두 구하세요.

(　　　　　　　　)

스피드 정답표 3쪽, 정답 및 풀이 22쪽

[01~02] 2와 4의 최소공배수를 구하려고 합니다. 물음에 답하세요.

- 2의 배수: 2, 4, 6, 8, 10, 12, 14, 16……
- 4의 배수: 4, 8, 12, 16, 20, 24, 28……

01 2와 4의 공배수를 가장 작은 수부터 4개만 써 보세요.

( )

02 2와 4의 최소공배수를 구하세요.

( )

[03~04] 4와 8의 공배수를 구하려고 합니다. 물음에 답하세요.

03 4와 8의 배수를 작은 수부터 구하세요.

4의 배수	4					
8의 배수	8					

04 **03**의 표에서 4와 8의 공배수를 찾아 가장 작은 수부터 3개만 쓰고, 최소공배수를 구하세요.

공배수 ( )
최소공배수 ( )

05 두 수의 공배수를 가장 작은 수부터 3개 써 보세요.

10 15

( )

06 9와 6의 공배수와 최소공배수를 구하세요. (단, 공배수는 가장 작은 수부터 3개 씁니다.)

공배수 ( )
최소공배수 ( )

[07~08] 두 수의 최소공배수를 구하세요.

07

8 32

( )

08

3 5

( )

09 최소공배수가 36인 두 수의 공배수를 가장 작은 수부터 3개 써 보세요.

( )

10 51부터 100까지의 수 중에서 6의 배수이면서 10의 배수인 수를 모두 써 보세요.

( )

▶ 최소공배수 구하기

스피드 정답표 3쪽, 정답 및 풀이 22쪽

[01~02] 곱셈식을 보고 두 수의 최소공배수를 구하세요.

01

$8=2\times2\times2$

$20=2\times2\times5$

⇨ 8과 20의 최소공배수:

$2\times2\times\square\times\square=\square$

02

$25=5\times5$

$15=3\times5$

⇨ 25와 15의 최소공배수:

$5\times5\times\square=\square$

[03~04] 두 수의 최소공배수를 구하려고 합니다. □ 안에 알맞은 수를 써넣으세요.

03

3) 27 36
3) 9 12
  □ □

⇨ 27과 36의 최소공배수:

$3\times3\times\square\times\square$

$=\square$

04

2) 30 12
3) 15 □
  □ □

⇨ 30과 12의 최소공배수:

$2\times\square\times\square\times\square$

$=\square$

05 |보기|와 같은 방법으로 두 수의 최소공배수를 구하세요.

|보기|

2) 12 28
2) 6 14
   3   7

⇨ 12와 28의 최소공배수:
$2\times2\times3\times7=84$

) 50 70

⇨ 50과 70의 최소공배수:

[06~07] 두 수의 최소공배수를 구하세요.

06

26 39

(   )

07

6 14

(   )

[08~09] □ 안에 두 수의 최소공배수를 써넣으세요.

08

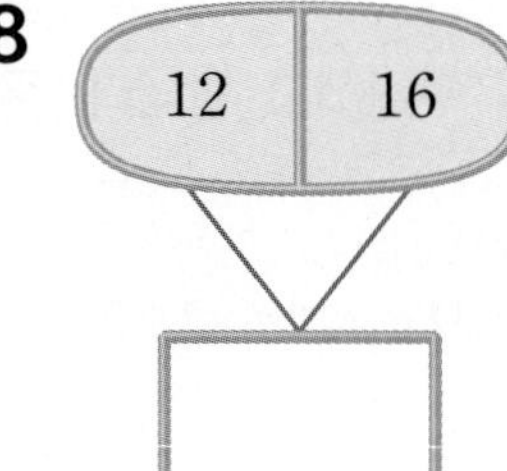

09

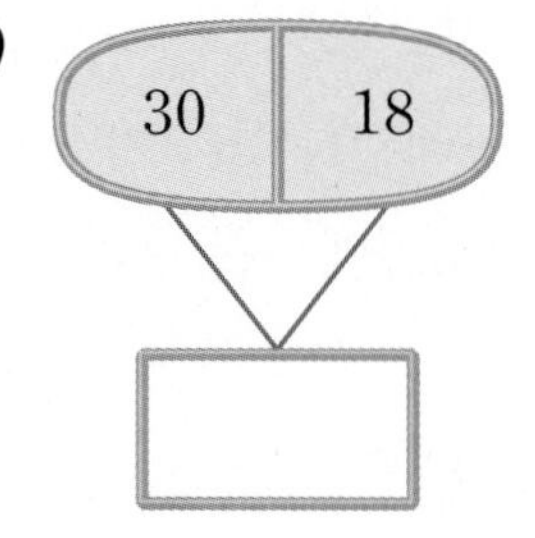

10 ■와 ★의 최소공배수를 구하여 □ 안에 알맞게 써넣으세요.

$■=2\times3\times7$

$★=2\times5\times7$

□

A 난이도 B C

점수

스피드 정답표 4쪽, 정답 및 풀이 22쪽

01 10의 약수를 구하려고 합니다. □ 안에 알맞은 수를 써넣으세요.

$10 \div 1 = 10$　　$10 \div 2 = \square$

$10 \div 5 = \square$　　$10 \div 10 = \square$

10의 약수 ⇨ 1, □, □, □

02 □ 안에 알맞은 수를 써넣고 4의 배수를 작은 수부터 차례로 구하세요.

4를 1배 한 수: 4

4를 2배 한 수: □

4를 3배 한 수: □

4를 4배 한 수: □

⋮

⇨ 4의 배수: 4, □, □, □……

03 6의 배수를 가장 작은 수부터 3개 써 보세요.

(　　　　　　　　)

04 알맞은 말에 ○표 하세요.

$3 \times 6 = 18$

18은 3과 6의 (약수 , 배수)입니다.

3과 6은 18의 (약수 , 배수)입니다.

05 두 수가 약수와 배수의 관계가 아닌 것에 ×표 하세요.

7	28

(　　)

3	15

(　　)

20	6

(　　)

06 다음 중 18의 약수가 아닌 것에 ×표 하세요.

1　6　9　18　8　3　2

07 다음을 보고 8과 12의 공약수와 최대공약수를 각각 구하세요.

- 8의 약수: 1, 2, 4, 8
- 12의 약수: 1, 2, 3, 4, 6, 12

공약수 (　　　　　　)

최대공약수 (　　　　　　)

08 곱셈식을 보고 36과 12의 최소공배수를 구하세요.

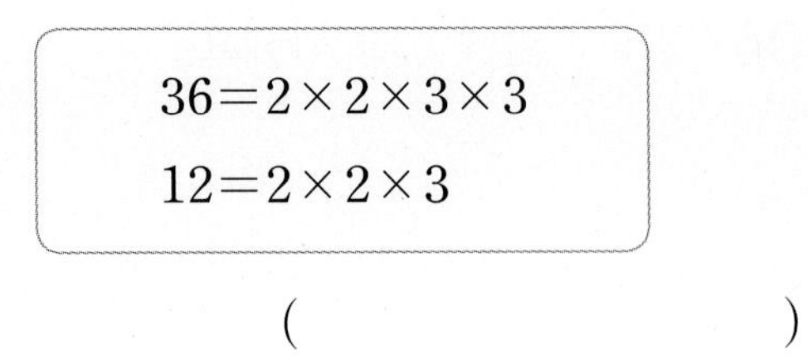
$36=2\times2\times3\times3$
$12=2\times2\times3$

(　　　　　　　)

09 10과 40의 최대공약수를 구하려고 합니다. □ 안에 알맞은 수를 써넣으세요.

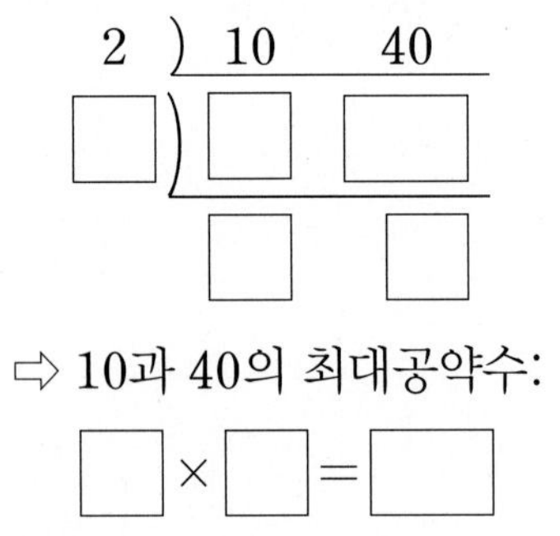

⇨ 10과 40의 최대공약수:
□×□=□

10 왼쪽 수가 오른쪽 수의 약수가 되는 것을 찾아 기호를 써 보세요.

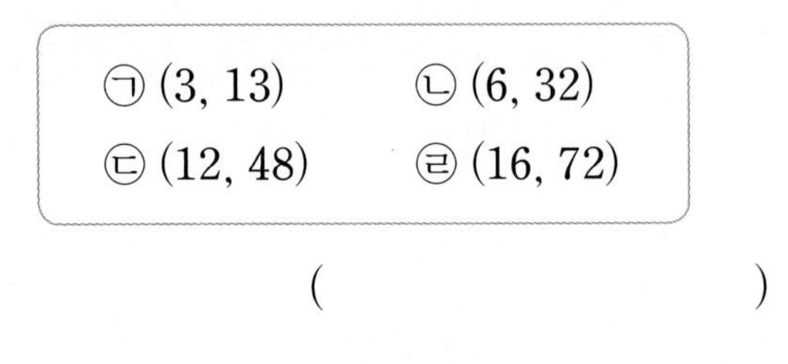
㉠ (3, 13)　㉡ (6, 32)
㉢ (12, 48)　㉣ (16, 72)

(　　　　　　　)

11 두 수의 최소공배수를 구하세요.

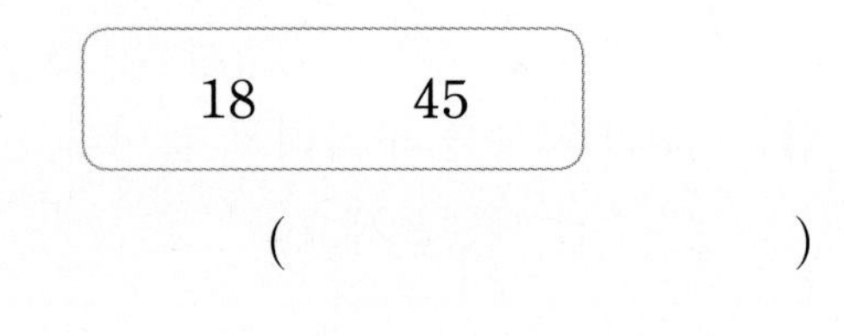
18　45

(　　　　　　　)

12 13의 배수를 작은 수부터 차례로 선으로 이으세요.

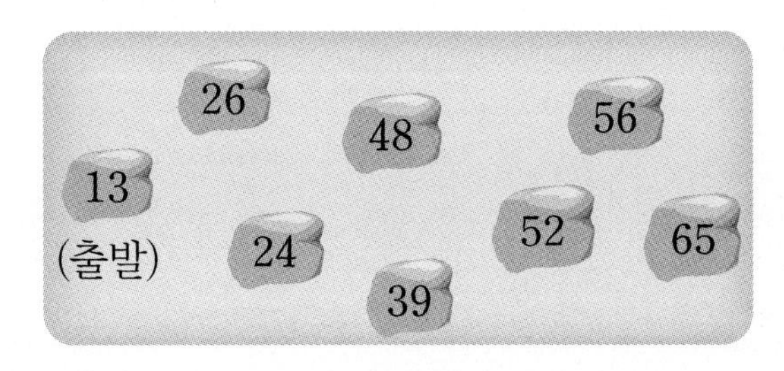

13 3과 5의 공배수가 아닌 것을 모두 고르세요. ………………………………(　　　　)

① 15　② 30　③ 35
④ 40　⑤ 45

14 24와 48의 공약수는 모두 몇 개일까요? ………………………………(　　　　)

① 5개　② 6개　③ 8개
④ 11개　⑤ 12개

15 ◯ 안에는 두 수의 최대공약수를, □ 안에는 두 수의 최소공배수를 써넣으세요.

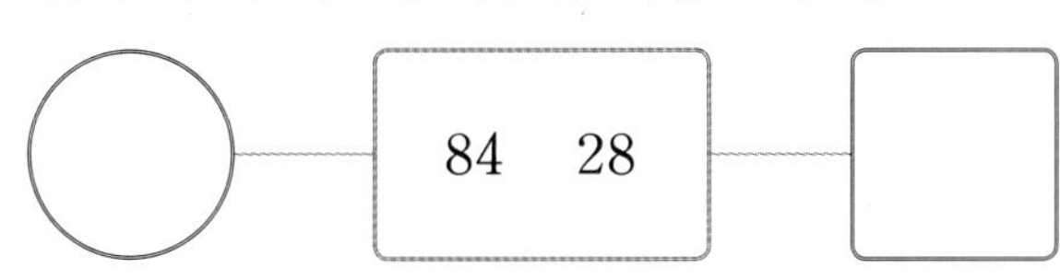

16 20보다 크고 40보다 작은 7의 배수를 모두 써 보세요.

( )

17 어떤 두 수의 최소공배수가 14일 때, 이 두 수의 공배수를 가장 작은 수부터 3개 써 보세요.

( )

18 45의 약수도 되고 36의 약수도 되는 수 중에서 가장 큰 수를 구하세요.

( )

19 어떤 두 수의 최대공약수가 16일 때, 이 두 수의 공약수가 아닌 것을 찾아 기호를 써 보세요.

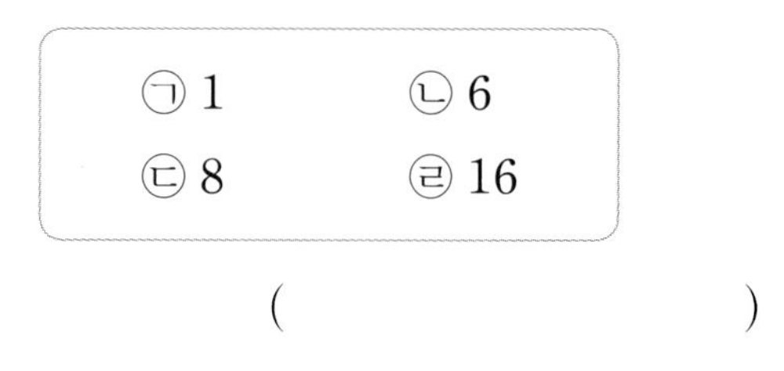

㉠ 1	㉡ 6
㉢ 8	㉣ 16

( )

20 서윤이와 준수는 공원을 일정한 빠르기로 걷고 있습니다. 서윤이는 3분마다, 준수는 2분마다 공원 한 바퀴를 돕니다. 두 사람이 출발점에서 같은 방향으로 동시에 출발할 때, 출발 후 20분 동안 출발점에서 몇 번 다시 만나는지 구하세요.

( )

01 □ 안에 알맞은 수를 써넣고 3의 배수를 작은 수부터 차례로 구하세요.

$3\times1=$□, $3\times2=$□,

$3\times3=$□, $3\times4=$□……

⇨ 3의 배수: □, □, □, □……

02 5의 배수를 구하려고 합니다. □ 안에 알맞은 수를 써넣으세요.

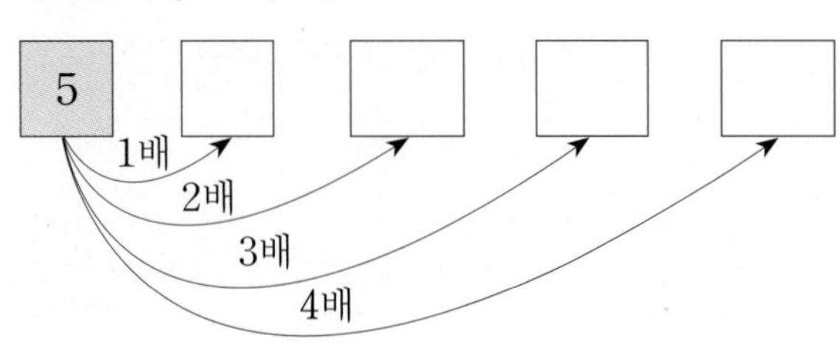

03 식을 보고 □ 안에 '약수' 또는 '배수' 중 알맞은 말을 써넣으세요.

$2\times7=14$

14는 2와 7의 □입니다.

2와 7은 14의 □입니다.

04 두 수의 곱을 보고 8의 약수를 모두 구하세요.

$1\times8=8,\ 2\times4=8$

(　　　　　　　　)

05 두 수가 약수와 배수의 관계인 것을 찾아 기호를 써 보세요.

㉠ (4, 22)　　㉡ (7, 49)
㉢ (8, 38)　　㉣ (10, 121)

(　　　　　　　　)

06 다음을 보고 24와 30의 공약수와 최대공약수를 각각 구하세요.

- 24의 약수: 1, 2, 3, 4, 6, 8, 12, 24
- 30의 약수: 1, 2, 3, 5, 6, 10, 15, 30

공약수 (　　　　　　　　)
최대공약수 (　　　　　　　　)

07 다음 수의 약수를 모두 구하세요.

56

(　　　　　　　　)

08 15와 45의 최대공약수를 구하려고 합니다. □ 안에 알맞은 수를 써넣으세요.

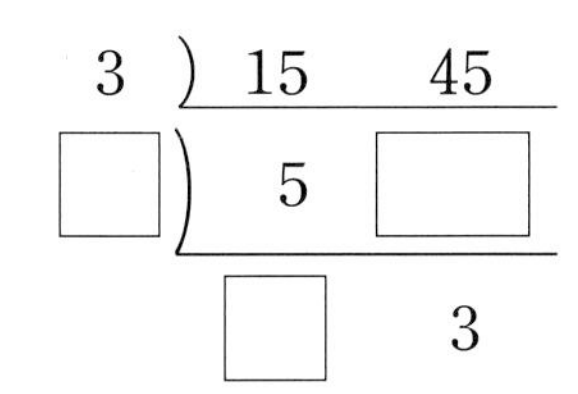

⇨ 15와 45의 최대공약수: □

09 20과 28의 최소공배수를 구하려고 합니다. □ 안에 알맞은 수를 써넣으세요.

$20=2\times2\times5$
$28=2\times2\times7$

⇨ 20과 28의 최소공배수:

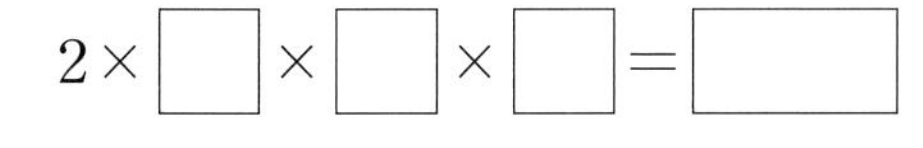

10 보기와 같은 방법으로 27과 45의 최대공약수를 구하세요.

보기

2) 12 16
2) 6 8
3 4

12와 16의 최대공약수 ⇨ $2\times2=4$

) 27 45

27과 45의 최대공약수

⇨ ______

11 18과 42의 최소공배수를 구하려고 합니다. □ 안에 알맞은 수를 써넣으세요.

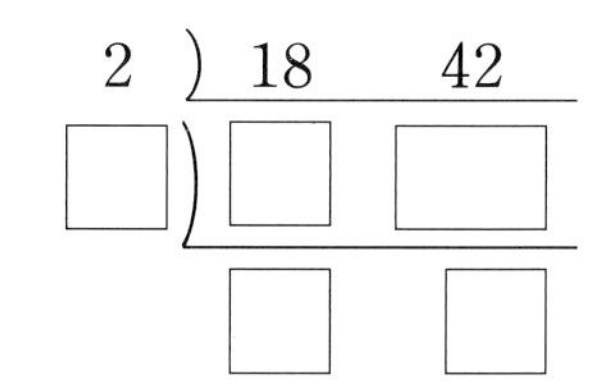

18과 42의 최소공배수

⇨ $2\times$□$\times$□$\times$□$=$□

12 두 수의 최대공약수와 공약수를 각각 구하세요.

	최대공약수	공약수
12 18		

13 7과 8의 공배수를 가장 작은 수부터 3개 써 보세요.

( )

14 다음 중 왼쪽 수가 오른쪽 수의 약수가 되는 것은 어느 것일까요? ·············· (　　　　)

① (2, 7)　② (4, 16)
③ (5, 12)　④ (12, 18)
⑤ (15, 20)

15 50보다 작은 수 중에서 7의 배수는 모두 몇 개일까요?

(　　　　　　　　)

16 □ 안에는 약수가 2개인 수만 들어갈 수 있습니다. □ 안에 알맞은 수를 써넣고 8과 10의 최대공약수와 최소공배수를 각각 구하세요.

$8=2\times\square\times\square$
$10=2\times\square$

최대공약수 (　　　　　　)
최소공배수 (　　　　　　)

17 어떤 두 수의 최대공약수가 9일 때, 이 두 수의 공약수를 모두 구하세요.

(　　　　　　　　)

18 1부터 100까지의 자연수 중에서 4와 6의 공배수는 모두 몇 개인지 구하세요.

(　　　　　　　　)

19 지우가 가지고 있는 연필을 친구들에게 똑같이 나누어 주려고 할 때 똑같이 나누어 가질 수 있는 사람 수를 모두 찾아 ○표 하세요.

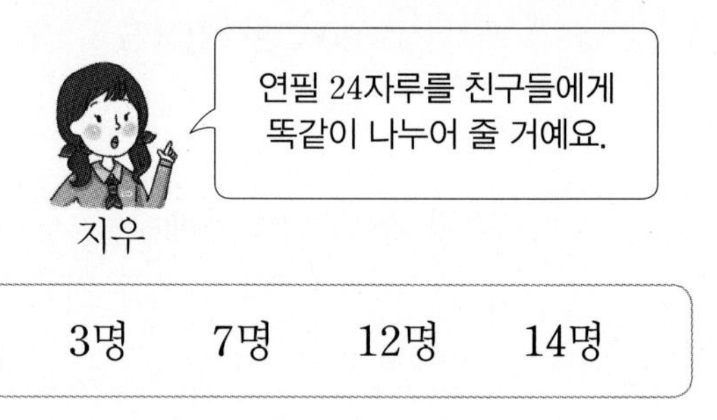

3명	7명	12명	14명

20 복숭아 20개와 자두 24개를 최대한 많은 학생에게 남김없이 똑같이 나누어 주려고 합니다. 최대 몇 명에게 나누어 줄 수 있을까요?

(　　　　　　　　)

약수와 배수

점수

스피드 정답표 4쪽, 정답 및 풀이 23쪽

01 4의 약수를 구하려고 합니다. □ 안에 알맞은 수를 써넣으세요.

$4 \div \square = 4$,

$4 \div \square = 2$,

$4 \div \square = 1 \cdots 1$,

$4 \div \square = 1$

⇨ 4의 약수: □, □, □

02 알맞은 말에 ○표 하세요.

$9 = 1 \times 9 \qquad 9 = 3 \times 3$

9는 1, 3, 9의 (약수 , 배수)입니다.

1, 3, 9는 9의 (약수 , 배수)입니다.

03 8의 배수를 가장 작은 수부터 5개 써 보세요.

(   )

04 16과 24의 공약수를 구하려고 합니다. □ 안에 알맞은 수를 써넣으세요.

• 16의 약수: 1, 2, □, □, □

• 24의 약수: 1, 2, □, □, □, □, □, □

⇨16과 24의 공약수: □, □, □, □

05 두 수가 약수와 배수의 관계인 것에 ○표 하세요.

2 15	6 23	9 36
( )	( )	( )

06 □ 안에 알맞은 수를 써넣으세요.

$20 = 2 \times 2 \times 5$

$30 = 2 \times 3 \times 5$

⇨ 20과 30의 최대공약수: $2 \times \square = \square$

07 다음은 어떤 수의 약수를 모두 쓴 것입니다. 어떤 수는 얼마일까요?

2	1	14	7

( )

08 |보기|와 같은 방법으로 두 수의 최소공배수를 구하세요.

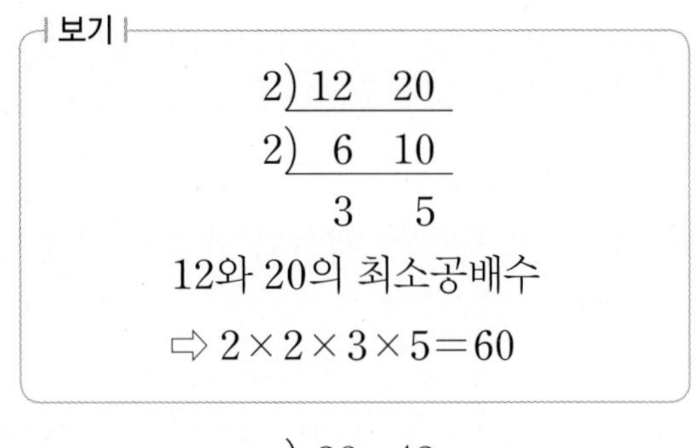

) 28 42

28과 42의 최소공배수

⇨ ______

09 두 수가 약수와 배수의 관계가 되도록 빈 곳에 알맞은 수를 써넣으세요.

12	

10 15와 60의 공약수를 모두 구하세요.

( )

11 두 수의 최소공배수를 구하세요.

36	54

( )

12 1부터 50까지의 자연수 중에서 9의 배수를 모두 써 보세요.

( )

13 다음 중 4와 14의 공배수가 아닌 것을 모두 고르세요. ······················ ( )

① 28 ② 42 ③ 56
④ 70 ⑤ 84

14 두 수의 최대공약수가 더 큰 것에 ○표 하세요.

12 18	15 30
( )	( )

15 동굴문을 열기 위해 외쳐야 할 수는 얼마일까요?

7의 배수이고 30보다 작은 수 중 가장 큰 자연수를 외치면 동굴문이 열린다고 해요.

( )

16 어떤 두 수의 최소공배수가 10일 때, 이 두 수의 공배수를 가장 작은 수부터 3개 써 보세요.

( )

17 어떤 두 수의 최대공약수가 70일 때, 이 두 수의 공약수를 모두 구하세요.

( )

18 어린이 도서관에 민우는 3일마다, 예진이는 5일마다 갑니다. 오늘 민우와 예진이가 함께 도서관에 갔다면 다음번에 민우와 예진이가 함께 도서관에 가는 날은 며칠 후일까요?

( )

19 한 변의 길이가 1 cm인 정사각형 4개로 만들 수 있는 서로 다른 직사각형은 다음과 같이 2가지입니다. 이와 같은 정사각형 16개로 만들 수 있는 직사각형의 종류는 모두 몇 가지일까요? (단, 뒤집거나 돌렸을 때 같은 모양은 한 가지로 생각합니다.)

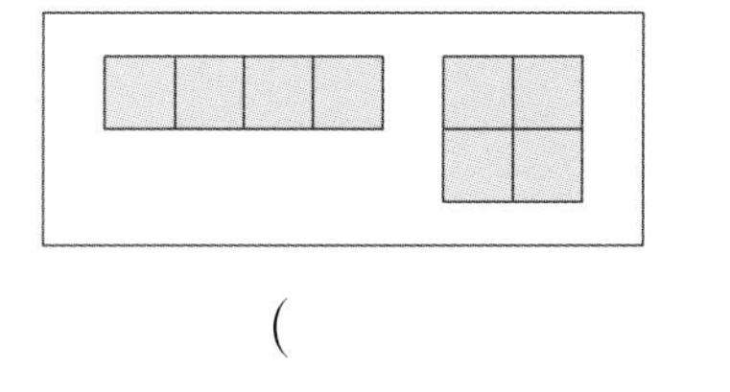

( )

서술형

20 3으로도 나누어떨어지고, 8로도 나누어떨어지는 자연수 중에서 100에 가장 가까운 수는 얼마인지 풀이 과정을 쓰고 답을 구하세요.

풀이

답

2 단원 단원평가 4회 약수와 배수

A B 난이도 C

점수

스피드 정답표 4쪽, 정답 및 풀이 24쪽

01 다음 중 4의 배수가 아닌 수는 어느 것일까요? ······························ (　　　)

① 8　　② 12　　③ 16
④ 21　　⑤ 36

02 □ 안에 알맞은 말을 써넣으세요.

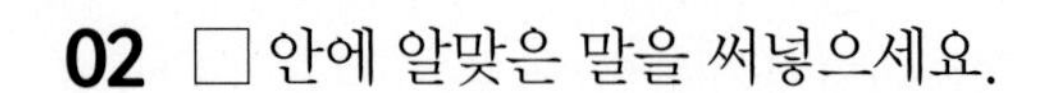

5×7=35에서 35는 5와 7의 □이고, 5와 7은 35의 □입니다.

03 다음 중 12와 18의 공배수를 찾아 기호를 써 보세요.

㉠ 6　　㉡ 18
㉢ 48　　㉣ 72

(　　　　　　　　)

04 오른쪽 수가 왼쪽 수의 배수가 되는 것에 ○표 하세요.

3	25

(　　　)

7	84

(　　　)

9	56

(　　　)

05 32의 약수는 모두 몇 개일까요? ·· (　　　)

① 3개　　② 4개　　③ 5개
④ 6개　　⑤ 8개

06 두 수가 약수와 배수의 관계가 아닌 것은 어느 것일까요? ······················ (　　　)

① (3, 18)　　② (20, 5)　　③ (14, 42)
④ (90, 16)　　⑤ (7, 63)

07 24와 28의 최대공약수를 구하려고 합니다. □ 안에 알맞은 수를 써넣으세요.

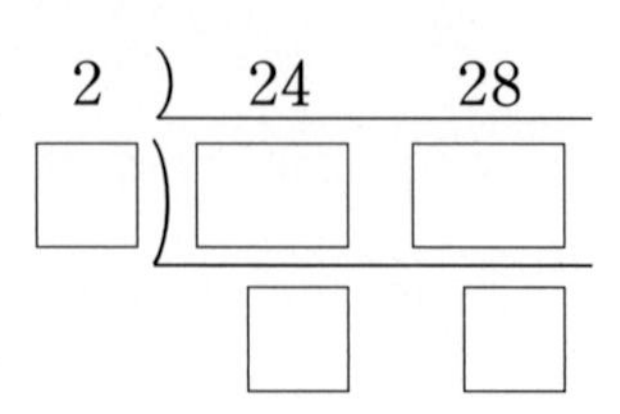

⇨ 24와 28의 최대공약수: □×□=□

08 곱셈식을 보고 16과 36의 최소공배수를 구하세요.

$16=2\times2\times2\times2$
$36=2\times2\times3\times3$

(　　　　　　　　)

09 두 수의 공배수를 가장 작은 수부터 2개 써 보세요.

6　　14

(　　　　　　　　)

10 12와 48의 최소공배수를 구하세요.

) 12　48

(　　　　　　　　)

11 두 수의 공약수를 모두 구하세요.

45　　36

(　　　　　　　　)

12 두 수의 최소공배수가 가장 큰 것을 찾아 기호를 써 보세요.

㉠ (12, 16)　㉡ (20, 36)　㉢ (18, 27)

(　　　　　　　　)

13 다음 중 설명이 틀린 것은 어느 것일까요? ……………………………(　　　)

① 0은 모든 수의 배수입니다.
② 1은 모든 수의 약수입니다.
③ 어떤 수의 배수는 무수히 많습니다.
④ 14의 약수는 4개입니다.
⑤ 두 자리 수 중에서 5의 배수는 18개입니다.

14 30의 약수 중에서 5보다 큰 수의 합을 구하세요.

(　　　　　　　　)

2 약수와 배수

15 어떤 두 수의 최대공약수가 25일 때, 이 두 수의 공약수를 모두 구하세요.

( )

16 70과 50을 어떤 수로 나누면 두 수 모두 나누어떨어집니다. 어떤 수 중에서 가장 큰 수를 구하세요.

( )

서술형

17 연필 24자루와 공책 40권을 최대한 많은 사람에게 남김없이 똑같이 나누어 주려고 합니다. 최대 몇 명까지 나누어 줄 수 있는지 풀이 과정을 쓰고 답을 구하세요.

풀이

답 ______

18 왼쪽 수가 오른쪽 □ 안의 수의 배수일 때, □ 안에 들어갈 수 있는 자연수를 모두 구하세요.

(38, □)

( )

19 터미널에서 놀이동산으로 가는 순환 버스가 7분 간격으로 출발합니다. 첫차가 9시 정각에 출발한다고 하면 10시까지 순환 버스는 몇 번 출발할까요?

( )

20 72와 ㉮의 최소공배수가 504일 때, ㉮에 알맞은 수를 구하세요. (단, 6과 ㉠의 공약수는 1뿐입니다.)

```
2) 72  ㉮
2) 36  □
3) 18  □
    6  ㉠
```

( )

A B C 난이도

점수

스피드 정답표 5쪽, 정답 및 풀이 24쪽

01 다음 중에서 42의 약수를 모두 찾아 써 보세요.

2	3	5	8	21
12	14	24	36	42

(　　　　　　　　)

02 48과 72의 최대공약수를 구하려고 합니다. □ 안에 알맞은 수를 써넣으세요.

```
2) 48  72
2) 24  36
2) 12  18
3)  6   9
    2   3
```

⇨ 48과 72의 최대공약수:

$2\times2\times\square\times\square=\square$

03 35를 두 수의 곱으로 나타내고 약수와 배수의 관계를 알아보려고 합니다. □ 안에 알맞은 수를 써넣으세요.

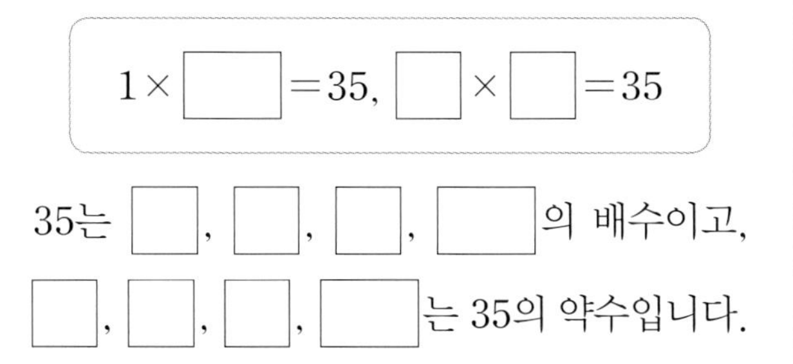

$1\times\square=35$, $\square\times\square=35$

35는 □, □, □, □의 배수이고,

□, □, □, □는 35의 약수입니다.

04 두 수가 약수와 배수의 관계가 아닌 것을 찾아 기호를 써 보세요.

㉠ (6, 30)　㉡ (81, 9)

㉢ (14, 52)　㉣ (48, 12)

(　　　　　　　　)

05 곱셈식을 보고 18과 30의 최소공배수를 구하세요.

$18=2\times3\times3$

$30=2\times3\times5$

(　　　　　　　　)

06 두 수의 공약수를 모두 구하세요.

36　　42

(　　　　　　　　)

07 30과 54의 최소공배수를 구하세요.

```
 ) 30  54
```

(　　　　　　　　)

08 13×3=39를 보고 옳은 것을 모두 고르세요. ·····························( )

① 3은 39의 배수입니다.
② 13은 39의 약수입니다.
③ 39의 약수는 13과 3뿐입니다.
④ 3의 배수는 39입니다.
⑤ 39의 배수는 13입니다.

09 두 수의 최대공약수는 ○에, 최소공배수는 □에 써넣으세요.

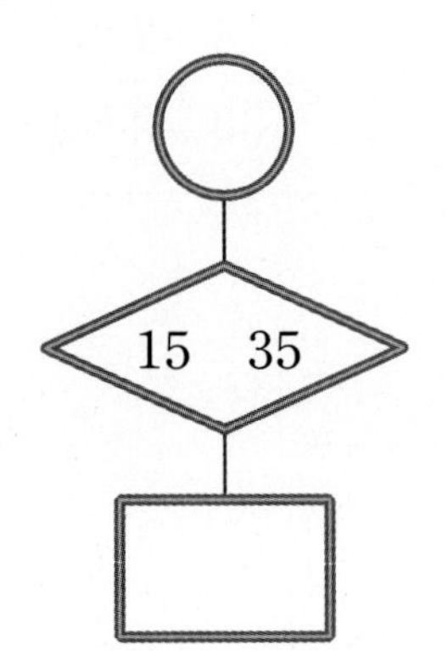

10 두 수의 공배수를 가장 작은 수부터 3개 써 보세요.

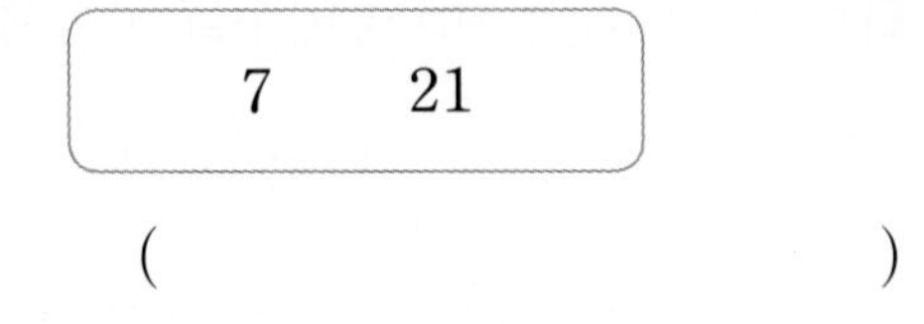

( )

11 어떤 수의 약수를 모두 늘어놓은 것입니다. □ 안에 알맞은 수를 써넣으세요.

1, 3, 5, 7, 15, 21, 35, □

12 어떤 두 수의 최소공배수가 14일 때, 두 수의 공배수 중에서 다섯째로 작은 수를 구하세요.

( )

13 15의 배수 중에서 100에 가장 가까운 수를 구하세요.

( )

14 어떤 두 수의 최대공약수는 16입니다. 이 두 수의 공약수는 모두 몇 개일까요?

( )

15 다음 중 약수의 개수가 가장 많은 수를 찾아 써 보세요.

9 10 20 25

( )

16 다음과 같은 두 종류의 간식이 있습니다. 간식을 최대한 많은 사람에게 남김없이 똑같이 나누어 주려고 합니다. 이때 한 사람이 받게 되는 빵과 주스의 수를 구하세요.

빵: 16개 주스: 20병

빵 ( )

주스 ( )

서술형

17 오늘은 5월 2일이고, 오늘 찬희와 세미가 함께 자전거를 탔습니다. 찬희는 4일마다, 세미는 5일마다 자전거를 탈 때, 다음번에 두 사람이 함께 자전거를 타는 날은 몇 월 며칠인지 풀이 과정을 쓰고 답을 구하세요.

풀이

답

18 7의 배수인 어떤 수가 있습니다. 이 수의 약수를 모두 더하였더니 32가 되었습니다. 어떤 수를 구하세요.

( )

19 어떤 수를 10으로 나누어도 3이 남고, 14로 나누어도 3이 남습니다. 어떤 수 중에서 가장 작은 두 자리 수를 구하세요.

( )

서술형

20 가로가 56 cm, 세로가 48 cm인 직사각형 모양의 도화지가 있습니다. 이 도화지를 남는 부분 없이 잘라 크기가 똑같은 정사각형 모양을 최대한 크게 여러 장 만들려고 합니다. 정사각형 모양은 모두 몇 장 만들 수 있는지 풀이 과정을 쓰고 답을 구하세요.

풀이

답

스피드 정답표 5쪽, 정답 및 풀이 25쪽

01 어떤 두 수의 최대공약수는 45입니다. 이 두 수의 공약수는 모두 몇 개인지 구하세요.

❶ □ 안에 알맞은 말을 써넣으세요.

어떤 두 수의 공약수는 두 수의 최대공약수의 □와 같습니다.

❷ 45의 약수를 모두 구하세요.

(　　　　　　　　　　)

❸ 이 두 수의 공약수는 모두 몇 개일까요?

(　　　　　　　　　　)

02 다음을 만족하는 수는 모두 몇 개인지 구하세요.

두 자리 수 중에서 10의 배수도 되고 15의 배수도 되는 수

❶ 알맞은 말에 ○표 하세요.

10의 배수도 되고 15의 배수도 되는 수는 10과 15의 (공약수 , 공배수)입니다.

❷ 10과 15의 최소공배수의 배수를 가장 작은 수부터 5개 써 보세요.

(　　　　　　　　　　)

❸ 두 자리 수 중에서 10의 배수도 되고 15의 배수도 되는 수는 모두 몇 개일까요?

(　　　　　　　　　　)

03

길이가 각각 다음과 같은 두 색 테이프를 똑같은 길이로 남김없이 자르려고 합니다. 한 도막의 길이를 될 수 있는 대로 길게 하려면 몇 cm씩 잘라야 하는지 구하세요.

70 cm

42 cm

❶ 알맞은 말에 ○표 하세요.

두 색 테이프를 똑같은 길이로 자를 수 있는 한 도막의 길이는 70과 42의 (공약수 , 공배수)로 구할 수 있습니다.

❷ 70과 42의 공약수를 모두 구하세요.

(   )

❸ 두 색 테이프를 똑같은 길이로 남김없이 자를 때 한 도막의 길이를 될 수 있는 대로 길게 하려면 몇 cm씩 잘라야 할까요?

(   )

② 약수와 배수

04

다음과 같은 직사각형 모양의 타일을 겹치는 부분 없이 이어 붙여 될 수 있는 대로 작은 정사각형을 만들려고 합니다. 필요한 타일은 모두 몇 장인지 구하세요.

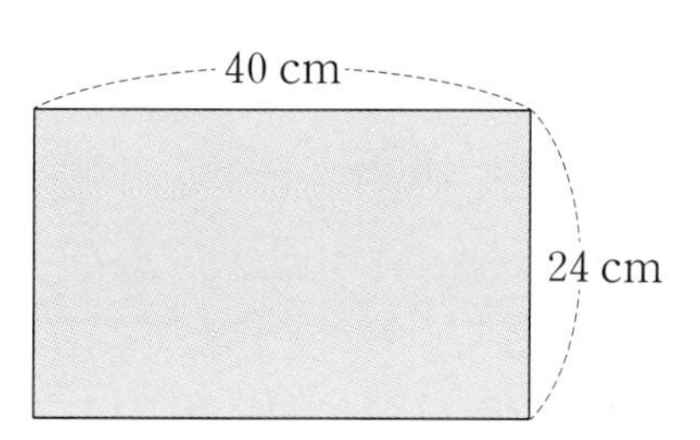

❶ 만들 수 있는 가장 작은 정사각형의 한 변의 길이는 몇 cm일까요?

(   )

❷ 타일을 가로와 세로에 각각 몇 장씩 놓아야 할까요?

가로 (   ), 세로 (   )

❸ 필요한 타일은 모두 몇 장일까요?

(   )

점수

스피드 정답표 5쪽, 정답 및 풀이 26쪽

01 9가 288의 약수인 이유를 써 보세요.

이유

> 어떻게 풀까요?
> • 어떤 수의 약수로 어떤 수를 나누면 나누어떨어집니다.

02 어떤 두 수의 최대공약수는 30입니다. 이 두 수의 공약수는 모두 몇 개인지 풀이 과정을 쓰고 답을 구하세요.

풀이

답 ____________

> 어떻게 풀까요?
> • 두 수의 최대공약수의 약수는 두 수의 공약수와 같음을 이용합니다.

03 다음을 만족하는 수는 모두 몇 개인지 풀이 과정을 쓰고 답을 구하세요.

두 자리 수 중에서 5의 배수도 되고 7의 배수도 되는 수

풀이

답 ____________

> 어떻게 풀까요?
> • 5의 배수도 되고 7의 배수도 되는 수는 5와 7의 공배수입니다.

04 길이가 각각 다음과 같은 두 색 테이프를 똑같은 길이로 남김없이 자르려고 합니다. 한 도막의 길이를 될 수 있는 대로 길게 하려면 몇 cm씩 잘라야 하는지 풀이 과정을 쓰고 답을 구하세요.

32 cm

60 cm

풀이

답 ________________

어떻게 풀까요?

- '될 수 있는 대로 길게'는 두 수의 최대공약수를 이용합니다.

05 다음과 같은 직사각형 모양의 도화지를 겹치는 부분 없이 이어 붙여 될 수 있는 대로 작은 정사각형을 만들려고 합니다. 필요한 도화지는 모두 몇 장인지 풀이 과정을 쓰고 답을 구하세요.

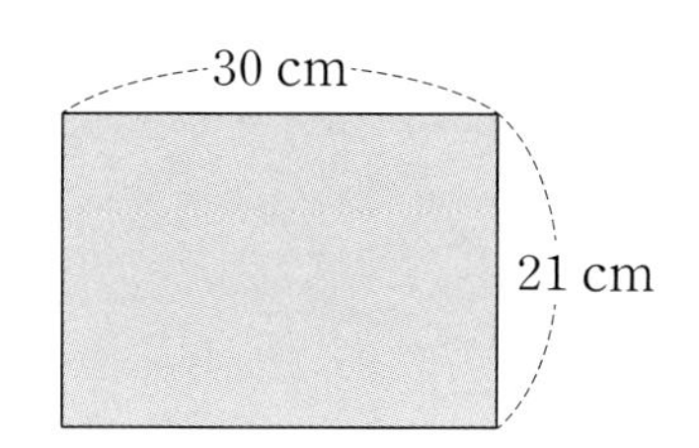

풀이

답 ________________

어떻게 풀까요?

- '될 수 있는 대로 작은'은 두 수의 최소공배수를 이용합니다.

2 약수와 배수

스피드 정답표 5쪽, 정답 및 풀이 26쪽

01 다음 조건을 모두 만족하는 수를 구하세요.

- 6과 8의 공배수입니다.
- 60보다 크고 90보다 작은 수입니다.

( )

02 어떤 두 수의 최대공약수는 18입니다. 이 두 수의 공약수는 모두 몇 개인지 구하세요. · · ( )

① 2개 ② 4개 ③ 6개
④ 8개 ⑤ 12개

03 어떤 두 수의 최대공약수가 27일 때 두 수의 공약수는 모두 몇 개인지 구하세요.

( )

04 24와 어떤 수의 최대공약수는 6이고 최소공배수는 120입니다. 어떤 수는 얼마인지 구하세요.

( )

05 가로가 112 cm, 세로가 104 cm인 직사각형 모양의 종이를 같은 크기의 정사각형 모양으로 남는 부분 없이 자르려고 합니다. 가장 큰 정사각형 모양으로 자를 때 한 변의 길이는 몇 cm인지 구하세요.

( )

CONTENTS

3

규칙과 대응

3단원 개념정리 규칙과 대응

개념 1 두 양 사이의 대응 관계

● 사각판의 수와 바퀴의 수 사이의 대응 관계

사각판 1개에 바퀴를 2개씩 조립합니다.

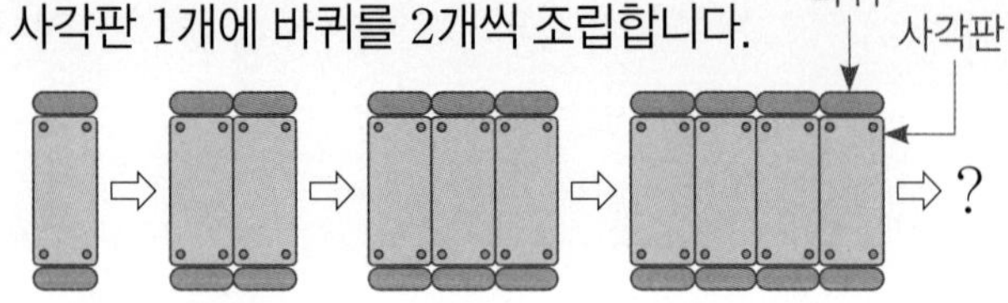

사각판의 수(개)	1	2	3	4	……
바퀴의 수(개)	2	4	6	❶ □	……

⇨ 사각판의 수가 1개씩 늘어날 때, 바퀴의 수는 2개씩 늘어납니다.

⇨ 사각판의 수는 바퀴의 수의 반과 같습니다.

⇨ 바퀴의 수는 사각판의 수의 2배입니다.

⇨ 사각판이 10개일 때 바퀴는 20개 필요합니다.

● 흰색 사각판과 검은색 사각판 사이의 대응 관계

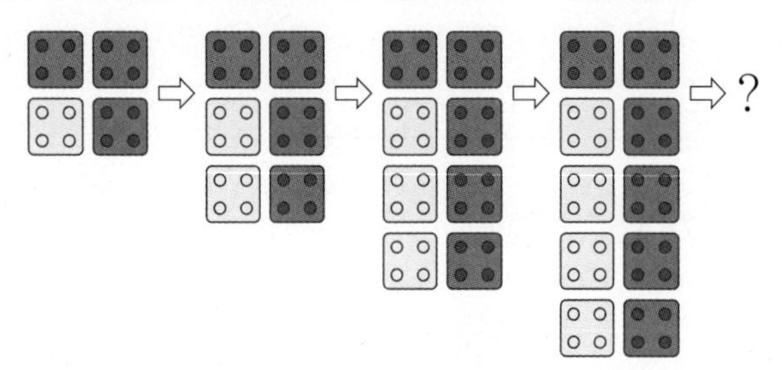

흰색 사각판의 수(개)	1	2	3	4	……
검은색 사각판의 수(개)	3	4	5	❷ □	……

⇨ 흰색 사각판의 수는 1, 2, 3, 4……로 1씩 늘어납니다.

⇨ 검은색 사각판의 수는 3, 4, 5, 6……으로 1씩 늘어납니다.

⇨ 검은색 사각판의 수는 흰색 사각판의 수보다 2개 많습니다.

⇨ 흰색 사각판이 10개일 때 검은색 사각판은 ❸ □개 필요합니다.

개념 2 대응 관계를 식으로 나타내기

● 드론의 수와 날개의 수 사이의 대응 관계 알아보기

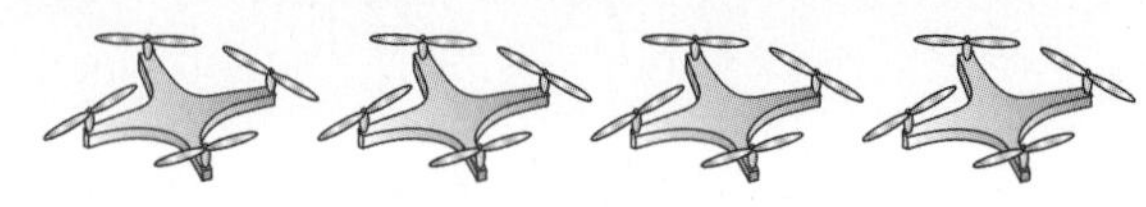

드론의 수(개)	1	2	3	4	……
날개의 수(개)	4	8	12	16	……

⇨ 드론의 수를 ○, 날개의 수를 ☆이라고 할 때, 두 양 사이의 대응 관계를 식으로 나타내면 ○×4=☆ 또는 ☆÷4=○입니다.

> 두 양 사이의 대응 관계를 식으로 간단하게 나타낼 때는 각 양을 ○, □, △, ☆ 등과 같은 기호로 표현할 수 있습니다.

개념 3 생활 속에서 대응 관계를 찾기

● 과자의 수와 과자 상자의 수 사이의 대응 관계 알아보기

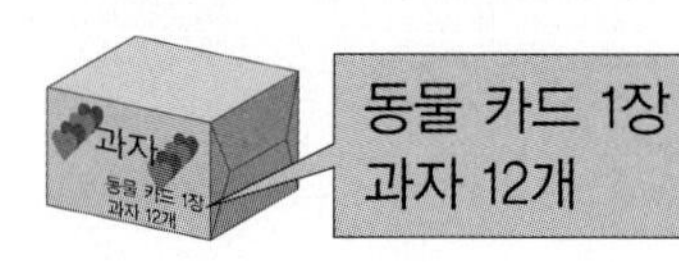

동물 카드 1장
과자 12개

⇨ (과자의 수)=(과자 상자의 수)×12
(과자 상자의 수)=(과자의 수)÷ ❹ □

● 대응 관계 알아맞히기

내가 말한 수	1	4	2	10	11
짝이 답한 수	5	8	6	14	15

⇨ 내가 말한 수를 △, 짝이 답한 수를 ☆이라고 할 때, 두 양 사이의 대응 관계를 식으로 나타내면

△+4=☆ 또는 ☆− ❺ □ =△입니다.

| 정답 | ❶ 8 ❷ 6 ❸ 12 ❹ 12 ❺ 4

점수

▶ 두 양 사이의 대응 관계

스피드 정답표 6쪽, 정답 및 풀이 27쪽

[01~02] 도형의 배열을 보고 물음에 답하세요.

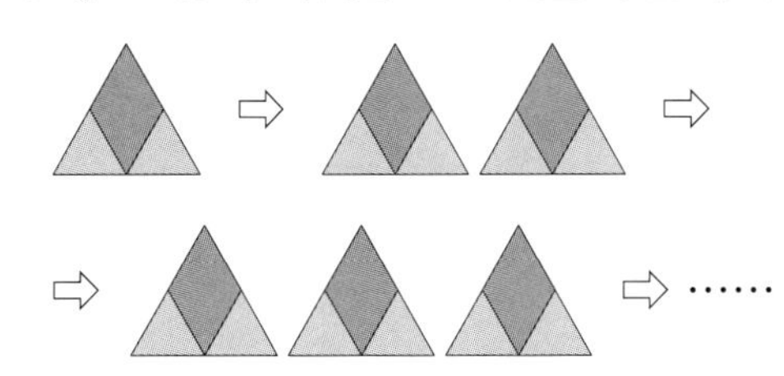

01 사각형이 7개일 때 삼각형은 몇 개 필요할까요?

( )

02 사각형의 수와 삼각형의 수 사이의 대응 관계를 써 보세요.

삼각형의 수는 사각형의 수의 □ 배입니다.

[03~05] 사각판과 삼각판으로 규칙적인 배열을 만들고 있습니다. 물음에 답하세요.

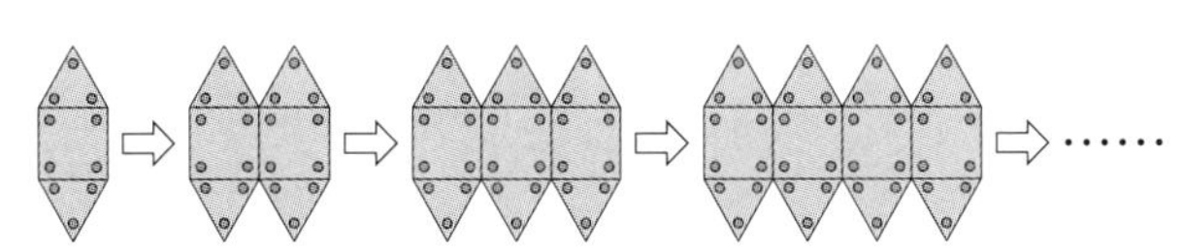

03 사각판의 수와 삼각판의 수가 어떻게 변하는지 표를 이용하여 알아보세요.

사각판의 수(개)	1	2	3	4	……
삼각판의 수(개)	2	4			……

04 사각판이 10개일 때 삼각판은 몇 개 필요할까요?

( )

05 사각판의 수와 삼각판의 수 사이의 대응 관계를 써 보세요.

삼각판의 수는 사각판의 수의 □ 배입니다.

[06~08] 트럭 1대에는 바퀴가 6개 있습니다. 물음에 답하세요.

06 트럭의 수와 바퀴의 수가 어떻게 변하는지 표를 이용하여 알아보세요.

트럭의 수(대)	1	2	3	4	……
바퀴의 수(개)	6				……

07 트럭이 8대이면 바퀴는 몇 개일까요?

( )

08 트럭의 수와 바퀴의 수 사이의 대응 관계를 써 보세요.

[09~10] 한 사람에게 공책을 3권씩 나누어 줍니다. 물음에 답하세요.

09 사람의 수와 공책의 수가 어떻게 변하는지 표를 이용하여 알아보세요.

사람의 수(명)	1	2	3	4	……
공책의 수(권)					……

10 사람의 수와 공책의 수 사이의 대응 관계를 써 보세요.

단원 쪽지시험 2회 규칙과 대응

점수

▶ 대응 관계를 식으로 나타내기 ~ 생활 속에서 대응 관계를 찾기

스피드 정답표 6쪽, 정답 및 풀이 27쪽

[01~03] 그림과 같이 의자 한 개에는 다리가 3개 있습니다. 물음에 답하세요.

01 의자의 수와 의자 다리의 수 사이의 대응 관계를 표를 이용하여 알아보세요.

의자의 수(개)	1	2	3	4	······
의자 다리의 수(개)	3				······

02 의자의 수를 △, 의자 다리의 수를 ○라고 할 때, 두 양 사이의 대응 관계를 식으로 나타내어 보세요.

△×□=○

03 의자가 15개이면 의자 다리는 몇 개일까요?

( )

[04~05] 비행기는 1시간에 850 km를 이동합니다. 물음에 답하세요.

04 비행기가 이동하는 시간과 이동하는 거리 사이의 대응 관계를 표를 이용하여 알아보세요.

비행기가 이동하는 시간(시간)	1	2	3	4	······
비행기가 이동하는 거리(km)	850	1700			······

05 비행기가 이동하는 시간을 ☆(시간), 이동하는 거리를 △(km)라고 할 때, 두 양 사이의 대응 관계를 식으로 나타내어 보세요.

△÷□=☆

[06~07] 의자의 수와 팔걸이의 수 사이의 대응 관계를 알아보려고 합니다. 물음에 답하세요.

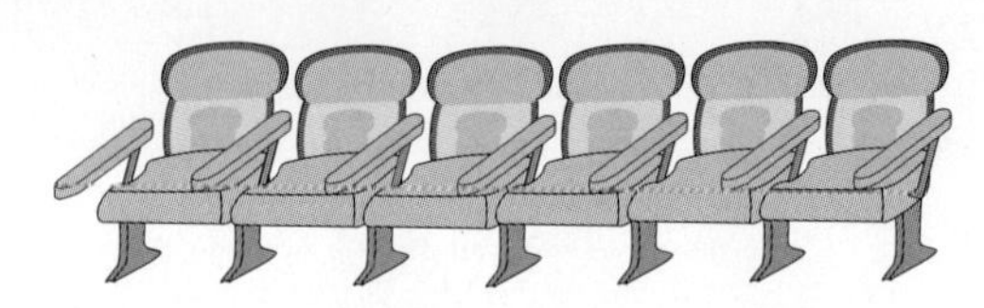

06 의자의 수와 팔걸이의 수 사이의 대응 관계를 표를 이용하여 알아보세요.

의자의 수(개)	1	2	3	4	······
팔걸이의 수(개)	2				······

07 의자의 수를 ⊙, 팔걸이의 수를 ☆이라고 할 때, 두 양 사이의 대응 관계를 식으로 나타내어 보세요.

[08~10] 연도와 서윤이의 나이 사이의 대응 관계를 알아보려고 합니다. 물음에 답하세요.

08 연도와 서윤이의 나이 사이의 대응 관계를 표를 이용하여 알아보세요.

연도(년)	2018	2019	2020	2021	······
서윤이의 나이(살)	6	7			······

09 연도와 서윤이의 나이 사이의 대응 관계를 식으로 나타내어 보세요.

10 2030년에 서윤이는 몇 살이 될까요?

( )

A 난이도 B C

단원 단원평가 1회 규칙과 대응

점수

스피드 정답표 6쪽, 정답 및 풀이 27쪽

[01~04] 선물을 포장하기 위해 리본을 가위로 자르고 있습니다. 물음에 답하세요.

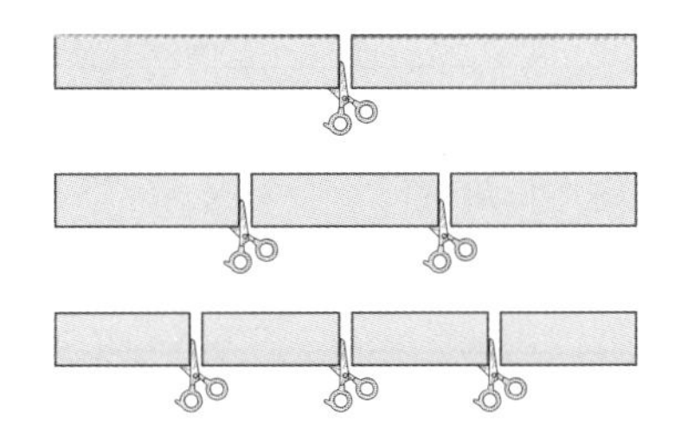

01 리본을 한 번 자르면 리본은 몇 도막이 될까요?

( )

02 리본이 4도막일 때 리본을 자른 횟수는 몇 번일까요?

( )

03 리본을 자른 횟수와 리본 도막의 수 사이의 대응 관계를 표를 이용하여 알아보세요.

리본을 자른 횟수(번)	1	2	3	4	……
리본 도막의 수(개)	2				……

04 리본을 자른 횟수와 리본 도막의 수 사이의 대응 관계를 써 보세요.

리본 도막의 수에서 □을 빼면 리본을 자른 횟수와 같습니다.

[05~07] 삼각판과 사각판으로 규칙적인 배열을 만들고 있습니다. 물음에 답하세요.

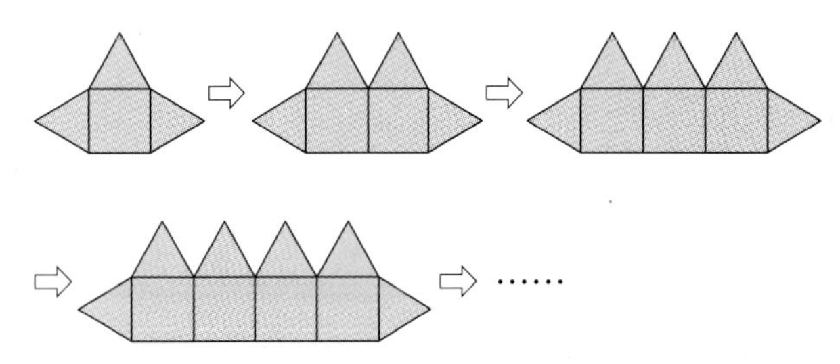

05 모양에서 변하는 부분과 변하지 않는 부분을 생각하며, 삼각판과 사각판의 수가 어떻게 변하는지 표를 이용하여 알아보세요.

사각판의 수(개)	1	2	3	4	……
삼각판의 수(개)	3	4			……

06 사각판이 10개일 때 삼각판은 몇 개 필요할까요?

( )

07 사각판의 수와 삼각판의 수 사이의 대응 관계를 써 보세요.

사각판의 수에 □를 더하면 삼각판의 수가 됩니다.

[08~10] 의자의 수와 의자 다리의 수 사이의 대응 관계를 알아보려고 합니다. 물음에 답하세요.

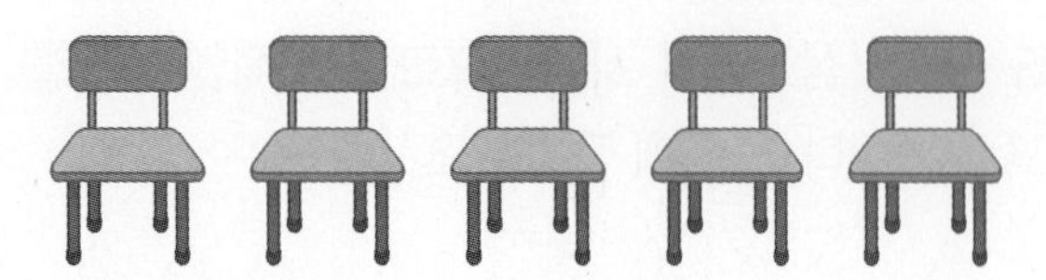

08 의자의 수와 의자 다리의 수 사이의 대응 관계를 표를 이용하여 알아보세요.

의자의 수(개)	1	2	3	4	……
의자 다리의 수(개)	4	8			……

09 의자의 수와 의자 다리의 수 사이의 대응 관계를 식으로 나타내어 보세요.

(의자의 수)×□=(의자 다리의 수)

10 의자가 12개이면 의자 다리는 몇 개일까요?

( )

[11~13] 닭의 수와 닭의 다리의 수 사이의 대응 관계를 알아보려고 합니다. 물음에 답하세요.

11 닭의 수와 닭의 다리의 수 사이의 대응 관계를 표를 이용하여 알아보세요.

닭의 수(마리)	1	2	3	4	……
닭의 다리의 수(개)	2	4			……

12 닭의 수를 ○, 닭의 다리의 수를 △라고 할 때, 두 양 사이의 대응 관계를 식으로 나타내어 보세요.

( )

13 닭이 14마리이면 닭의 다리는 몇 개일까요?

( )

14 표를 보고 ☆과 □ 사이의 대응 관계를 식으로 나타내어 보세요.

☆	1	2	3	4	……
□	4	5	6	7	……

( )

[15~17] 주차장에 있는 자동차의 수와 자동차 바퀴의 수 사이의 대응 관계를 알아보려고 합니다. 물음에 답하세요.

15 자동차의 수와 자동차 바퀴의 수 사이의 대응 관계를 표를 이용하여 알아보세요.

자동차의 수(대)	1	2	3	4	……
자동차 바퀴의 수(개)	4	8			……

16 자동차의 수를 △, 바퀴의 수를 ⊙라고 할 때, 두 양 사이의 대응 관계를 식으로 나타내어 보세요.

( )

17 자동차가 6대이면 자동차 바퀴는 몇 개일까요?

( )

[18~19] 연도와 준호의 나이 사이의 대응 관계를 나타낸 표입니다. 물음에 답하세요.

연도(년)	2017	2018	2019	2020	……
준호의 나이(살)	11	12			……

18 연도와 준호의 나이가 어떻게 변하는지 위의 표를 완성해 보세요.

19 연도를 ◉, 준호의 나이를 ◈라고 할 때, 두 양 사이의 대응 관계를 식으로 나타내어 보세요.

( )

20 표를 완성하고 아이스크림의 수를 □, 판매 금액을 △라고 할 때, 두 양 사이의 대응 관계를 식으로 나타내어 보세요.

아이스크림 수(개)	1	2	3	4	……
판매 금액(원)	900	1800			……

( )

3 규칙과 대응

3 단원 단원평가 2회 규칙과 대응

A 난이도 B C 

점수

스피드 정답표 6쪽, 정답 및 풀이 28쪽

[01~04] 그림과 같이 달걀 1판에는 10개의 달걀이 들어 있습니다. 물음에 답하세요.

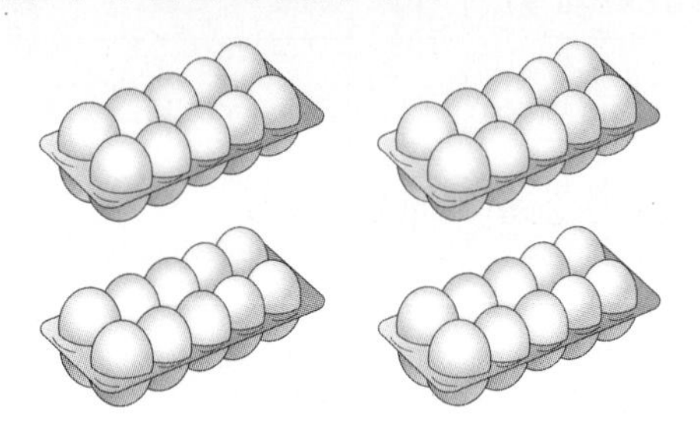

01 달걀판의 수와 달걀의 수가 어떻게 변하는지 표를 이용하여 알아보세요.

달걀판의 수(판)	1	2	3	4	……
달걀의 수(개)	10	20			……

02 달걀이 5판이면 달걀은 몇 개일까요?

( )

03 달걀이 70개일 때 달걀판은 몇 판 필요할까요?

( )

04 달걀판의 수와 달걀의 수 사이의 대응 관계를 써 보세요.

( )

[05~07] 도형의 배열을 보고 물음에 답하세요.

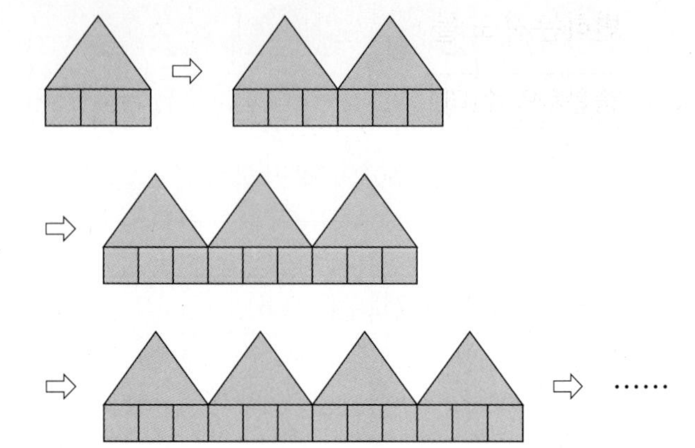

05 삼각형의 수와 사각형의 수 사이의 대응 관계를 생각하여 □ 안에 알맞은 수를 써넣으세요.

삼각형이 10개일 때 필요한 사각형의 수는 □개입니다.

06 사각형이 60개일 때 삼각형은 몇 개 필요할까요?

( )

07 삼각형의 수와 사각형의 수 사이의 대응 관계를 써 보세요.

( )

[08~11] 승합차 1대에 9명의 사람이 탈 수 있습니다. 물음에 답하세요.

08 승합차의 수와 탈 수 있는 사람 수가 어떻게 변하는지 표를 이용하여 알아보세요.

승합차의 수(대)	1	2	3	4	……
탈 수 있는 사람 수(명)	9	18			……

09 승합차의 수를 ○, 탈 수 있는 사람 수를 △라고 할 때, 두 양 사이의 대응 관계를 식으로 나타내어 보세요.

○×□=△

10 승합차가 7대 있으면 탈 수 있는 사람은 몇 명일까요?

(　　　　　　　　)

11 사람이 54명 있을 때 승합차는 몇 대 필요할까요?

(　　　　　　　　)

[12~14] 어느 가게의 팔린 팝콘 수와 판매 금액 사이의 대응 관계를 알아보려고 합니다. 물음에 답하세요.

12 팔린 팝콘 수와 판매 금액이 어떻게 변하는지 표를 이용하여 알아보세요.

팔린 팝콘 수(개)	1	2	3	4	……
판매 금액(원)	2000	4000			……

13 팔린 팝콘 수를 □, 판매 금액을 △라고 할 때, 두 양 사이의 대응 관계를 식으로 나타내어 보세요.

(　　　　　　　　)

14 팔린 팝콘이 14개일 때 판매 금액은 얼마일까요?

(　　　　　　　　)

15 필통에 연필이 7자루씩 들어 있습니다. 필통의 수를 ◉, 연필의 수를 ◇라고 할 때, 두 양 사이의 대응 관계를 식으로 나타내어 보세요.

필통의 수(개)	1	2	3	4	……
연필의 수(자루)	7	14	21	28	……

( )

16 표를 보고 □와 ○ 사이의 대응 관계를 식으로 나타내어 보세요.

□	2	3	4	5	……
○	5	6	7	8	……

( )

17 소미네 샤워기에서는 1분에 12 L의 물이 나옵니다. 샤워기를 사용한 시간과 나온 물의 양 사이의 대응 관계를 식으로 나타내어 보세요.

샤워기를 사용한 시간을 ☆(분), 나온 물의 양을 ○(L)라고 할 때, 두 양 사이의 대응 관계를 식으로 나타내면
( ) 입니다.

[18~19] 그림과 같이 성냥개비로 정삼각형을 만들고 있습니다. 물음에 답하세요.

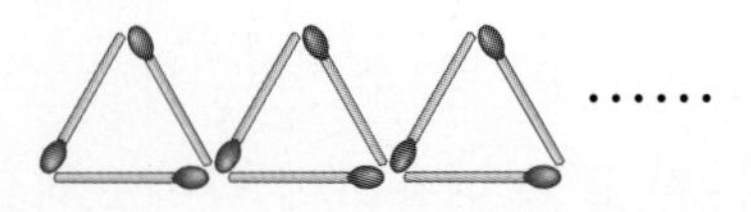

18 정삼각형의 수와 성냥개비의 수가 어떻게 변하는지 표를 이용하여 알아보세요.

정삼각형의 수(개)	1	2	3	4	5	……
성냥개비의 수(개)	3	6				……

19 정삼각형의 수를 ○, 성냥개비의 수를 △라 할 때, 두 양 사이의 대응 관계를 식으로 나타내어 보세요.

( )

20 예진이의 걸음 수와 간 거리 사이의 대응 관계를 표로 나타낸 것입니다. 표를 보고 예진이가 5걸음을 갔을 때 간 거리는 몇 cm인지 구하세요.

걸음 수(걸음)	1	2	3	4	……
간 거리(cm)	40	80	120	160	……

( )

A B 난이도 C

단원평가 3회 규칙과 대응

점수

스피드 정답표 6쪽, 정답 및 풀이 29쪽

[01~03] 도형의 배열을 보고 물음에 답하세요.

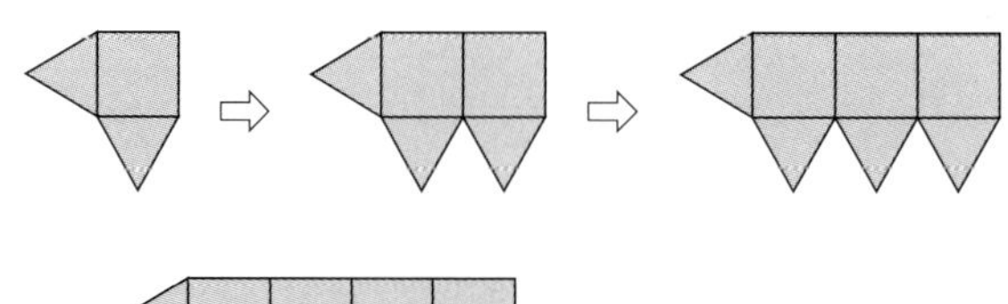

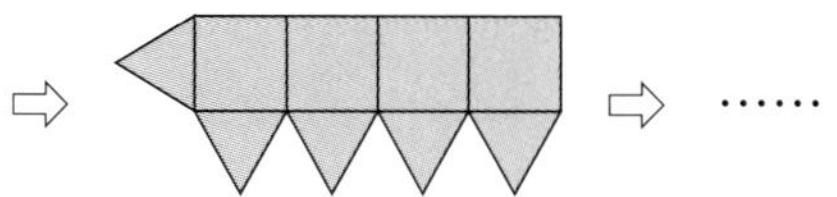

01 삼각형의 수와 사각형의 수 사이의 대응 관계를 생각하여 □ 안에 알맞은 수를 써넣으세요.

> 사각형이 5개일 때 필요한 삼각형의 수는 □개입니다.

02 사각형이 14개일 때 삼각형은 몇 개 필요할까요?

( )

03 삼각형의 수와 사각형의 수 사이의 대응 관계를 써 보세요.

> 삼각형의 수는 사각형의 수에 □을 더한 것과 같습니다.

04 표를 보고 두 수 사이의 대응 관계를 식으로 바르게 나타낸 것은 어느 것일까요? ( )

♡	2	3	4	5	……
☆	6	9	12	15	……

① ♡+2=☆ ② ♡+3=☆
③ ♡×1=☆ ④ ♡×2=☆
⑤ ♡×3=☆

[05~07] 미술관 성인 입장료와 성인 입장객 수 사이의 대응 관계를 알아보려고 합니다. 물음에 답하세요.

05 성인 입장료와 성인 입장객 수 사이의 대응 관계를 표를 이용하여 알아보세요..

성인 입장료(원)	500	1000			……
성인 입장객 수(명)	1	2	3	4	……

06 성인 입장료를 ☆, 성인 입장객 수를 △라고 할 때, 두 양 사이의 대응 관계를 식으로 나타내어 보세요.

△×□=☆

07 성인 입장료가 3500원이면 성인 입장객은 모두 몇 명일까요?

( )

[08~10] 음료 한 병에는 설탕이 35 g 들어 있습니다. 물음에 답하세요.

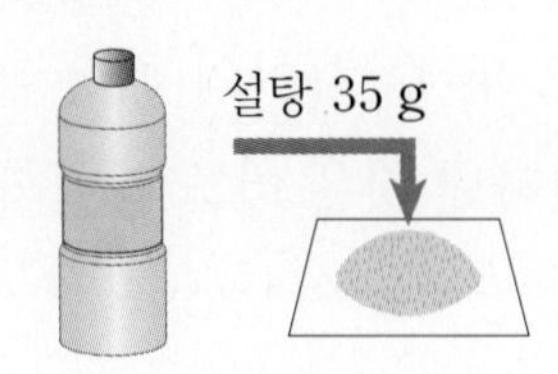

08 음료의 수와 설탕의 양이 어떻게 변하는지 표를 이용하여 알아보세요.

음료의 수(병)	1	2	3	4	……
설탕의 양(g)	35				……

09 음료의 수를 △(병), 설탕의 양을 ⊙(g)이라고 할 때, 두 양 사이의 대응 관계를 식으로 나타내어 보세요.

( )

10 음료가 9병이면 설탕의 양은 몇 g일까요?

( )

11 연도와 용미의 나이 사이의 대응 관계를 나타낸 표입니다. 표를 완성하고 용미의 나이와 연도 사이의 대응 관계를 식으로 나타내어 보세요.

연도(년)	2018	2019	2020	2021	2022
용미의 나이(살)	13	14			

(연도)−☐=(용미의 나이)

[12~14] 미술 시간에 꽃을 한 송이에 꽃잎이 5장이 되도록 만들었습니다. 물음에 답하세요.

12 꽃의 수와 꽃잎의 수 사이의 대응 관계를 표를 이용하여 알아보세요.

꽃의 수(송이)	1	2	3	4	……
꽃잎의 수(장)	5				……

13 꽃의 수를 ○, 꽃잎의 수를 ◇라고 할 때, 두 양 사이의 대응 관계를 식으로 나타내어 보세요.

( )

서술형

14 꽃을 8송이 만들 때 필요한 꽃잎의 수는 몇 장인지 풀이 과정을 쓰고 답을 구하세요.

풀이

답

[15~17] 그림을 게시판에 전시하기 위해 도화지에 누름 못을 꽂아서 벽에 붙이고 있습니다. 물음에 답하세요.

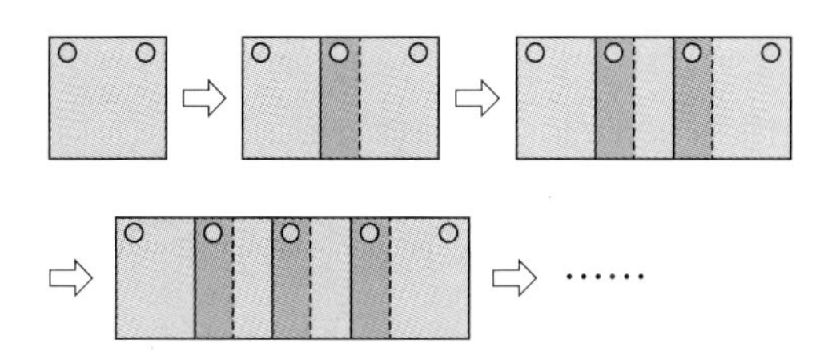

15 도화지의 수와 누름 못의 수가 어떻게 변하는지 표를 이용하여 알아보세요.

도화지의 수(장)	1	2	3	4	……
누름 못의 수(개)	2				……

16 도화지의 수를 ⊙, 누름 못의 수를 △라고 할 때, 두 양 사이의 대응 관계를 식으로 나타내어 보세요.

( )

17 도화지 10장을 붙이려면 누름 못은 몇 개 필요할까요?

( )

[18~20] 성냥개비로 다음과 같이 정사각형을 만들었습니다. 물음에 답하세요.

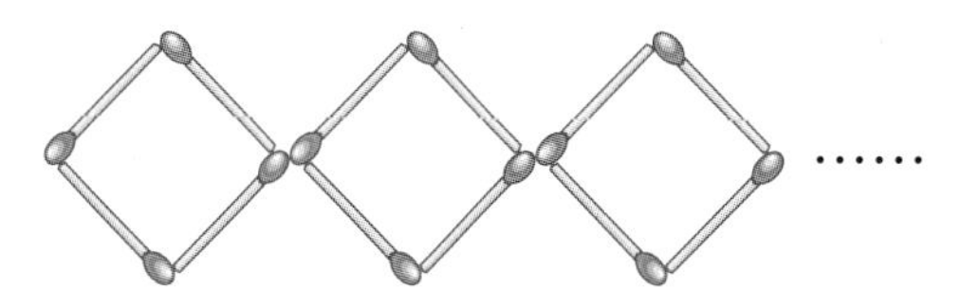

18 정사각형의 수와 성냥개비의 수가 어떻게 변하는지 표를 이용하여 알아보세요.

정사각형의 수(개)	1	2	3	4	……
성냥개비의 수(개)	4				……

19 정사각형의 수를 □, 성냥개비의 수를 △라고 할 때, 두 양 사이의 대응 관계를 식으로 나타내어 보세요.

( )

20 정사각형 80개를 만드는 데 성냥개비는 몇 개 필요할까요?

( )

A 난이도 B C

점수

스피드 정답표 7쪽, 정답 및 풀이 30쪽

[01~04] 도형의 배열을 보고 물음에 답하세요.

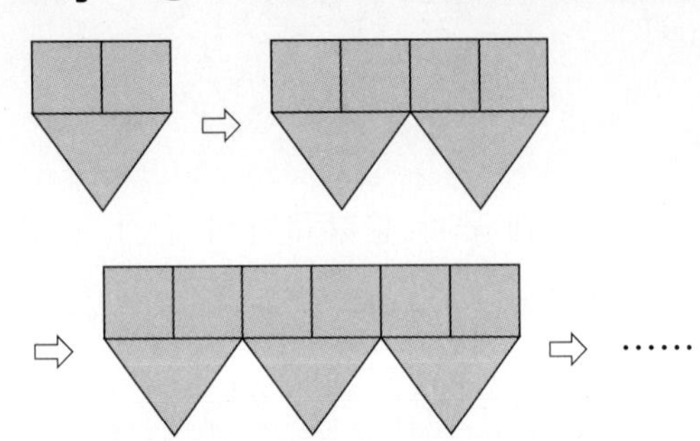

01 삼각형의 수와 사각형의 수가 어떻게 변하는지 표를 이용하여 알아보세요.

삼각형의 수(개)	1	2	3	4	……
사각형의 수(개)					……

02 삼각형의 수와 사각형의 수 사이의 대응 관계를 생각하여 □ 안에 알맞은 수를 써넣으세요.

삼각형이 20개일 때 필요한 사각형의 수는 □개입니다.

03 삼각형의 수와 사각형의 수 사이의 대응 관계를 써 보세요.

(　　　　　　　　　　)

04 사각형이 50개일 때 삼각형은 몇 개 필요할까요?

(　　　　　　　　　　)

[05~08] 어느 피자 가게에서는 호두를 넣고 피자를 만듭니다. 이 피자 1판을 만드는 데 호두가 5개 필요하다고 합니다. 물음에 답하세요.

05 피자의 수와 호두의 수가 어떻게 변하는지 표를 이용하여 알아보세요.

피자의 수(판)	1	2	3	4	……
호두의 수(개)	5				……

06 피자의 수와 호두의 수 사이의 대응 관계를 써 보세요.

07 피자의 수를 □, 호두의 수를 △라고 할 때, 두 양 사이의 대응 관계를 식으로 나타내어 보세요.

(　　　　　　　　　　)

08 호두가 40개 있다면 피자를 몇 판까지 만들 수 있을까요?

(　　　　　　　　　　)

[09~10] 그림과 같이 성냥개비로 삼각형 모양을 만들어 탑을 쌓고 있습니다. 물음에 답하세요.

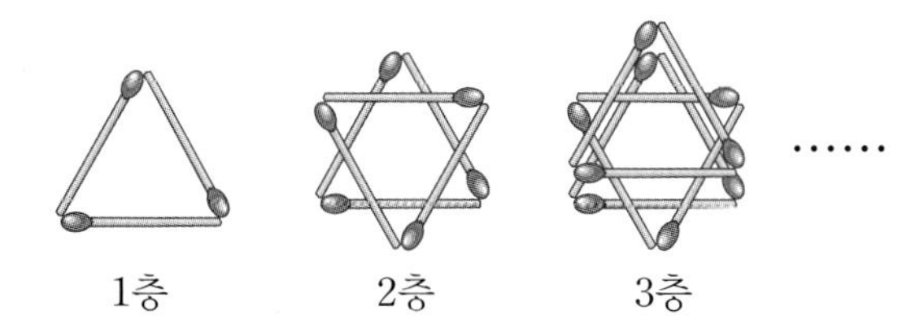

09 탑의 층수와 성냥개비의 수 사이의 대응 관계를 식으로 나타내어 보세요.

(　　　　　　　　　　　　　　　　　　)

10 탑을 9층까지 쌓는 데 성냥개비는 몇 개 필요할까요?

(　　　　　　　　　)

11 올해 상민이는 5학년입니다. 상민이가 2학년이었을 때의 선생님의 연세를 알아보려고 합니다. 빈칸에 알맞은 수를 써넣어 구하세요.

학년	2학년	3학년	4학년	5학년
선생님의 연세(세)				42

(　　　　　　　　　)

[12~14] 요구르트 한 팩에는 요구르트가 4개씩 묶여 있습니다. 물음에 답하세요.

12 요구르트 팩 수와 요구르트 수가 어떻게 변하는지 표를 이용하여 알아보세요.

요구르트 팩 수(팩)	1	2	3	4	……
요구르트 수(개)	4				……

13 요구르트 팩 수와 요구르트 수 사이의 대응 관계를 식으로 나타내어 보세요.

(　　　　　　　　　　　　　　　　　　)

14 요구르트 36개는 몇 팩일까요?

(　　　　　　　　　)

3 규칙과 대응

[15~17] 서윤이와 윤제가 오늘부터 저금을 하려고 합니다. 서윤이는 가지고 있던 1000원을 먼저 저금통에 넣었고, 두 사람은 다음 주부터 1주일에 500원씩 저금을 하기로 했습니다. 물음에 답하세요.

15 서윤이가 모은 돈과 윤제가 모은 돈 사이의 대응 관계를 표를 이용하여 알아보세요.

	서윤이가 모은 돈(원)	윤제가 모은 돈(원)
저금을 시작했을 때	1000	0
1주일 후	1500	500
2주일 후	2000	1000
3주일 후		
4주일 후		
⋮	⋮	⋮

16 서윤이가 모은 돈과 윤제가 모은 돈 사이의 대응 관계를 식으로 나타내어 보세요.

( )

17 서윤이가 7000원을 모았을 때 윤제는 얼마를 모았을까요?

( )

18 기차 한 칸에는 30명이 탈 수 있습니다. 기차 칸의 수를 ○, 탈 수 있는 사람의 수를 ◎라고 할 때, 두 양 사이의 대응 관계에 대한 표를 완성하고, 식으로 나타내어 보세요.

○	1	2	3	4	……
◎	30				……

( )

19 슬기와 명우는 대응 관계 알아맞히기 활동을 하였습니다. 표를 보고 슬기가 말한 수를 △, 명우가 답한 수를 ☆이라고 할 때, 두 양 사이의 대응 관계를 식으로 나타내어 보세요.

슬기가 말한 수	1	3	6	2
명우가 답한 수	4	6	9	5

( )

서술형

20 긴 통나무를 10도막으로 자르려고 합니다. 통나무를 한 번 자르는 데 2분이 걸립니다. 쉬지 않고 10도막으로 자르면 몇 분이 걸리는지 풀이 과정을 쓰고 답을 구하세요.

풀이

답

단원 **단원평가 5회** 규칙과 대응

점수

스피드 정답표 7쪽, 정답 및 풀이 31쪽

[01~03] 오토바이 1대에는 오토바이 바퀴가 2개 있습니다. 물음에 답하세요.

01 오토바이의 수와 오토바이 바퀴의 수 사이의 대응 관계를 표를 이용하여 알아보세요.

오토바이의 수(대)	1	2	3	4	……
오토바이 바퀴의 수(개)	2				……

02 오토바이가 13대이면 오토바이 바퀴는 몇 개일까요?

( )

03 오토바이의 수와 오토바이 바퀴의 수 사이의 대응 관계를 써 보세요.

오토바이의 수에 □를 곱하면 오토바이 바퀴의 수와 같습니다.

[04~05] △와 ◎ 사이의 대응 관계를 나타낸 표입니다. 물음에 답하세요.

△	1	2	3		5	……
◎	14		16	17	18	……

04 위 표를 완성해 보세요.

05 △와 ◎ 사이의 대응 관계를 식으로 나타내어 보세요.

( )

[06~07] 줄넘기를 1분 하면 11킬로칼로리의 열량이 소모된다고 합니다. 물음에 답하세요.

06 줄넘기를 한 시간(분)과 소모된 열량(킬로칼로리) 사이의 대응 관계를 표를 이용하여 알아보세요.

시간(분)	1	2	3	4	……
열량(킬로칼로리)					……

07 줄넘기를 한 시간을 △(분), 소모된 열량을 ◇(킬로칼로리)라고 할 때, 두 양 사이의 대응 관계를 식으로 나타내어 보세요.

( )

08 ☆과 ⊙ 사이의 대응 관계를 나타낸 표입니다. □ 안에 알맞은 수를 써넣으세요.

☆	18	24	30	36	……
⊙	3	4	5	6	……

☆÷□=⊙

[09~11] 지하철은 1초에 30 m를 이동합니다. 물음에 답하세요.

09 지하철의 걸린 시간(초)과 이동 거리(m) 사이의 대응 관계를 표를 이용하여 알아보세요.

걸린 시간(초)	1	2	3	4	……
이동 거리(m)	30				……

10 지하철의 걸린 시간(초)과 이동 거리(m) 사이의 대응 관계를 식으로 나타내어 보세요.

(　　　　　　　　　　)

11 지하철의 이동 거리가 450 m이면 걸린 시간은 몇 초일까요?

(　　　　　　　　　　)

12 한 사람에게 공책을 3권씩 나누어 주고 있습니다. 사람의 수와 공책의 수 사이의 대응 관계를 잘못 설명한 것의 기호를 써 보세요.

> ㉠ 공책의 수와 사람의 수는 항상 일정하게 변합니다.
> ㉡ 사람의 수를 □, 공책의 수를 △라고 할 때, 두 양 사이의 대응 관계는 □÷3=△입니다.

(　　　　　　　　　　)

[13~14] 정사각형을 다음과 같이 늘어놓았습니다. 물음에 답하세요.

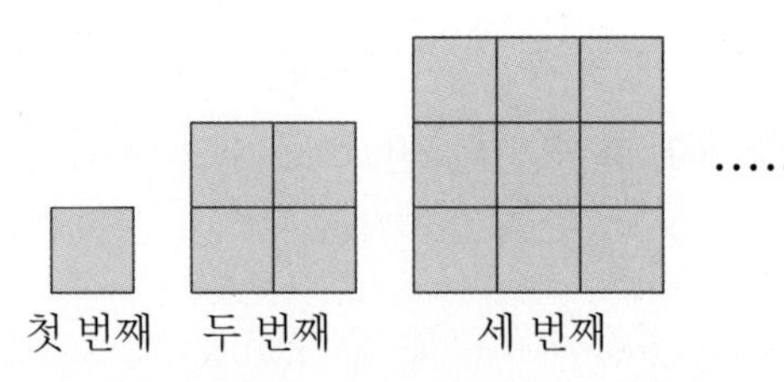

13 한 변에 놓인 가장 작은 정사각형의 개수를 ◇, 가장 작은 정사각형의 전체 개수를 ⊙라 할 때, 두 양 사이의 대응 관계를 식으로 나타내어 보세요.

(　　　　　　　　　　)

서술형

14 일곱 번째에 놓은 가장 작은 정사각형은 모두 몇 개인지 풀이 과정을 쓰고 답을 구하세요.

풀이

답 ________________

15 서울과 뉴욕의 같은 날 시각 사이의 대응 관계를 나타낸 표입니다. ㉠과 ㉡에 알맞은 시각을 각각 써 보세요.

서울의 시각	오후 5시	오후 6시	오후 7시	오후 8시	오후 9시	……
뉴욕의 시각	오전 3시	오전 4시	㉠	오전 6시	㉡	……

㉠ (　　　　　　　　)
㉡ (　　　　　　　　)

[16~17] 혜리와 주호는 대응 관계 알아맞히기 활동을 하였습니다. 물음에 답하세요.

혜리가 말한 수	3	7	1	4
주호가 답한 수	12	28	4	16

16 혜리가 말한 수를 ○, 주호가 답한 수를 △라고 할 때, 두 양 사이의 대응 관계를 식으로 나타내어 보세요.

(　　　　　　　　)

17 주호가 답한 수가 96이면 혜리가 말한 수는 얼마일까요?

(　　　　　　　　)

18 탁자와 의자를 다음과 같이 놓으려고 합니다. 의자를 42개 놓을 때 탁자는 몇 개 필요할까요?

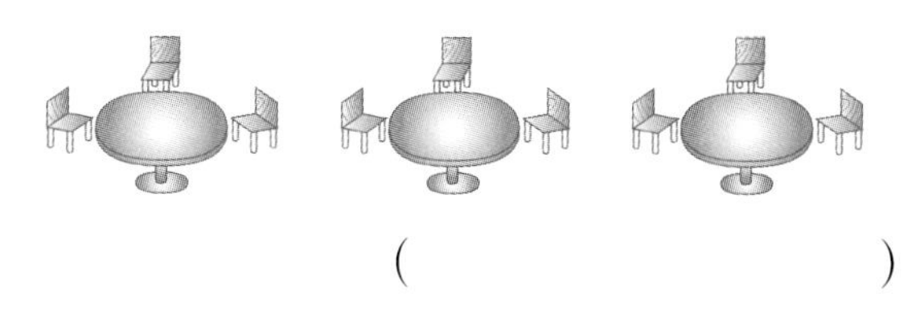

(　　　　　　　　)

19 경하는 육각형 모양 조각과 수 카드를 이용하여 대응 관계를 만들었습니다. 경하가 뽑은 수 카드가 12일 때 육각형 모양 조각은 몇 개 필요할까요?

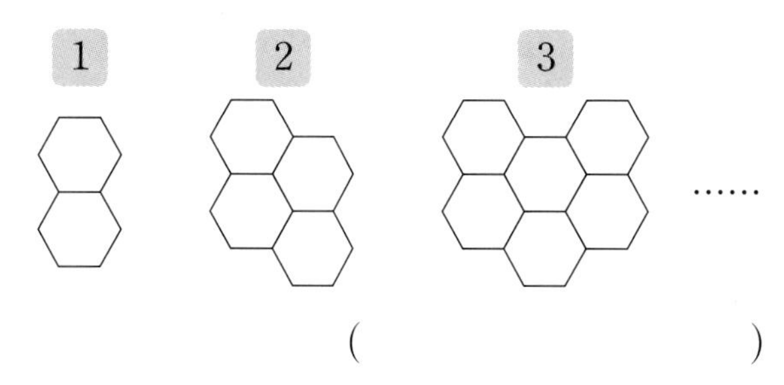

(　　　　　　　　)

서술형

20 영아는 실을 그림과 같이 접어서 가운데를 자르려고 합니다. 실을 그림과 같이 6번 접은 후 가운데를 잘랐을 때 만들어지는 도막 수는 모두 몇 도막인지 풀이 과정을 쓰고 답을 구하세요.

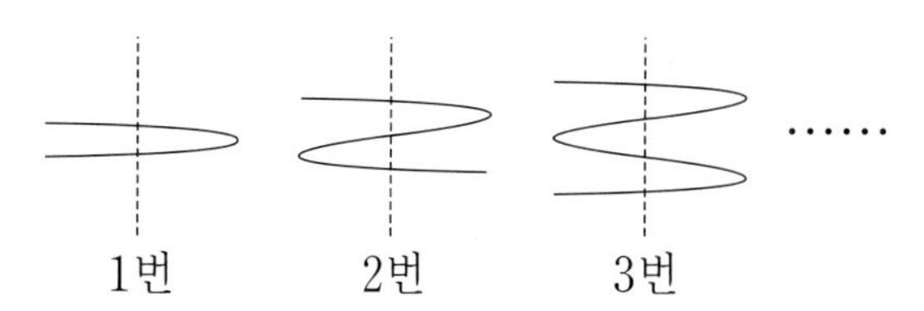

풀이

답

단계별로 연습하는

서술형평가 규칙과 대응

점수

스피드 정답표 7쪽, 정답 및 풀이 31쪽

01 배열 순서에 따른 모양의 변화를 보고 배열 순서가 15일 때 사각형 조각은 몇 개 필요한지 구하세요.

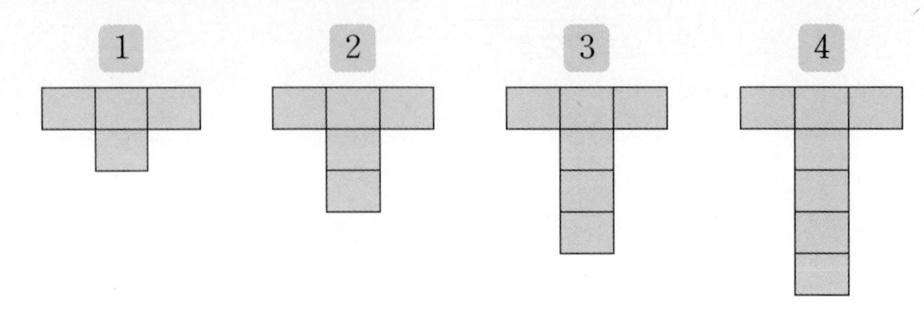

❶ 배열 순서에 따라 사각형 조각의 수가 어떻게 변하는지 표를 이용하여 알아보세요.

배열 순서	1	2	3	4	5	……
사각형 조각의 수(개)	4	5				……

❷ 배열 순서를 ◎, 사각형 조각의 수를 ◇라고 할 때, 두 양 사이의 대응 관계를 식으로 나타내어 보세요.

◎+□=◇

❸ 배열 순서가 15일 때 사각형 조각은 몇 개 필요할까요?

(　　　　　　　　　)

02 만화 영화를 1초 동안 상영하려면 그림이 25장 필요합니다. 만화 영화를 15초 상영하려면 그림이 몇 장 필요한지 구하세요.

❶ 만화 영화를 상영하는 시간과 필요한 그림의 수 사이에는 어떤 대응 관계가 있는지 표를 이용하여 알아보세요.

상영하는 시간(초)	1	2	3	4	5	……
그림의 수(장)	25	50				……

❷ 만화 영화를 상영하는 시간과 필요한 그림의 수 사이의 대응 관계를 식으로 나타내어 보세요.

(상영하는 시간)×□=(그림의 수)

❸ 만화 영화를 15초 상영하려면 그림이 몇 장 필요할까요?

(　　　　　　　　　)

풀이 과정을 직접 쓰는

단원 서술형평가 규칙과 대응

점수

스피드 정답표 7쪽, 정답 및 풀이 32쪽

01 배열 순서에 따른 모양의 변화를 보고 배열 순서가 20일 때 사각형 조각은 몇 개 필요한지 풀이 과정을 쓰고 답을 구하세요.

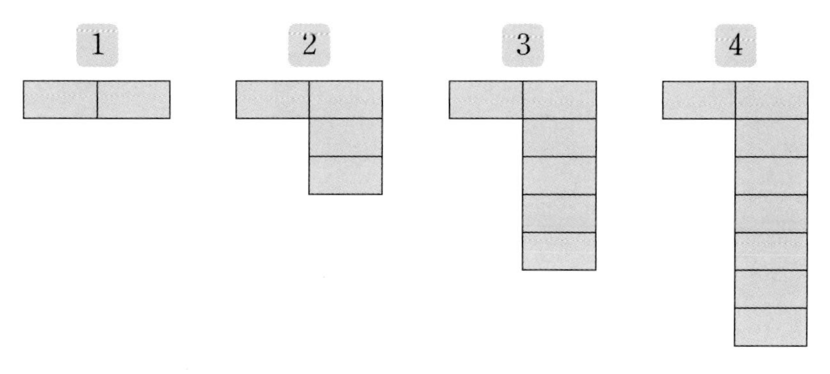

풀이

답

어떻게 풀까요?

- 배열 순서와 사각형 조각의 수 사이의 대응 관계를 찾아 식으로 나타내어 봅니다.

02 지혜는 친구들과 함께 색종이를 이용하여 운동회에서 사용할 응원 도구를 만들고 있습니다. 응원 도구 1개를 만들려면 색종이 6장이 필요할 때 색종이 108장으로 응원 도구를 몇 개 만들 수 있는지 풀이 과정을 쓰고 답을 구하세요.

풀이

답

어떻게 풀까요?

- 색종이의 수와 응원 도구의 수 사이의 대응 관계를 찾아 식으로 나타내어 봅니다.

스피드 정답표 7쪽, 정답 및 풀이 32쪽

01 개미 한 마리의 다리는 6개입니다. 개미의 수를 ○, 개미 다리의 수를 △라고 할 때, 두 양 사이의 대응 관계를 식으로 바르게 나타낸 것을 찾아보세요. ………………………………( )

① △＝○＋6　　② △＝○－6
③ △＝○×6　　④ △＝○÷6
⑤ △×○＝6

02 다음과 같이 한 쪽에 1개의 의자를 놓을 수 있는 탁자를 한 줄로 붙이려 합니다. 14개의 의자를 놓으려면 탁자를 몇 개 붙여야 하는지 구하세요. ………………………………( )

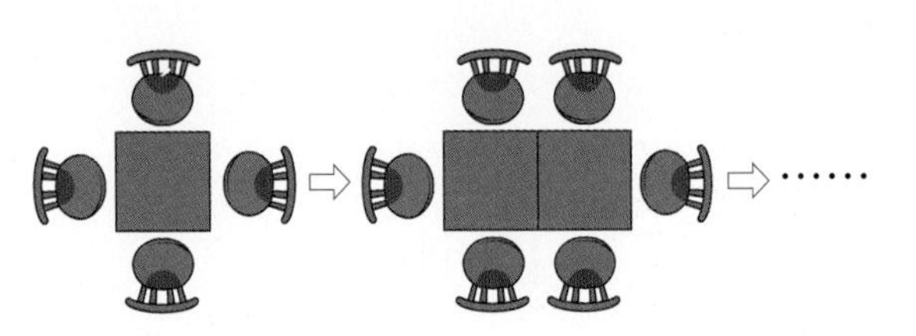

① 4개　　② 6개　　③ 7개
④ 10개　　⑤ 14개

03 다음과 같이 성냥개비를 이어 붙여 정사각형을 만들고 있습니다. 정사각형을 7개 만드는 데 필요한 성냥개비는 모두 몇 개인지 구하세요.

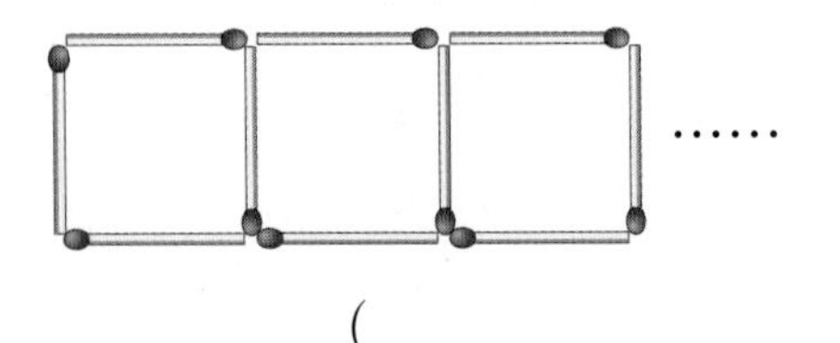

( )

04 바둑돌로 규칙적인 배열을 만들고 있습니다. 15번째에 놓을 바둑돌은 몇 개인지 구하세요.

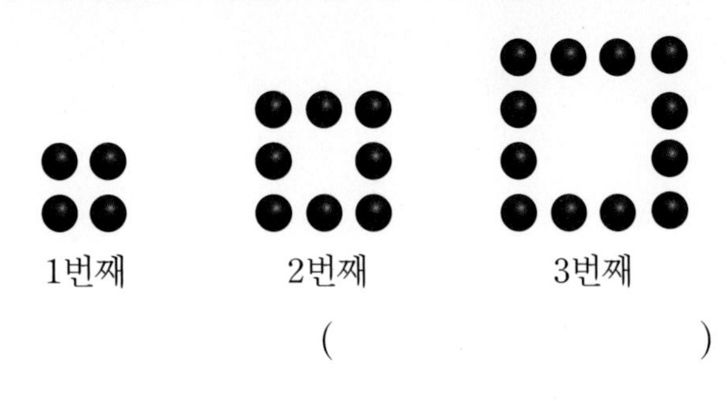

( )

05 통나무를 자른 횟수와 통나무 도막의 수 사이의 대응 관계를 알아보려고 합니다. 통나무를 한 번 자르는 데 9분이 걸립니다. 통나무 1개를 14도막이 될 때까지 쉬지 않고 자른다면 몇 분이 걸리는지 구하세요.

( )

CONTENTS

4

약분과 통분

4 단원 개념정리 약분과 통분

개념 1 크기가 같은 분수 (1)

● 크기가 같은 분수 알아보기

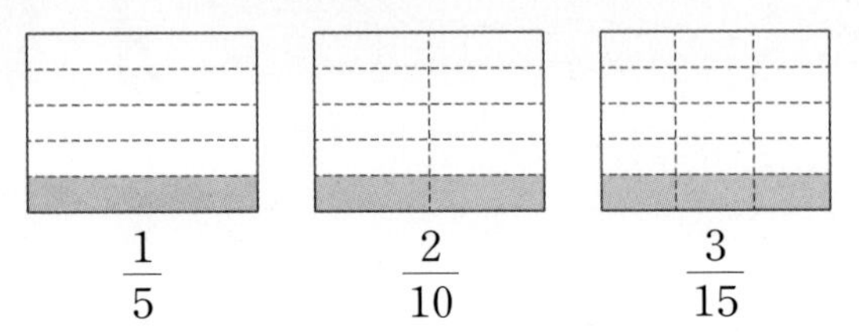

$\frac{1}{5}$ $\frac{2}{10}$ $\frac{3}{15}$

$\frac{1}{5}$, $\frac{2}{10}$, $\frac{❶}{15}$ ……은 크기가 같은 분수입니다.

개념 2 크기가 같은 분수 (2)

● 크기가 같은 분수 만들기

(1) 분모와 분자에 각각 0이 아닌 같은 수를 곱하면 크기가 같은 분수가 됩니다.

$$\frac{1}{2}=\frac{2}{4}=\frac{3}{6}=\frac{4}{8}$$

(×2, ×3, ×4)

(2) 분모와 분자를 각각 0이 아닌 같은 수로 나누면 크기가 같은 분수가 됩니다.

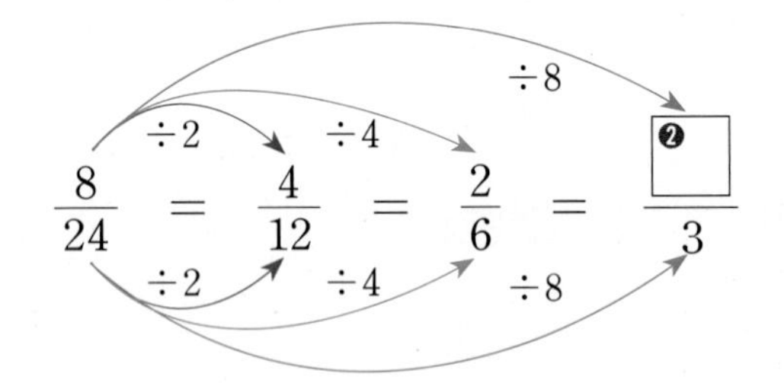

$$\frac{8}{24}=\frac{4}{12}=\frac{2}{6}=\frac{❷}{3}$$

(÷2, ÷4, ÷8)

개념 3 약분과 기약분수

● 약분: 분모와 분자를 공약수로 나누어 간단히 하는 것

$$\frac{4}{12}=\frac{4\div 2}{12\div 2}=\frac{2}{6} \qquad \frac{4}{12}=\frac{4\div 4}{12\div 4}=\frac{1}{3}$$

$$\frac{\cancel{4}^{2}}{\cancel{12}_{6}}=\frac{2}{6} \qquad \frac{\cancel{4}^{1}}{\cancel{12}_{3}}=\frac{1}{3}$$

● 기약분수: 분모와 분자의 공약수가 1뿐인 분수

분모와 분자를 최대공약수로 나누면 공약수가 1이 됩니다.

$$\frac{\cancel{6}^{3}}{\cancel{18}_{9}}=\frac{\cancel{3}^{1}}{\cancel{9}_{3}}=\frac{1}{3}$$

개념 4 통분

● 통분: 분수의 분모를 같게 하는 것

● 공통분모: 통분한 분모

$$\left(\frac{5}{6}, \frac{4}{9}\right) \Rightarrow \left(\frac{5\times 3}{6\times 3}, \frac{4\times 2}{9\times 2}\right) \Rightarrow \left(\frac{15}{18}, \frac{❸}{18}\right)$$

개념 5 분수의 크기 비교

● $\frac{5}{8}$와 $\frac{7}{10}$의 크기 비교

분모가 다른 두 분수는 통분하여 분모를 같게 한 다음 비교합니다.

$$\left(\frac{5}{8}, \frac{7}{10}\right) \Rightarrow \left(\frac{25}{40}, \frac{28}{40}\right) \Rightarrow \frac{5}{8} < \frac{7}{10}$$

$$\left(\frac{5\times 5}{8\times 5}, \frac{7\times 4}{10\times 4}\right)$$

개념 6 분수와 소수의 크기 비교

● $\frac{6}{20}$과 $\frac{12}{30}$의 크기 비교

방법 1 두 분수를 약분하여 크기 비교하기

$$\left(\frac{6}{20}, \frac{12}{30}\right) \Rightarrow \left(\frac{3}{10}, \frac{❹}{10}\right) \Rightarrow \frac{6}{20} < \frac{12}{30}$$

방법 2 두 분수를 소수로 나타내어 크기 비교하기

$$\left(\frac{6}{20}, \frac{12}{30}\right) \Rightarrow \left(\frac{3}{10}, \frac{4}{10}\right) \Rightarrow (0.3, 0.4)$$

→ 0.3 < 0.4

$$\Rightarrow \frac{6}{20} < \frac{12}{30}$$

● $\frac{2}{5}$와 0.5의 크기 비교

방법 1 분수를 소수로 나타내어 크기 비교하기

$$\frac{2}{5}=\frac{4}{10}=0.4 \; > \; \frac{2}{5} < 0.5$$

방법 2 소수를 분수로 나타내어 크기 비교하기

$$\frac{2}{5}=\frac{4}{10} \; > \; \frac{2}{5} < 0.5 \; < \; 0.5=\frac{❺}{10}$$

| 정답 | ❶ 3 ❷ 1 ❸ 8 ❹ 4 ❺ 5

스피드 정답표 8쪽, 정답 및 풀이 32쪽

01 두 분수만큼 아래부터 색칠하고 알맞은 말에 ◯표 하세요.

$\frac{1}{3}$ 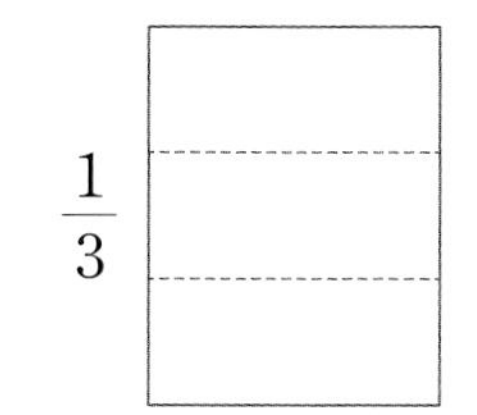 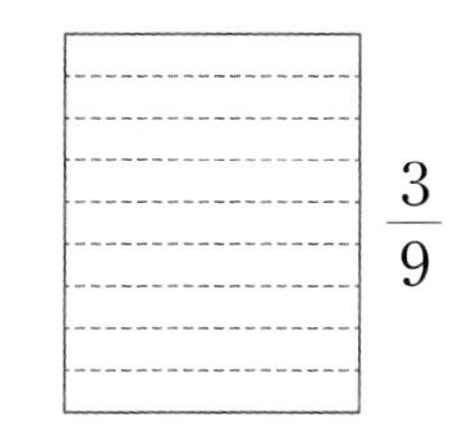 $\frac{3}{9}$

$\frac{1}{3}$과 $\frac{3}{9}$은 크기가 (같은 , 다른) 분수입니다.

02 분수만큼 색칠하고 크기가 같은 분수를 써 보세요.

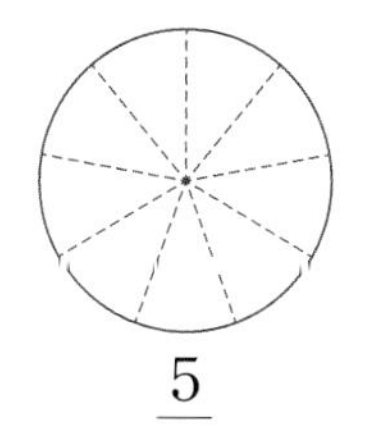 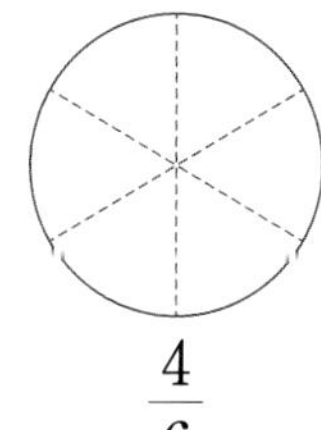 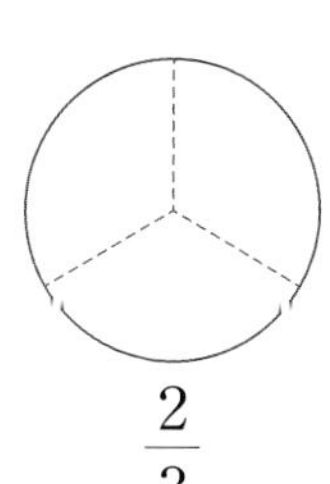

$\frac{5}{9}$ $\frac{4}{6}$ $\frac{2}{3}$

크기가 같은 분수는 □ 와/과 □ 입니다.

03 분수만큼 수직선에 나타내고 크기가 같은 분수를 써 보세요.

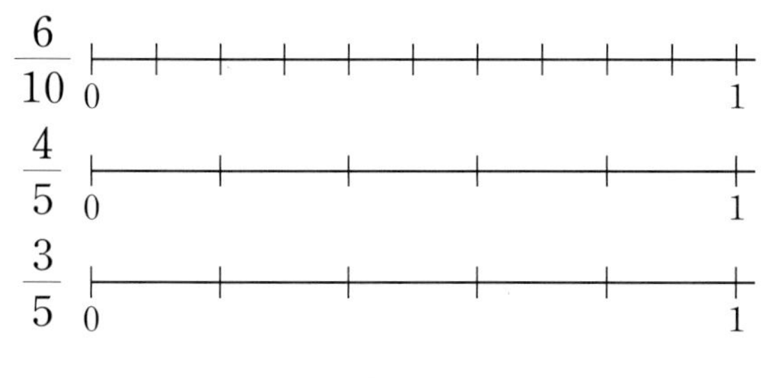

크기가 같은 분수는 □ 와/과 □ 입니다.

[04~07] □ 안에 알맞은 수를 써넣으세요.

04 $\frac{3}{8}=\frac{3\times\square}{8\times4}=\frac{\square}{32}$

05 $\frac{9}{36}=\frac{9\div\square}{36\div9}=\frac{\square}{4}$

06 $\frac{4}{7}=\frac{4\times6}{7\times\square}=\frac{24}{\square}$

07 $\frac{16}{24}=\frac{16\div4}{24\div\square}=\frac{4}{\square}$

[08~09] □ 안에 알맞은 수를 써넣어 크기가 같은 분수를 만들어 보세요.

08 $\frac{4}{9}=\frac{8}{\square}=\frac{12}{\square}$

09 $\frac{24}{48}=\frac{\square}{24}=\frac{\square}{16}$

10 $\frac{8}{12}$과 크기가 같은 분수를 모두 찾아 ◯표 하세요.

$\frac{4}{6}$ $\frac{24}{36}$ $\frac{28}{48}$ $\frac{1}{3}$ $\frac{3}{4}$

01 $\frac{42}{54}$를 약분하려고 합니다. □ 안에 알맞은 수를 써넣으세요.

$$\frac{42}{54}=\frac{42\div\square}{54\div2}=\frac{\square}{27}$$
$$\frac{42}{54}=\frac{42\div\square}{54\div3}=\frac{\square}{18}$$
$$\frac{42}{54}=\frac{42\div\square}{54\div6}=\frac{\square}{9}$$

[02~03] 분수를 기약분수로 나타내려고 합니다. □ 안에 알맞은 수를 써넣으세요.

02 $\frac{16}{40}=\frac{16\div\square}{40\div8}=\frac{\square}{\square}$

03 $\frac{28}{42}=\frac{28\div\square}{42\div14}=\frac{\square}{\square}$

[04~05] 분수를 약분하여 □ 안에 알맞은 수를 써넣으세요.

04 $\frac{12}{36}=\frac{\square}{9}$

05 $\frac{12}{15}=\frac{4}{\square}$

[06~08] 기약분수로 나타내어 보세요.

06 $\frac{6}{30}$ ⇨ (　　　　)

07 $\frac{27}{54}$ ⇨ (　　　　)

08 $\frac{72}{90}$ ⇨ (　　　　)

09 기약분수를 모두 찾아 써 보세요.

$\frac{4}{16}$　$\frac{2}{8}$　$\frac{7}{9}$　$\frac{5}{15}$　$\frac{3}{10}$

(　　　　)

10 $\frac{45}{60}$를 약분한 분수를 찾아 기호를 써 보세요.

㉠ $\frac{3}{4}$　㉡ $\frac{15}{30}$　㉢ $\frac{10}{12}$

(　　　　)

약분과 통분

점수

▶ 통분

스피드 정답표 8쪽, 정답 및 풀이 33쪽

[01~02] 두 분모의 곱을 공통분모로 하여 통분해 보세요.

01 $\left(\frac{4}{9}, \frac{3}{8}\right) \Rightarrow \left(\frac{\square}{72}, \frac{\square}{72}\right)$

02 $\left(\frac{5}{6}, \frac{4}{7}\right) \Rightarrow \left(\frac{\square}{\square}, \frac{\square}{\square}\right)$

[03~05] 두 분모의 최소공배수를 공통분모로 하여 통분해 보세요.

03 $\left(\frac{3}{10}, \frac{7}{15}\right) \Rightarrow \left(\frac{\square}{30}, \frac{\square}{30}\right)$

04 $\left(\frac{7}{30}, \frac{11}{45}\right) \Rightarrow \left(\frac{\square}{90}, \frac{\square}{90}\right)$

05 $\left(\frac{11}{12}, \frac{7}{9}\right) \Rightarrow \left(\frac{\square}{\square}, \frac{\square}{\square}\right)$

[06~07] 두 분수를 통분해 보세요.

06 $\left(\frac{4}{7}, \frac{2}{9}\right) \Rightarrow \left(\frac{\square}{63}, \frac{\square}{63}\right)$

07 $\left(\frac{7}{8}, \frac{3}{10}\right) \Rightarrow \left(\frac{\square}{40}, \frac{\square}{40}\right)$

08 $\frac{1}{5}$과 $\frac{7}{15}$을 통분하려고 합니다. 공통분모가 될 수 있는 수를 3개 써 보세요.

(　　　　　　　　　　)

09 공통분모를 가장 작게 하여 통분해 보세요.

$\left(\frac{5}{6}, \frac{3}{8}\right) \Rightarrow \left(\frac{\square}{\square}, \frac{\square}{\square}\right)$

10 $\frac{3}{10}$과 $\frac{3}{4}$을 바르게 통분한 것의 기호를 써 보세요.

㉠ $\left(\frac{9}{20}, \frac{15}{20}\right)$　　㉡ $\left(\frac{12}{40}, \frac{30}{40}\right)$

(　　　　　　　　　　)

4 단원 쪽지시험 4회 약분과 통분

점수

▶ 분수의 크기 비교 ~ 분수와 소수의 크기 비교

스피드 정답표 8쪽, 정답 및 풀이 33쪽

[01~03] 두 분수를 통분하여 크기를 비교해 보세요.

01 $\left(\frac{4}{5}, \frac{6}{7}\right) \Rightarrow \left(\frac{\square}{35}, \frac{\square}{35}\right)$

$\Rightarrow \frac{4}{5} \bigcirc \frac{6}{7}$

02 $\left(\frac{3}{8}, \frac{5}{12}\right) \Rightarrow \left(\frac{\square}{24}, \frac{\square}{24}\right)$

$\Rightarrow \frac{3}{8} \bigcirc \frac{5}{12}$

03 $\left(\frac{5}{6}, \frac{3}{4}\right) \Rightarrow \left(\frac{\square}{12}, \frac{\square}{12}\right)$

$\Rightarrow \frac{5}{6} \bigcirc \frac{3}{4}$

[04~05] 두 분수를 약분하여 크기를 비교해 보세요.

04 $\left(\frac{12}{30}, \frac{21}{70}\right) \Rightarrow \left(\frac{\square}{10}, \frac{\square}{10}\right)$

$\Rightarrow \frac{12}{30} \bigcirc \frac{21}{70}$

05 $\left(\frac{56}{80}, \frac{30}{50}\right) \Rightarrow \left(\frac{\square}{10}, \frac{\square}{10}\right)$

$\Rightarrow \frac{56}{80} \bigcirc \frac{30}{50}$

[06~07] 두 분수를 소수로 나타내어 크기를 비교해 보세요.

06 $\left(\frac{32}{40}, \frac{16}{20}\right) \Rightarrow \left(\frac{\square}{10}, \frac{8}{10}\right)$

$\Rightarrow (\square, 0.8) \Rightarrow \frac{32}{40} \bigcirc \frac{16}{20}$

07 $\left(\frac{63}{90}, \frac{36}{60}\right) \Rightarrow \left(\frac{7}{10}, \frac{\square}{10}\right)$

$\Rightarrow (0.7, \square) \Rightarrow \frac{63}{90} \bigcirc \frac{36}{60}$

[08~10] 두 수의 크기를 비교하여 ○ 안에 >, =, <를 알맞게 써넣으세요.

08 $\frac{7}{15} \bigcirc \frac{26}{45}$

09 $0.24 \bigcirc \frac{2}{5}$

10 $1\frac{3}{4} \bigcirc 1.77$

약분과 통분

점수

스피드 정답표 8쪽, 정답 및 풀이 33쪽

01 분수만큼 아래부터 색칠하고 크기가 같은 분수를 써 보세요.

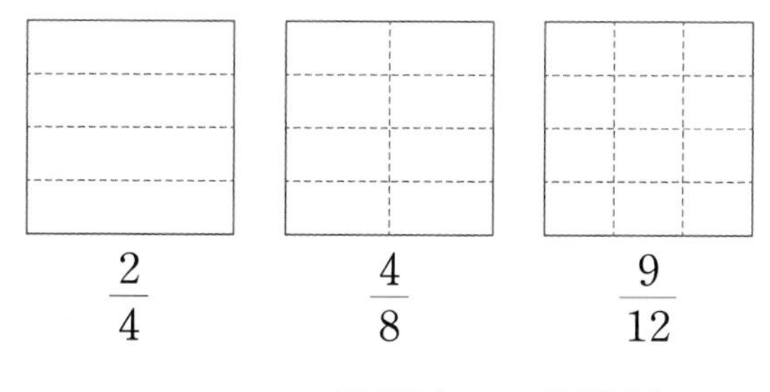

크기가 같은 분수는 □ 와/과 □ 입니다.

02 □ 안에 알맞은 수를 써넣으세요.

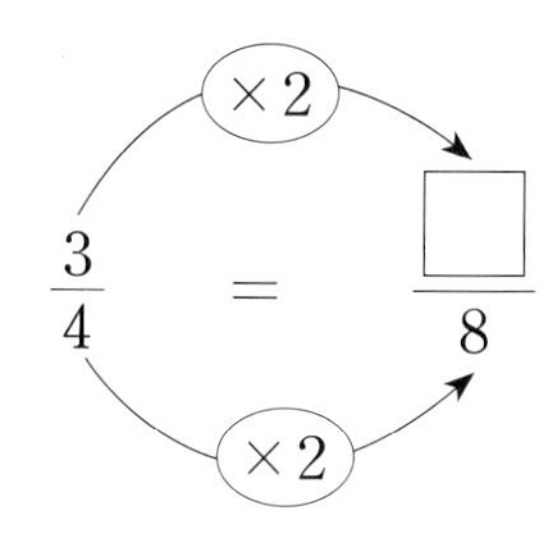

$\frac{3}{4} = \frac{\square}{8}$

03 □ 안에 알맞은 말을 써넣으세요.

분수를 통분할 때, 통분한 분모를 □ 라고 합니다.

04 □ 안에 알맞은 수를 써넣으세요.

$\frac{12}{40} = \frac{12 \div 4}{40 \div \square} = \frac{\square}{\square}$

05 그림을 보고 크기가 같은 분수가 되도록 □ 안에 알맞은 수를 써넣으세요.

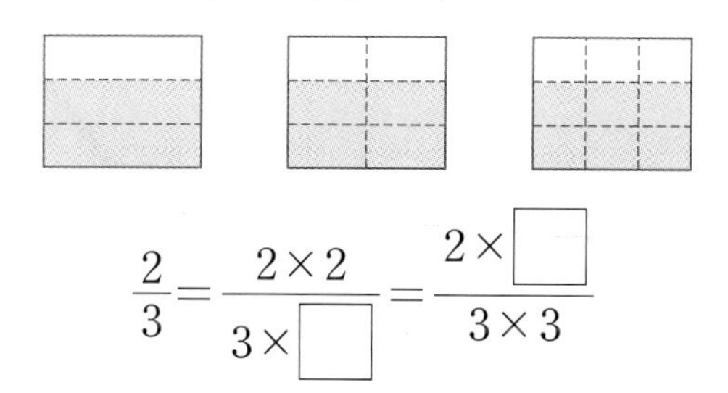

$\frac{2}{3} = \frac{2 \times 2}{3 \times \square} = \frac{2 \times \square}{3 \times 3}$

06 두 분모의 최소공배수인 12를 공통분모로 하여 통분해 보세요.

$\left(\frac{3}{4}, \frac{1}{6}\right) \Rightarrow \left(\frac{\square}{12}, \frac{\square}{12}\right)$

07 다음 분수를 한 번만 약분하여 기약분수로 나타내려고 합니다. 분모와 분자를 어떤 수로 나누어야 할까요?

$\frac{48}{60}$

(　　　　　　　　)

08 분수를 기약분수로 나타내려고 합니다. □ 안에 알맞은 수를 써넣으세요.

$$\frac{20}{24}=\frac{20\div\square}{24\div\square}=\frac{\square}{\square}$$

09 □ 안에 알맞은 수를 써넣어 크기가 같은 분수를 만들어 보세요.

$$\frac{64}{80}=\frac{8}{\square}=\frac{\square}{5}$$

10 기약분수로 나타내어 보세요.

$$\frac{32}{36}$$

(　　　　　　　　)

11 두 분모의 곱을 공통분모로 하여 통분해 보세요.

$$\frac{2}{3}\qquad\frac{9}{11}$$

(　　　　　　　　)

12 $\frac{2}{9}$와 $\frac{5}{12}$의 크기를 비교하려고 합니다. □ 안에 알맞은 수를 써넣고 ○ 안에 >, =, <를 알맞게 써넣으세요.

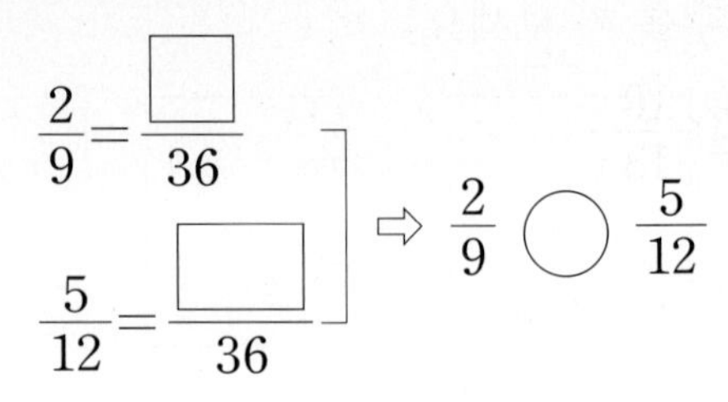

13 진우가 가지고 있는 수와 크기가 같은 분수를 가지고 있는 사람의 이름을 써 보세요.

(　　　　　　　　)

14 두 분모의 최소공배수를 공통분모로 하여 통분해 보세요.

$$\frac{7}{12}\qquad\frac{13}{42}$$

(　　　　　　　　)

15 다음 중 기약분수가 아닌 것은 어느 것일까요? ··························· (   )

① $\frac{2}{5}$ ② $\frac{1}{6}$ ③ $\frac{6}{15}$

④ $\frac{10}{13}$ ⑤ $\frac{7}{20}$

16 두 수의 크기를 비교하여 ○ 안에 >, =, <를 알맞게 써넣으세요.

0.7 ○ $\frac{3}{5}$

17 다음 중 크기가 같은 분수끼리 짝 지어진 것을 찾아 기호를 써 보세요.

㉠ $\left(\frac{4}{5}, \frac{18}{20}\right)$ ㉡ $\left(\frac{4}{9}, \frac{15}{18}\right)$

㉢ $\left(\frac{12}{24}, \frac{1}{3}\right)$ ㉣ $\left(\frac{24}{32}, \frac{3}{4}\right)$

(   )

18 다음 분수를 약분한 분수를 모두 써 보세요.

$\frac{30}{45}$

(   )

19 영민이는 빨간색 끈 $\frac{8}{15}$ m와 노란색 끈 $\frac{5}{9}$ m를 가지고 있습니다. 빨간색 끈과 노란색 끈 중에서 어느 것이 더 길까요?

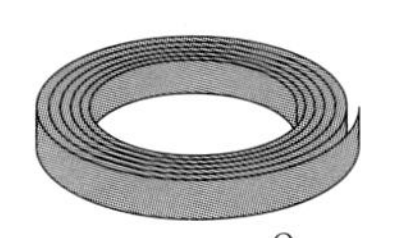
빨간색 끈 $\frac{8}{15}$ m

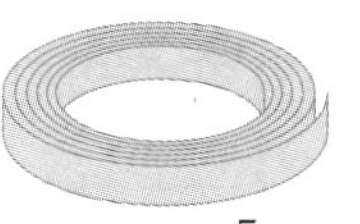
노란색 끈 $\frac{5}{9}$ m

(   )

20 세 수의 크기를 비교하여 가장 큰 수를 찾아 써 보세요.

$\frac{4}{15}$ $\frac{1}{3}$ $\frac{3}{10}$

(   )

15 다음 중 $\left(\frac{4}{15}, \frac{9}{20}\right)$를 통분할 때 공통분모가 될 수 없는 수를 찾아 기호를 써 보세요.

㉠ 30 ㉡ 60 ㉢ 180 ㉣ 240

( )

16 재영이가 먹은 피자는 전체의 몇 분의 몇인지 기약분수로 나타내어 보세요.

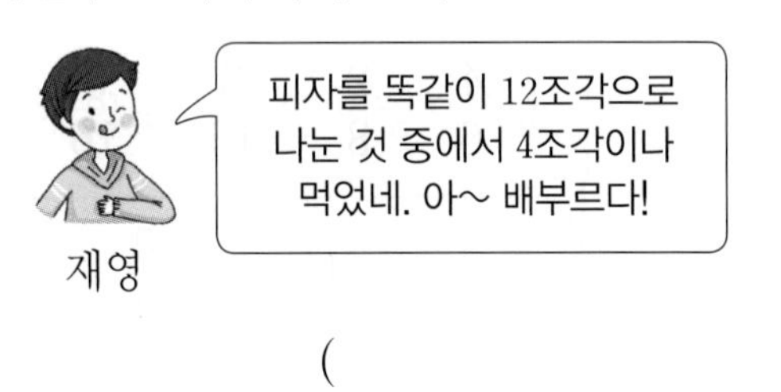

( )

17 두 분수의 공통분모를 가장 작게 하여 통분해 보세요.

$\frac{5}{6}$ $\frac{2}{9}$

( )

18 돼지고기가 $\frac{4}{15}$ kg, 닭고기가 $\frac{7}{12}$ kg 있습니다. 돼지고기와 닭고기 중에서 어느 것이 더 많은지 구하세요.

( )

19 분모가 6인 진분수 중에서 기약분수를 모두 써 보세요.

( )

20 세 수의 크기를 비교하여 큰 수부터 차례로 기호를 써 보세요.

㉠ $\frac{5}{6}$ ㉡ $\frac{8}{15}$ ㉢ $\frac{7}{10}$

( )

스피드 정답표 9쪽, 정답 및 풀이 34쪽

01 분수만큼 색칠하고 크기가 같은 분수에 ○표 하세요.

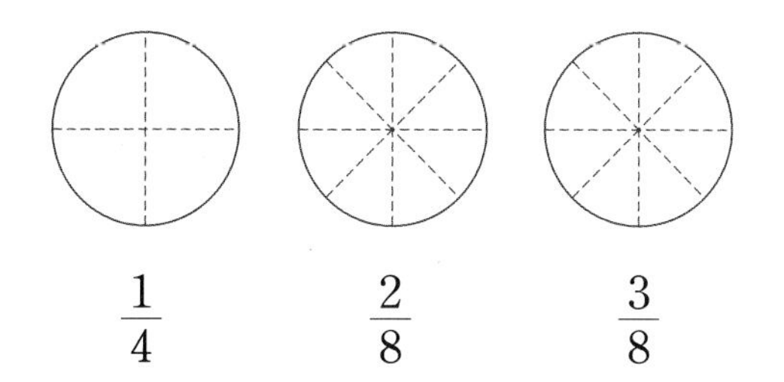

$\frac{1}{4}$ $\frac{2}{8}$ $\frac{3}{8}$

02 □ 안에 알맞은 수를 써넣으세요.

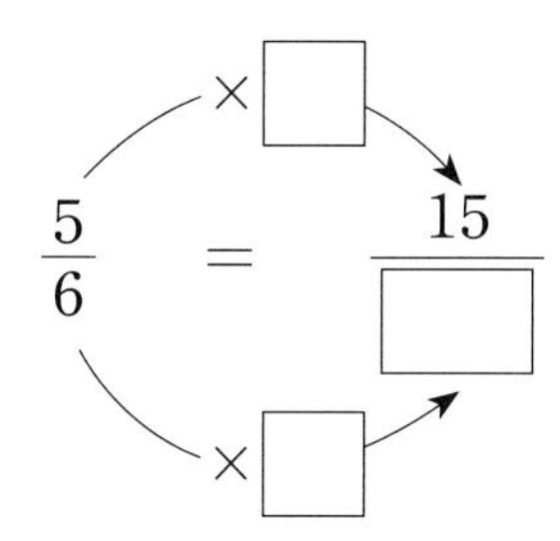

$\frac{5}{6} = \frac{15}{\square}$ (×□, ×□)

03 □ 안에 알맞은 수를 써넣으세요.

$\frac{3}{4} = \frac{\square}{8} = \frac{9}{\square} = \frac{\square}{16} \cdots\cdots$

04 $\frac{42}{54}$를 약분하려고 합니다. □ 안에 알맞은 수를 써넣으세요.

42와 54의 공약수: 1, 2, □, □

$\frac{42}{54} = \frac{42 \div 2}{54 \div 2} = \frac{\square}{\square}$

$\frac{42}{54} = \frac{42 \div \square}{54 \div 3} = \frac{\square}{\square}$

$\frac{42}{54} = \frac{42 \div 6}{54 \div \square} = \frac{\square}{\square}$

05 $\frac{2}{3}$와 $\frac{1}{2}$을 통분하려고 합니다. □ 안에 알맞은 수를 써넣으세요.

- $\frac{2}{3} = \frac{\square}{6} = \frac{\square}{9} = \frac{\square}{12} \cdots\cdots$
- $\frac{1}{2} = \frac{\square}{4} = \frac{\square}{6} = \frac{\square}{8} = \frac{\square}{10} = \frac{\square}{12} \cdots\cdots$

⇨ $\frac{2}{3}$와 $\frac{1}{2}$을 통분하면

$\left(\frac{\square}{6}, \frac{\square}{6}\right), \left(\frac{\square}{12}, \frac{\square}{\square}\right) \cdots\cdots$입니다.

06 두 분모의 곱을 공통분모로 하여 통분해 보세요.

$\left(\frac{2}{9}, \frac{3}{5}\right) ⇨ \left(\frac{\square}{45}, \frac{\square}{45}\right)$

07 기약분수로 나타내어 보세요.

$\frac{42}{105}$

(　　　　　　)

08 다음 중 $\frac{3}{4}$과 크기가 같은 분수를 찾아 기호를 써 보세요.

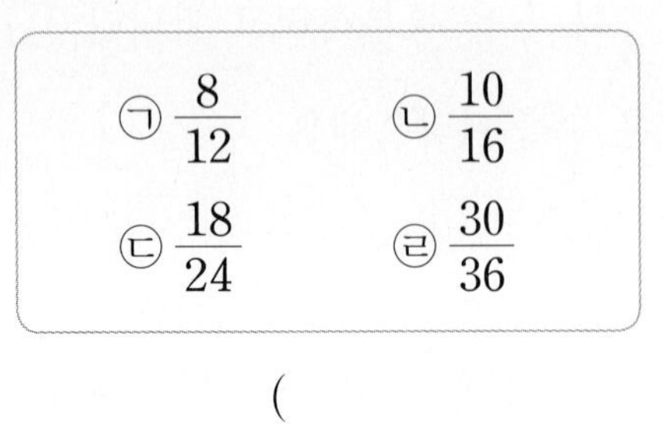

㉠ $\frac{8}{12}$ ㉡ $\frac{10}{16}$

㉢ $\frac{18}{24}$ ㉣ $\frac{30}{36}$

( )

09 두 분모의 최소공배수를 공통분모로 하여 통분해 보세요.

$\left(\frac{7}{12}, \frac{7}{18}\right)$ ⇨ (,)

10 두 수의 크기를 비교하여 ○ 안에 $>$, $=$, $<$를 알맞게 써넣으세요.

$\frac{5}{8}$ ○ $\frac{7}{10}$

11 두 분수를 통분하려고 합니다. 공통분모가 될 수 있는 수를 2개 써 보세요.

$\frac{5}{6}$ $\frac{1}{8}$

( )

12 다음 중 기약분수가 <u>아닌</u> 것은 어느 것일까요? ··························( )

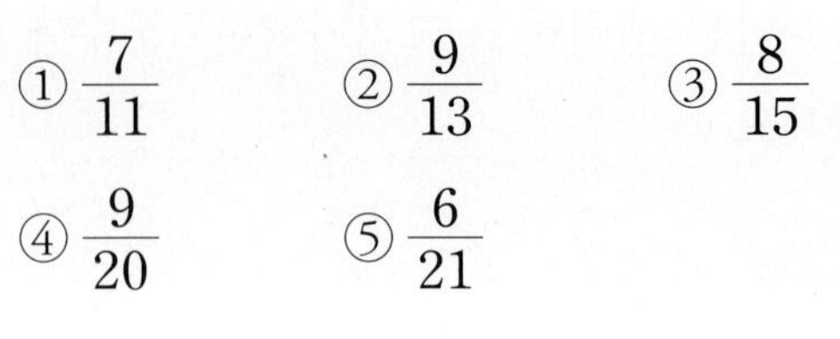

① $\frac{7}{11}$ ② $\frac{9}{13}$ ③ $\frac{8}{15}$

④ $\frac{9}{20}$ ⑤ $\frac{6}{21}$

13 크기가 같은 분수를 가지고 있는 사람끼리 청소 당번이 된다고 합니다. 청소 당번이 될 두 사람을 찾아 이름을 써 보세요.

지은: $\frac{7}{12}$ 현우: $\frac{28}{36}$

도희: $\frac{14}{18}$ 성수: $\frac{3}{8}$

( )

14 $\frac{14}{28}$를 약분하려고 합니다. 1보다 큰 수 중에서 분모와 분자를 나눌 수 있는 수를 모두 찾아 써 보세요.

( )

15 진우가 어제와 오늘 중 공부를 더 많이 한 날은 언제일까요?

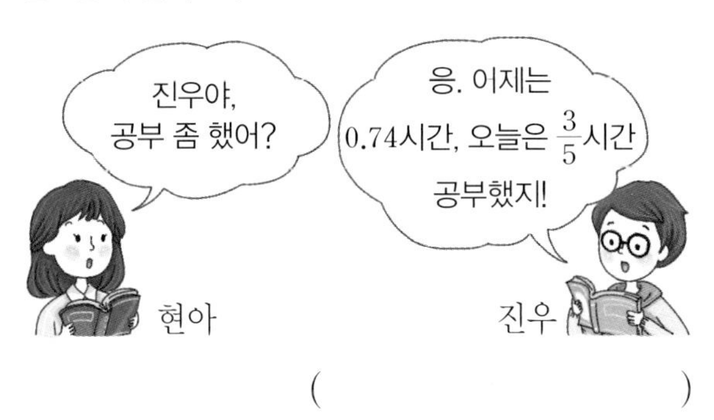

(　　　　　　　　　　)

16 다음 분수와 크기가 같은 분수를 분모가 가장 작은 것부터 차례로 2개 써 보세요.

$$\frac{36}{56}$$

(　　　　　　　　　　)

17 $\frac{3}{4}$과 $\frac{7}{10}$을 통분할 때 공통분모가 될 수 있는 수 중에서 100보다 작은 수를 모두 써 보세요.

(　　　　　　　　　　)

18 세 수의 크기를 비교하여 가장 작은 수를 구하세요.

$$\frac{1}{2},\quad 0.8,\quad \frac{14}{15}$$

(　　　　　　　　　　)

서술형

19 $\frac{5}{6}$와 크기가 같은 분수 중에서 분모가 30보다 작은 분수는 모두 몇 개인지 풀이 과정을 쓰고 답을 구하세요. (단, $\frac{5}{6}$는 제외합니다.)

풀이

답 ____________

20 □ 안에 들어갈 수 있는 자연수를 모두 구하세요.

$$\frac{5}{8} > \frac{\square}{10}$$

(　　　　　　　　　　)

약분과 통분

점수

스피드 정답표 9쪽, 정답 및 풀이 35쪽

01 □ 안에 알맞은 수를 써넣으세요.

$$\frac{14}{52}=\frac{14\div 2}{52\div\square}=\frac{\square}{\square}$$

02 □ 안에 알맞은 수를 써넣어 크기가 같은 분수를 만들어 보세요.

$$\frac{9}{11}=\frac{\square}{44}$$

03 오른쪽 그림의 색칠한 부분과 크기가 같은 분수를 모두 찾아 ○표 하세요.

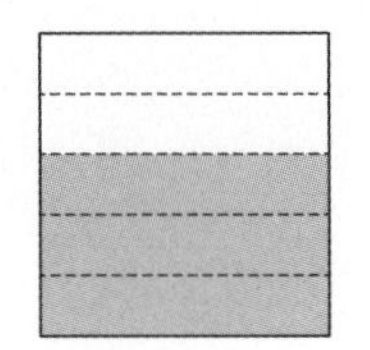

$\frac{6}{10}$ $\frac{8}{12}$ $\frac{3}{4}$ $\frac{9}{15}$ $\frac{10}{20}$

04 $\frac{40}{50}$을 약분할 때 분모와 분자를 나눌 수 없는 수를 모두 찾아 써 보세요.

2 5 8 10 15

( )

05 다음 분수를 한 번만 나누어 기약분수로 나타내려고 합니다. 분모와 분자를 어떤 수로 나누어야 할까요?

$\frac{40}{96}$

( )

06 두 분모의 최소공배수를 공통분모로 하여 통분해 보세요.

$\frac{1}{6}$ $\frac{7}{9}$

( )

07 기약분수를 모두 찾아 써 보세요.

$\frac{4}{5}$ $\frac{8}{12}$ $\frac{11}{13}$ $\frac{8}{15}$ $\frac{10}{16}$

( )

08 두 분모의 최소공배수를 공통분모로 하여 통분하고 분수의 크기를 비교하여 ◯ 안에 >, =, <를 알맞게 써넣으세요.

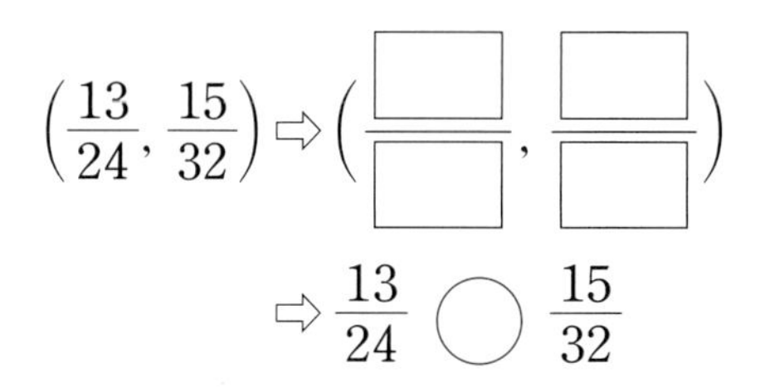

09 크기가 같은 분수를 찾아 이으세요.

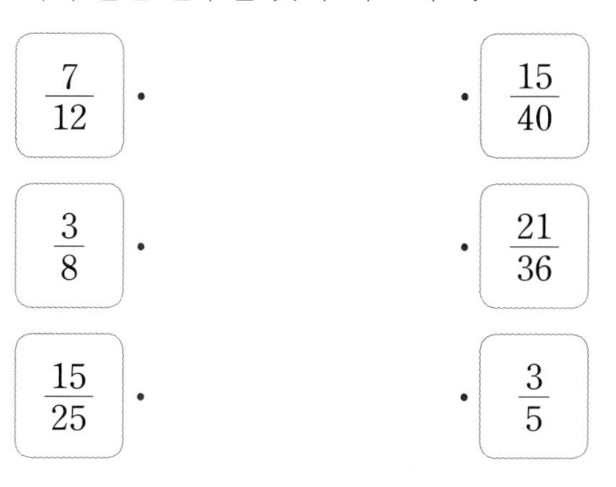

10 다음 중 약분이 잘못된 것의 기호를 써 보세요.

㉠ $\frac{8}{14}=\frac{4}{7}$ ㉡ $\frac{15}{35}=\frac{5}{7}$

( )

11 두 수의 크기를 비교하여 더 작은 수에 ◯표 하세요.

$\frac{3}{4}$ $\frac{7}{11}$

12 왼쪽의 분수와 크기가 다른 분수를 찾아 ×표 하세요.

$\frac{30}{48}$ | $\frac{15}{24}$ $\frac{12}{21}$ $\frac{5}{8}$ $\frac{10}{16}$

13 두 분수의 공통분모를 가장 작게 하여 통분할 때, 통분한 분모가 가장 작은 것은 어느 것일까요? ······························ ( )

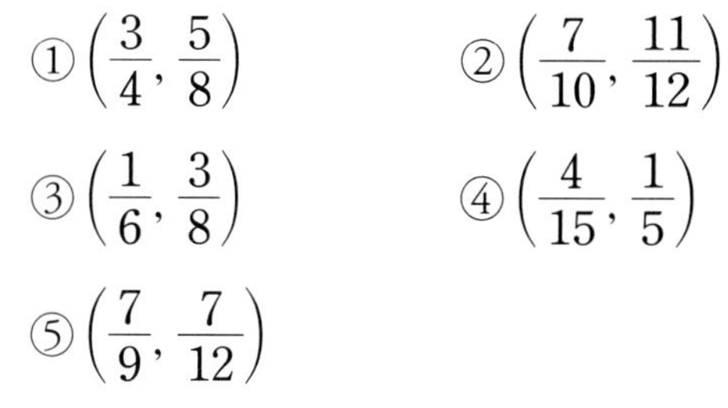

① $\left(\frac{3}{4}, \frac{5}{8}\right)$ ② $\left(\frac{7}{10}, \frac{11}{12}\right)$
③ $\left(\frac{1}{6}, \frac{3}{8}\right)$ ④ $\left(\frac{4}{15}, \frac{1}{5}\right)$
⑤ $\left(\frac{7}{9}, \frac{7}{12}\right)$

14 두 사람 중 멀리뛰기 기록이 더 좋은 사람의 이름을 써 보세요.

( )

15 어떤 두 기약분수를 통분하였더니 $\left(\frac{8}{42}, \frac{15}{42}\right)$가 되었습니다. 통분하기 전의 두 기약분수를 구하세요.

( )

16 예나는 케이크의 $\frac{3}{5}$을 먹었습니다. 찬우가 똑같은 크기의 케이크를 10조각으로 똑같이 나누어 그중 4조각을 먹었습니다. 누가 더 많은 양을 먹었을까요?

( )

17 영은이는 가지고 있던 색 테이프 84 cm 중에서 24 cm를 사용하였습니다. 남은 색 테이프는 전체의 몇 분의 몇인지 기약분수로 나타내어 보세요.

( )

18 $\frac{5}{12}$와 $\frac{7}{18}$을 100에 가장 가까운 수를 공통분모로 하여 통분해 보세요.

( )

서술형

19 콜라가 $\frac{2}{3}$ L, 우유가 $\frac{5}{6}$ L, 주스가 $\frac{7}{12}$ L 있습니다. 어느 음료가 가장 많은지 풀이 과정을 쓰고 답을 구하세요.

풀이

답 ____________

20 $\frac{2}{5}$와 크기가 같은 분수 중에서 분모와 분자의 차가 21인 분수를 써 보세요.

( )

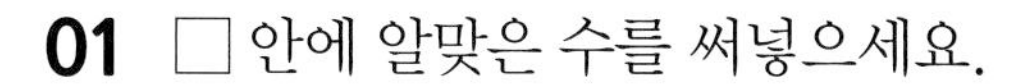

01 □ 안에 알맞은 수를 써넣으세요.

$$\frac{7}{10}=\frac{14}{\square}=\frac{\square}{30}=\frac{28}{\square}\cdots\cdots$$

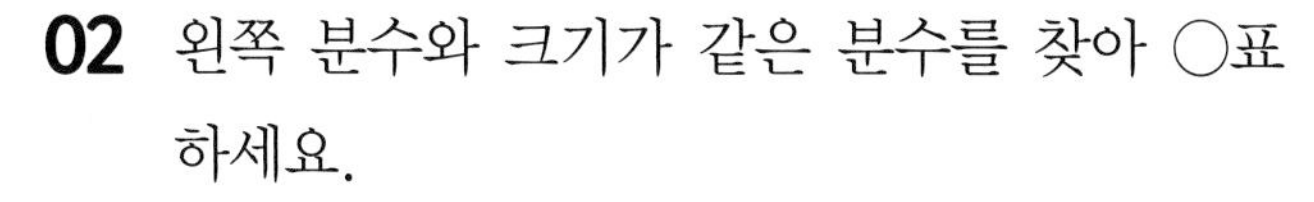

02 왼쪽 분수와 크기가 같은 분수를 찾아 ○표 하세요.

$\frac{18}{24}$ ⇨ ($\frac{7}{10}$ $\frac{3}{4}$ $\frac{34}{48}$)

03 두 분수는 크기가 같은 분수입니다. □ 안에 알맞은 수를 써넣고 분수만큼 색칠해 보세요.

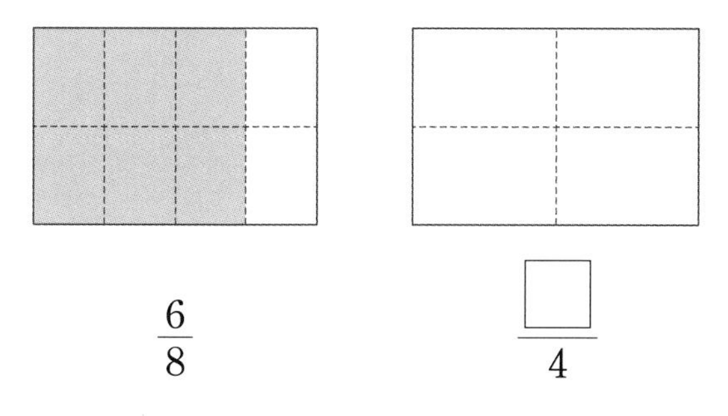

$\frac{6}{8}$ $\frac{\square}{4}$

04 분수를 기약분수로 나타내어 보세요.

$\frac{15}{60}$

( )

05 두 분모의 곱을 공통분모로 하여 통분해 보세요.

$\left(\frac{8}{15}, \frac{5}{6}\right)$ ⇨ (,)

06 다음 중 기약분수를 찾아 ○표 하세요.

$\frac{4}{6}$ $\frac{5}{10}$ $\frac{5}{18}$ $\frac{8}{12}$ $\frac{9}{24}$

07 두 분모의 최소공배수를 공통분모로 하여 통분해 보세요.

$\left(\frac{4}{5}, \frac{3}{14}\right)$ ⇨ $\left(\frac{\square}{\square}, \frac{\square}{\square}\right)$

08 두 수의 크기를 비교하여 ○ 안에 >, =, < 를 알맞게 써넣으세요.

$\frac{11}{18}$ ○ $\frac{13}{15}$

09 다음 중 크기가 같은 분수끼리 짝 지어진 것은 어느 것일까요? ················ (　　　)

① $\left(\frac{2}{5}, \frac{5}{10}\right)$　② $\left(\frac{8}{15}, \frac{2}{3}\right)$

③ $\left(\frac{8}{12}, \frac{2}{3}\right)$　④ $\left(\frac{3}{5}, \frac{14}{20}\right)$

⑤ $\left(\frac{18}{36}, \frac{3}{4}\right)$

10 다음 중에서 $\frac{81}{189}$을 약분한 분수가 아닌 것을 찾아 기호를 써 보세요.

㉠ $\frac{3}{7}$　㉡ $\frac{7}{21}$

㉢ $\frac{27}{63}$　㉣ $\frac{9}{21}$

(　　　　　　　　)

11 $\frac{32}{112}$와 크기가 같은 분수 중에서 분모가 7인 분수를 구하세요.

(　　　　　　　　)

12 $\frac{1}{2}$보다 큰 분수는 어느 것일까요? (　　　)

① $\frac{3}{5}$　② $\frac{3}{7}$　③ $\frac{4}{11}$

④ $\frac{8}{21}$　⑤ $\frac{9}{19}$

13 두 수의 크기를 비교하여 더 작은 수를 위의 빈칸에 써넣으세요.

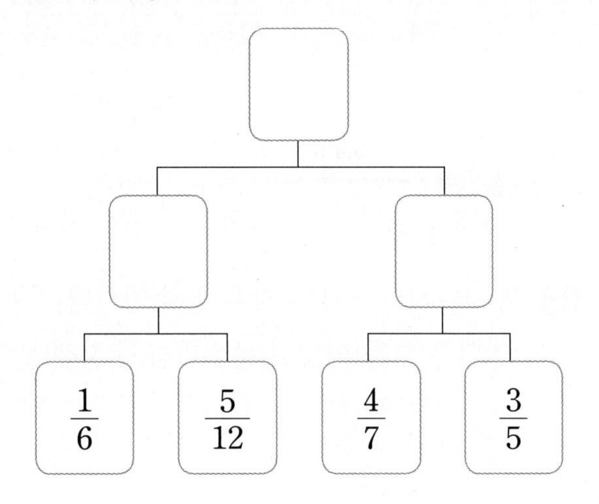

14 $\frac{7}{9}$과 $\frac{13}{15}$을 공통분모가 될 수 있는 수 중 가장 큰 두 자리 수로 통분해 보세요.

(　　　　　　　　)

15 수 카드 4장이 있습니다. 이 중 2장을 뽑아 진분수를 만들려고 합니다. 만들 수 있는 진분수 중에서 기약분수를 모두 써 보세요.

( )

16 집에서 학교, 우체국, 약국까지의 거리를 나타낸 것입니다. 집에서 가장 가까운 곳은 어느 곳일까요?

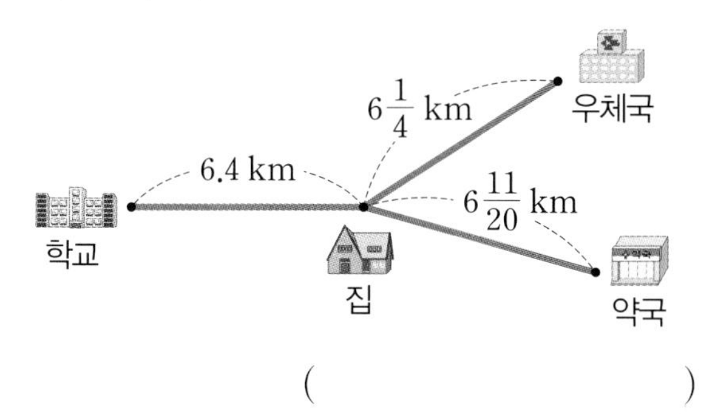

( )

서술형

17 □ 안에 들어갈 수 있는 자연수를 모두 구하려고 합니다. 풀이 과정을 쓰고 답을 구하세요.

$$\frac{5}{18} < \frac{\square}{6} < \frac{2}{3}$$

풀이

답 ______

18 분모와 분자의 차가 28이고, 약분하면 $\frac{5}{12}$가 되는 분수를 구하세요.

( )

19 윤아와 선규가 각각 똑같은 크기의 종이를 일정한 크기로 나누어 작품을 만들었습니다. 윤아와 선규 중 전체 칸에 대한 색칠한 부분이 더 넓은 사람의 이름을 써 보세요.

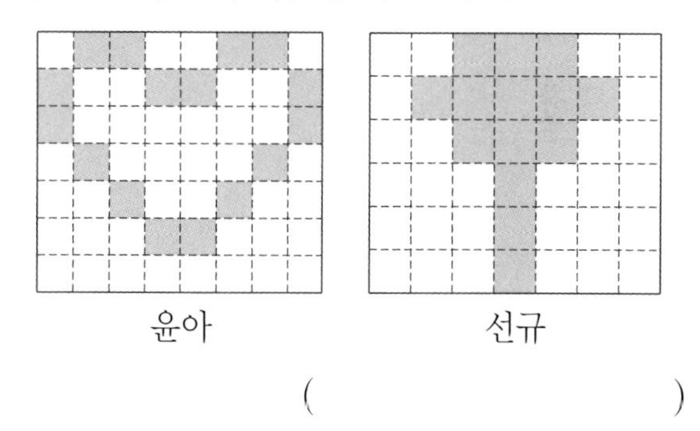

( )

서술형

20 0.6보다 크고 $\frac{7}{8}$보다 작은 분수 중에서 분모가 40인 분수는 모두 몇 개인지 풀이 과정을 쓰고 답을 구하세요.

풀이

답 ______

점수

스피드 정답표 10쪽, 정답 및 풀이 36쪽

01 혜정이는 케이크를 똑같이 6조각으로 나누어 한 조각을 먹었습니다. 지혁이는 같은 크기의 케이크를 똑같이 12조각으로 나누어 혜정이와 같은 양을 먹으려고 합니다. 지혁이는 몇 조각을 먹어야 하는지 구하세요.

❶ 혜정이가 먹은 양은 전체의 몇 분의 몇인지 구하세요.

( )

❷ 혜정이가 먹은 양을 분모가 12인 분수로 나타내어 보세요.

( )

❸ 지혁이는 몇 조각을 먹어야 할까요?

( )

02 다음은 어떤 두 기약분수를 통분한 것입니다. 통분하기 전의 두 분수를 구하세요.

$\frac{15}{36}$ $\frac{24}{36}$

❶ $\frac{15}{36}$의 분모와 분자를 최대공약수로 나누어 약분해 보세요.

$$\frac{15}{36}=\frac{15\div\square}{36\div\square}=\frac{\square}{\square}$$

❷ $\frac{24}{36}$의 분모와 분자를 최대공약수로 나누어 약분해 보세요.

$$\frac{24}{36}=\frac{24\div\square}{36\div\square}=\frac{\square}{\square}$$

❸ 통분하기 전의 두 분수를 구하세요.

( )

03 냉장고에 오렌지주스가 0.45 L, 사과주스가 $\frac{7}{15}$ L, 포도주스가 $\frac{17}{30}$ L 들어 있습니다. 세 주스 중 냉장고에 가장 많이 들어 있는 것은 무엇인지 구하세요.

오렌지주스
0.45 L

사과주스
$\frac{7}{15}$ L

포도주스
$\frac{17}{30}$ L

❶ 소수 0.45를 기약분수로 나타내어 보세요.

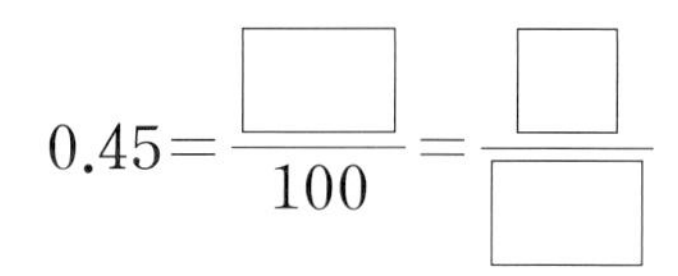

❷ 위 ❶에서 구한 기약분수와 $\frac{7}{15}$, $\frac{17}{30}$ 중 가장 큰 수를 구하세요.

(　　　　　　　)

❸ 세 주스 중 냉장고에 가장 많이 들어 있는 것은 무엇일까요?

(　　　　　　　)

04 $\frac{2}{5}$와 크기가 같은 분수 중에서 분모와 분자의 차가 12인 분수를 구하세요.

❶ $\frac{2}{5}$와 크기가 같은 분수를 분모가 작은 것부터 5개를 구하세요.

$$\frac{2}{5}=\frac{2\times\square}{5\times2}=\frac{2\times\square}{5\times3}=\frac{2\times\square}{5\times4}=\frac{2\times\square}{5\times5}=\frac{2\times\square}{5\times6}$$

(　　　　　　　)

❷ 위 ❶에서 구한 분수 중 분모와 분자의 차가 12인 분수를 구하세요.

(　　　　　　　)

풀이 과정을 직접 쓰는

4 단원 서술형평가 약분과 통분

점수

스피드 정답표 10쪽, 정답 및 풀이 37쪽

01 지영이는 케이크를 똑같이 4조각으로 나누어 한 조각을 먹었습니다. 현수는 같은 크기의 케이크를 똑같이 8조각으로 나누어 지영이와 같은 양을 먹으려고 합니다. 현수는 몇 조각을 먹어야 하는지 풀이 과정을 쓰고 답을 구하세요.

풀이

답 ______________________

어떻게 풀까요?

• 먼저 지영이가 먹은 양은 전체의 얼마인지 분수로 나타내어 보고 크기가 같은 분수를 이용하여 현수가 먹어야 하는 양을 알아봅니다.

02 다음은 어떤 두 기약분수를 통분한 것입니다. 통분하기 전의 두 분수를 구하려고 합니다. 풀이 과정을 쓰고 답을 구하세요.

$\frac{21}{48}$ $\frac{28}{48}$

풀이

답 ______________________

어떻게 풀까요?

• 두 분수 $\frac{21}{48}$, $\frac{28}{48}$을 각각 분모와 분자의 최대공약수를 이용하여 약분하여 기약분수로 나타내어 봅니다.

03 냉장고에 수박주스가 0.75 L, 파인애플주스가 $\frac{7}{12}$ L, 키위주스가 $\frac{1}{4}$ L 들어 있습니다. 세 주스 중 냉장고에 가장 많이 들어 있는 것은 무엇인지 풀이 과정을 쓰고 답을 구하세요.

수박주스
0.75 L

파인애플주스
$\frac{7}{12}$ L

키위주스
$\frac{1}{4}$ L

풀이

답 ______________

어떻게 풀까요?

- 0.75를 분수로 나타내어 세 수의 크기를 비교하여 가장 많이 들어 있는 것을 구합니다.

04 $\frac{4}{7}$와 크기가 같은 분수 중에서 분모와 분자의 차가 15인 분수를 구하려고 합니다. 풀이 과정을 쓰고 답을 구하세요.

풀이

답 ______________

어떻게 풀까요?

- 분모와 분자에 각각 0이 아닌 같은 수를 곱하여 크기가 같은 분수를 만들어 봅니다.

밀크티 성취도평가 오답 베스트 5

약분과 통분

스피드 정답표 10쪽, 정답 및 풀이 37쪽

01 기약분수가 아닌 것을 찾아보세요. ··· (　　　　)

① $\frac{3}{17}$　② $\frac{6}{20}$　③ $\frac{8}{15}$

④ $\frac{5}{12}$　⑤ $\frac{4}{11}$

02 분수와 소수의 크기를 비교하여 더 큰 것에 ○표 하세요.

$\frac{9}{20}$	0.5
(　　)	(　　)

03 $\frac{36}{108}$을 약분한 분수가 아닌 것을 고르세요.

······························ (　　　　)

① $\frac{18}{54}$　② $\frac{12}{36}$　③ $\frac{10}{27}$

④ $\frac{6}{18}$　⑤ $\frac{4}{12}$

04 두 분수를 통분하려고 합니다. 공통분모가 될 수 있는 수 중에서 100보다 작은 수는 모두 몇 개일까요?

$$\left(\frac{3}{8}, \frac{8}{12}\right)$$

(　　　　　　　　)

05 집에서 더 가까운 곳은 학교와 병원 중 어디일까요?

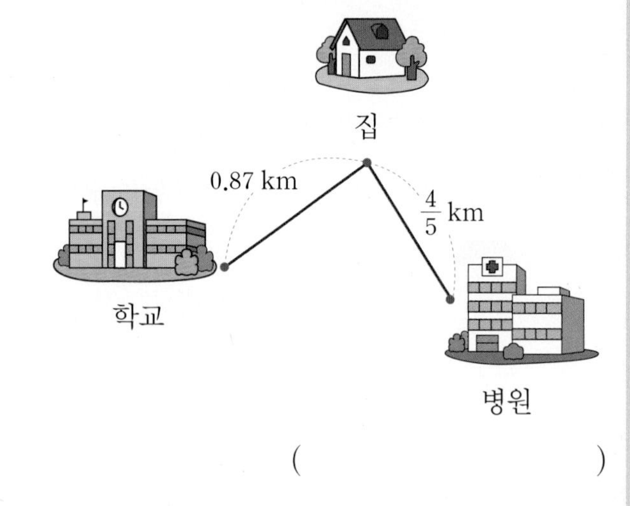

(　　　　　　　　)

CONTENTS

5

분수의 덧셈과 뺄셈

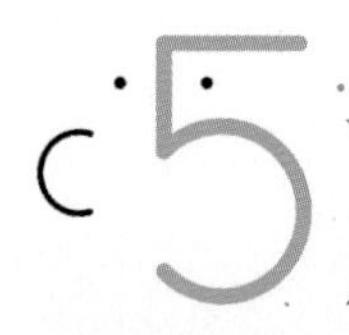

단원 개념정리 분수의 덧셈과 뺄셈

개념 ① 받아올림이 없는 진분수의 덧셈

● $\frac{3}{4}+\frac{1}{6}$의 계산

방법 1 두 분모의 곱으로 통분하여 계산하기

$$\frac{3}{4}+\frac{1}{6}=\frac{3\times\boxed{❶}}{4\times6}+\frac{1\times4}{6\times4}$$
$$=\frac{18}{24}+\frac{4}{24}=\frac{22}{24}=\frac{11}{12}$$

방법 2 두 분모의 최소공배수로 통분하여 계산하기

$$\frac{3}{4}+\frac{1}{6}=\frac{3\times3}{4\times3}+\frac{1\times2}{6\times2}=\frac{9}{12}+\frac{2}{12}=\frac{11}{12}$$

개념 ② 받아올림이 있는 진분수의 덧셈

● $\frac{1}{3}+\frac{5}{6}$의 계산

방법 1 두 분모의 곱으로 통분하여 계산하기

$$\frac{1}{3}+\frac{5}{6}=\frac{1\times6}{3\times6}+\frac{5\times3}{6\times3}=\frac{6}{18}+\frac{15}{18}$$
$$=\frac{21}{18}=1\frac{3}{18}=1\frac{\boxed{❷}}{6}$$

가분수 → 대분수

방법 2 두 분모의 최소공배수로 통분하여 계산하기

$$\frac{1}{3}+\frac{5}{6}=\frac{1\times2}{3\times2}+\frac{5}{6}=\frac{2}{6}+\frac{5}{6}=\frac{7}{6}=1\frac{1}{6}$$

개념 ③ 대분수의 덧셈

● $3\frac{3}{4}+1\frac{1}{3}$의 계산

방법 1 자연수는 자연수끼리, 분수는 분수끼리 계산하기

$$3\frac{3}{4}+1\frac{1}{3}=3\frac{9}{12}+1\frac{4}{12}$$
$$=(3+1)+\left(\frac{9}{12}+\frac{4}{12}\right)$$
$$=4+\frac{\boxed{❸}}{12}=4+1\frac{1}{12}=5\frac{1}{12}$$

방법 2 대분수를 가분수로 나타내어 계산하기

$$3\frac{3}{4}+1\frac{1}{3}=\frac{15}{4}+\frac{4}{3}=\frac{45}{12}+\frac{16}{12}$$
$$=\frac{61}{12}=5\frac{1}{12}$$

개념 ④ 받아내림이 없는 진분수의 뺄셈

● $\frac{3}{4}-\frac{1}{2}$의 계산

방법 1 두 분모의 곱으로 통분하여 계산하기

$$\frac{3}{4}-\frac{1}{2}=\frac{3\times2}{4\times2}-\frac{1\times4}{2\times4}$$
$$=\frac{6}{8}-\frac{4}{8}=\frac{\boxed{❹}}{8}=\frac{1}{4}$$

방법 2 두 분모의 최소공배수로 통분하여 계산하기

$$\frac{3}{4}-\frac{1}{2}=\frac{3}{4}-\frac{1\times2}{2\times2}=\frac{3}{4}-\frac{2}{4}=\frac{1}{4}$$

개념 ⑤ 받아내림이 없는 대분수의 뺄셈

● $2\frac{1}{2}-1\frac{1}{3}$의 계산

방법 1 자연수는 자연수끼리, 분수는 분수끼리 계산하기

$$2\frac{1}{2}-1\frac{1}{3}=2\frac{3}{6}-1\frac{2}{6}=(2-1)+\left(\frac{3}{6}-\frac{2}{6}\right)$$
$$=1+\frac{1}{6}=1\frac{1}{6}$$

방법 2 대분수를 가분수로 나타내어 계산하기

$$2\frac{1}{2}-1\frac{1}{3}=\frac{5}{2}-\frac{4}{3}=\frac{15}{6}-\frac{8}{6}=\frac{7}{6}=1\frac{1}{6}$$

가분수 → 대분수

개념 ⑥ 받아내림이 있는 대분수의 뺄셈

● $2\frac{1}{4}-1\frac{1}{2}$의 계산

방법 1 자연수는 자연수끼리, 분수는 분수끼리 계산하기

$$2\frac{1}{4}-1\frac{1}{2}=2\frac{1}{4}-1\frac{2}{4}=1\frac{5}{4}-1\frac{2}{4}$$

자연수에서 1을 받아내림하기

$$=(1-1)+\left(\frac{5}{4}-\frac{2}{4}\right)=\frac{\boxed{❺}}{4}$$

방법 2 대분수를 가분수로 나타내어 계산하기

$$2\frac{1}{4}-1\frac{1}{2}=\frac{9}{4}-\frac{3}{2}=\frac{9}{4}-\frac{6}{4}=\frac{3}{4}$$

| 정답 | ❶ 6 ❷ 1 ❸ 13 ❹ 2 ❺ 3

점수

▶ 받아올림이 없는 진분수의 덧셈 ~ 받아올림이 있는 진분수의 덧셈

스피드 정답표 11쪽, 정답 및 풀이 38쪽

[01~02] □ 안에 알맞은 수를 써넣으세요.

01 $\frac{2}{3}+\frac{1}{5}=\frac{2\times5}{3\times5}+\frac{1\times\square}{5\times\square}$

$=\frac{\square}{15}+\frac{\square}{15}=\frac{\square}{15}$

02 $\frac{1}{2}+\frac{4}{7}=\frac{1\times\square}{2\times\square}+\frac{4\times2}{7\times2}$

$=\frac{\square}{14}+\frac{\square}{14}=\frac{\square}{14}=\square\frac{\square}{14}$

[03~04] 계산해 보세요.

03 $\frac{2}{7}+\frac{1}{3}$

04 $\frac{3}{4}+\frac{4}{5}$

05 빈칸에 알맞은 수를 써넣으세요.

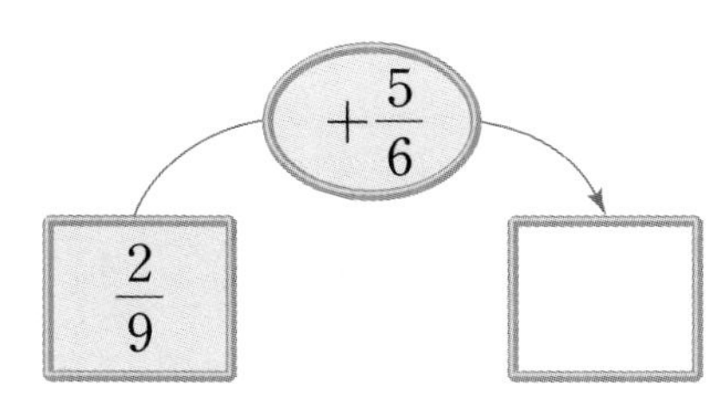

06 다음이 나타내는 수를 구하세요.

$\frac{3}{10}$보다 $\frac{1}{8}$ 큰 수

( )

07 계산 결과를 찾아 이으세요.

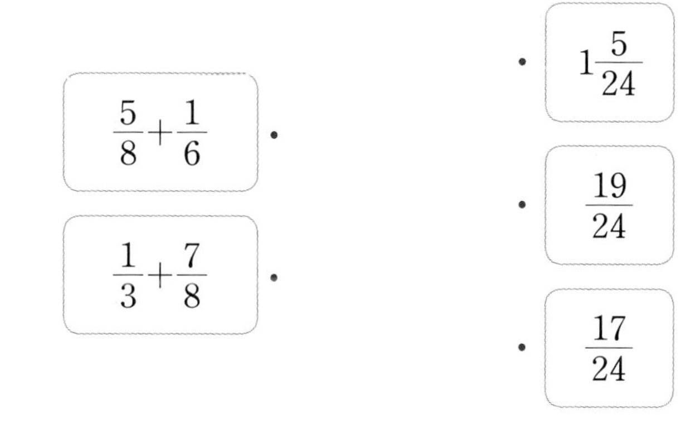

08 □ 안에 알맞은 수를 써넣으세요.

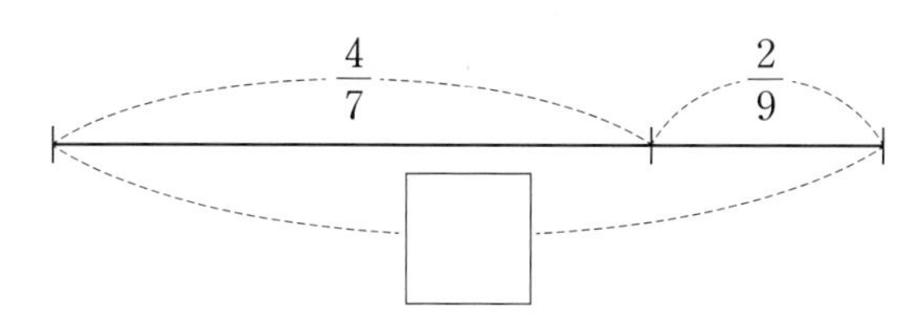

09 계산 결과가 1보다 큰 것에 ○표 하세요.

$\frac{2}{5}+\frac{3}{10}$	$\frac{7}{12}+\frac{3}{4}$
( )	( )

10 가장 큰 수와 가장 작은 수의 합을 구하세요.

$\frac{4}{9}$ $\frac{5}{6}$ $\frac{5}{12}$

( )

01 그림에 알맞게 색칠하고, □ 안에 알맞은 수를 써넣으세요.

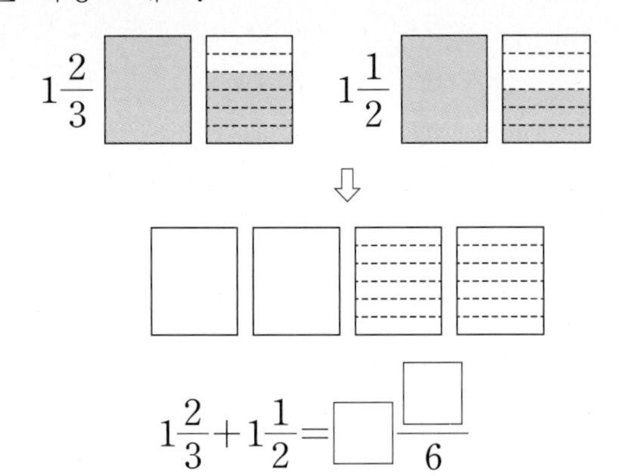

$1\frac{2}{3}+1\frac{1}{2}=\square\frac{\square}{6}$

[02~03] $1\frac{3}{5}+1\frac{2}{7}$를 두 가지 방법으로 계산하려고 합니다. 물음에 답하세요.

02 자연수는 자연수끼리, 분수는 분수끼리 계산해 보세요.

$$1\frac{3}{5}+1\frac{2}{7}=(1+1)+\left(\frac{\square}{35}+\frac{\square}{35}\right)$$
$$=\square+\frac{\square}{35}=\square\frac{\square}{35}$$

03 대분수를 가분수로 나타내어 계산해 보세요.

$$1\frac{3}{5}+1\frac{2}{7}=\frac{\square}{5}+\frac{\square}{7}$$
$$=\frac{\square}{35}+\frac{\square}{35}$$
$$=\frac{\square}{35}=\square\frac{\square}{35}$$

[04~05] 계산해 보세요.

04 $2\frac{5}{8}+2\frac{2}{3}$

05 $2\frac{3}{4}+1\frac{5}{12}$

06 보기와 같이 계산해 보세요.

보기

$$1\frac{3}{5}+2\frac{1}{3}=\frac{8}{5}+\frac{7}{3}=\frac{24}{15}+\frac{35}{15}$$
$$=\frac{59}{15}=3\frac{14}{15}$$

$2\frac{4}{9}+1\frac{1}{6}$ ______________________

____

07 두 수의 합을 구하세요.

$1\frac{2}{5}$ $2\frac{1}{6}$

(　　　　　　)

08 바르게 계산한 것에 ○표 하세요.

$2\frac{5}{6}+1\frac{2}{15}=4\frac{29}{30}$	$1\frac{7}{10}+1\frac{8}{15}=3\frac{7}{30}$
(　　)	(　　)

09 계산 결과를 비교하여 ○ 안에 >, =, <를 알맞게 써넣으세요.

$3\frac{1}{4}+1\frac{5}{9}$ ○ $2\frac{1}{2}+2\frac{3}{4}$

10 두 막대의 길이의 합은 몇 cm일까요?

$5\frac{3}{8}$ cm

$3\frac{4}{7}$ cm

(　　　　　　)

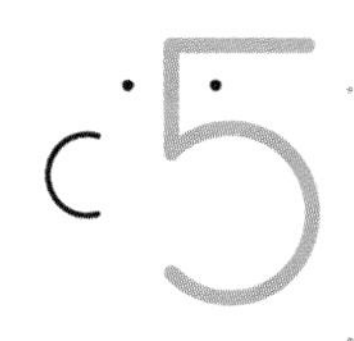

쪽지시험 3회 분수의 덧셈과 뺄셈

점수

▶ 받아내림이 없는 진분수의 뺄셈 ~ 받아내림이 없는 대분수의 뺄셈

스피드 정답표 11쪽, 정답 및 풀이 38쪽

[01~03] □ 안에 알맞은 수를 써넣으세요.

01 $\frac{5}{6}-\frac{2}{3}=\frac{5}{6}-\frac{\square}{6}=\frac{\square}{6}$

02 $2\frac{2}{3}-1\frac{1}{4}=(2-1)+\left(\frac{\square}{12}-\frac{\square}{12}\right)$

$=\square+\frac{\square}{12}=\square\frac{\square}{12}$

03 $4\frac{1}{2}-2\frac{1}{5}=\frac{9}{2}-\frac{\square}{5}$

$=\frac{\square}{10}-\frac{\square}{10}$

$=\frac{\square}{10}=\square\frac{\square}{10}$

[04~05] 계산해 보세요.

04 $\frac{7}{8}-\frac{2}{7}$

05 $4\frac{4}{5}-1\frac{2}{3}$

06 보기 와 같이 계산해 보세요.

보기

$\frac{5}{6}-\frac{1}{2}=\frac{5\times2}{6\times2}-\frac{1\times6}{2\times6}$

$=\frac{10}{12}-\frac{6}{12}=\frac{4}{12}=\frac{1}{3}$

$\frac{8}{9}-\frac{1}{6}$ ______________________

____

07 빈칸에 두 수의 차를 써넣으세요.

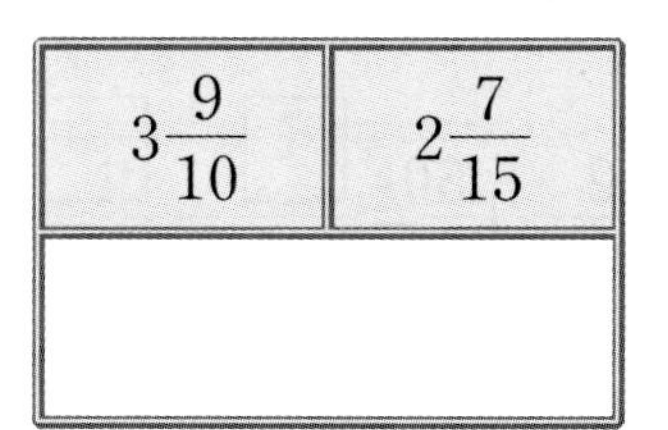

$3\frac{9}{10}$	$2\frac{7}{15}$

08 $\frac{6}{7}$보다 $\frac{3}{4}$ 작은 수를 구하세요.

(　　　　　　)

09 □ 안에 알맞은 수를 써넣으세요.

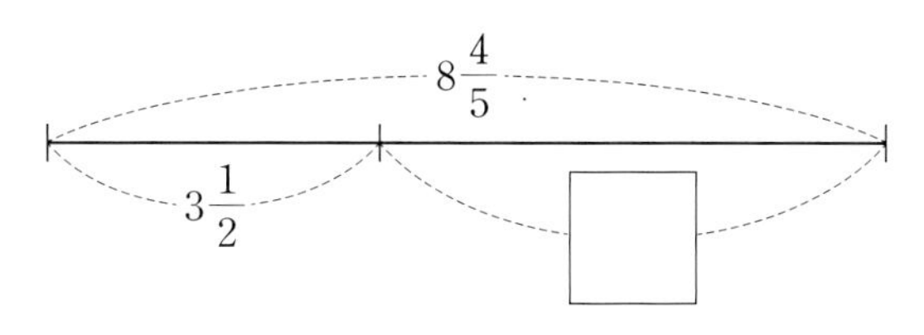

10 크기를 비교하여 ○ 안에 >, =, <를 알맞게 써넣으세요.

$\frac{11}{12}-\frac{3}{4}$ ○ $\frac{1}{6}$

08 빈칸에 알맞은 수를 써넣으세요.

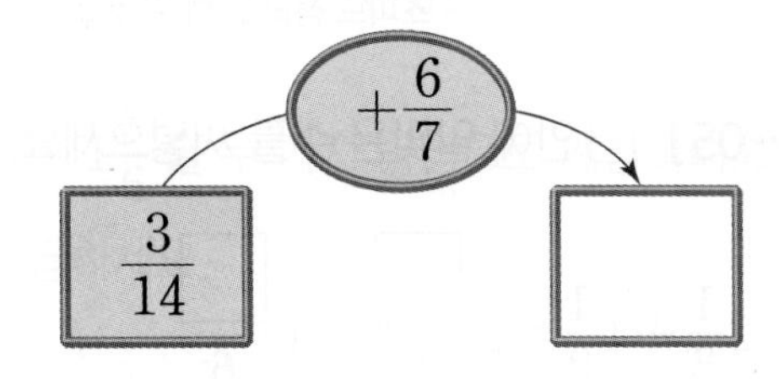

09 빈칸에 두 수의 차를 써넣으세요.

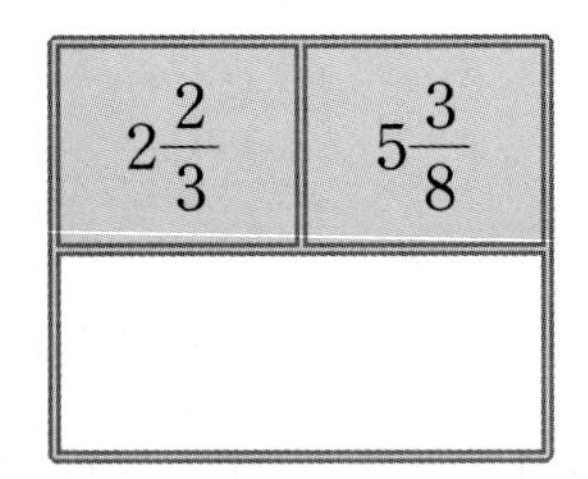

10 $\frac{7}{8}$보다 $\frac{5}{6}$ 작은 수를 구하세요.

(　　　　　　　)

11 대분수를 가분수로 나타내어 계산해 보세요.

$1\frac{3}{4}+1\frac{2}{5}$

12 계산 결과를 찾아 이으세요.

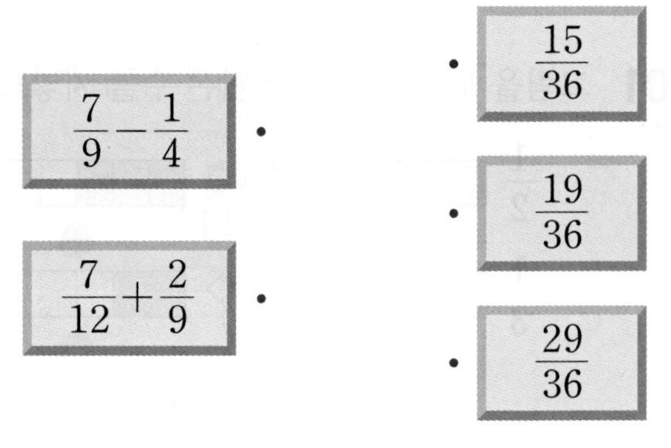

13 두 막대의 길이의 차는 몇 cm일까요?

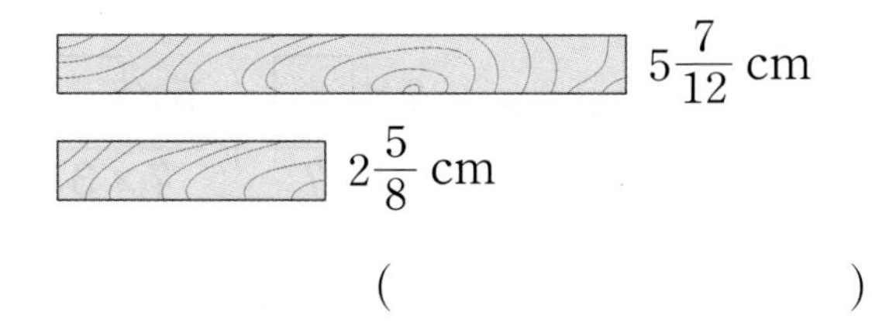

(　　　　　　　)

14 □ 안에 알맞은 수를 써넣으세요.

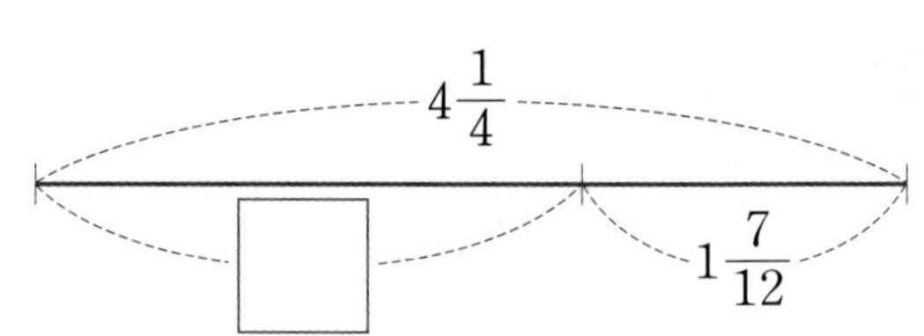

15 크기를 비교하여 ○ 안에 >, =, <를 알맞게 써넣으세요.

$$3\frac{3}{4}-1\frac{2}{3} \bigcirc 2\frac{5}{12}$$

16 직사각형 모양의 액자가 있습니다. 이 액자의 가로와 세로의 합은 몇 cm일까요?

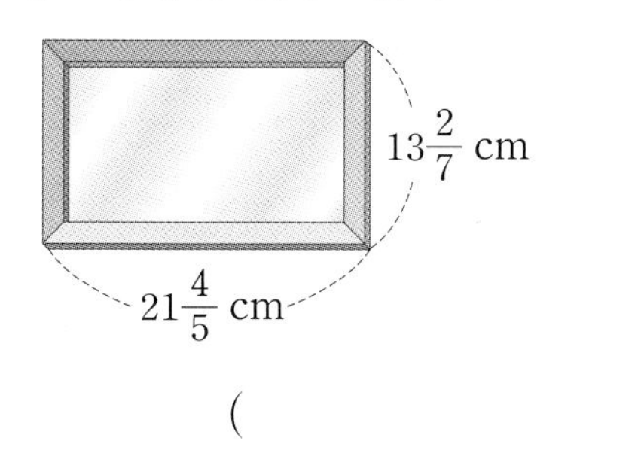

( )

17 계산 결과가 1보다 큰 것에 ○표 하세요.

$\frac{3}{4}+\frac{1}{6}$	$\frac{5}{9}+\frac{7}{15}$
( )	( )

18 우유는 주스보다 몇 L 더 많을까요?

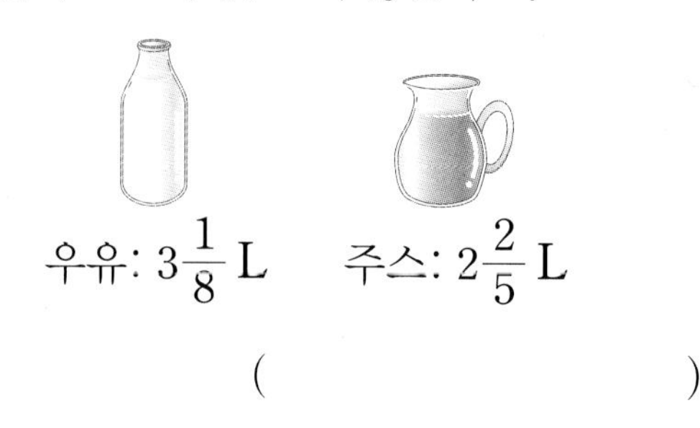

( )

19 계산 결과가 더 큰 것의 기호를 써 보세요.

㉠ $1\frac{7}{12}+3\frac{5}{9}$ ㉡ $6\frac{5}{6}-2\frac{1}{4}$

( )

20 재호는 노란색 물감 $4\frac{5}{9}$ g과 파란색 물감 $5\frac{5}{6}$ g을 섞어 초록색 물감을 만들었습니다. 재호가 만든 초록색 물감은 몇 g일까요?

( )

스피드 정답표 11쪽, 정답 및 풀이 39쪽

01 그림을 보고 □ 안에 알맞은 수를 써넣으세요.

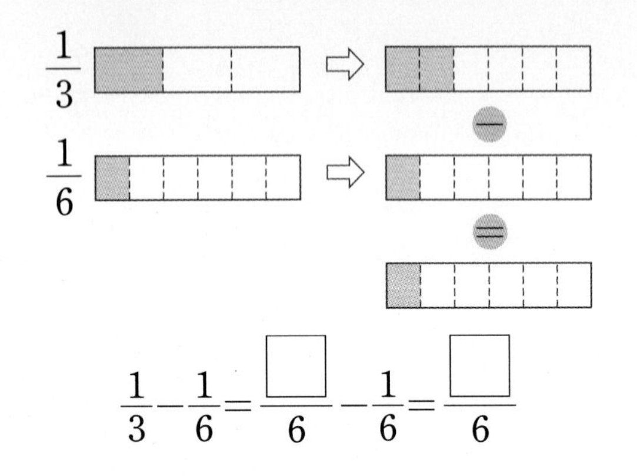

$$\frac{1}{3}-\frac{1}{6}=\frac{\square}{6}-\frac{1}{6}=\frac{\square}{6}$$

02 그림을 보고 □ 안에 알맞은 수를 써넣으세요.

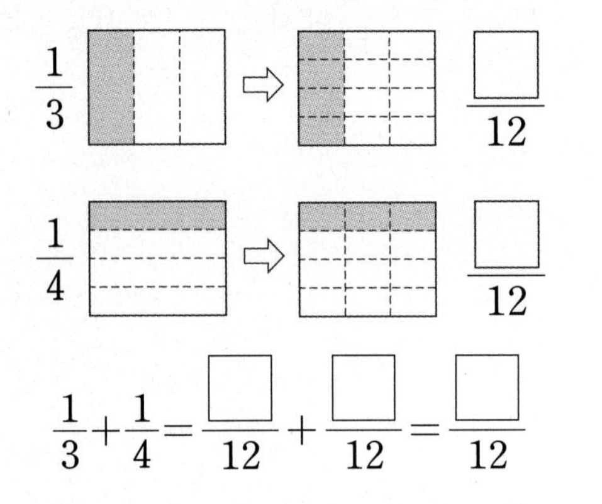

$$\frac{1}{3}+\frac{1}{4}=\frac{\square}{12}+\frac{\square}{12}=\frac{\square}{12}$$

03 □ 안에 알맞은 수를 써넣으세요.

$$\frac{3}{4}+\frac{3}{7}=\frac{\square}{28}+\frac{\square}{28}$$
$$=\frac{\square}{28}=\square\frac{\square}{28}$$

04 □ 안에 알맞은 수를 써넣으세요.

$$2\frac{1}{3}+2\frac{3}{8}=2\frac{\square}{24}+2\frac{\square}{24}$$
$$=(2+2)+\left(\frac{\square}{24}+\frac{\square}{24}\right)$$
$$=\square+\frac{\square}{24}=\square\frac{\square}{24}$$

05 □ 안에 알맞은 수를 써넣으세요.

$$4\frac{1}{9}-1\frac{5}{6}=\frac{\square}{9}-\frac{\square}{6}$$
$$=\frac{\square}{18}-\frac{\square}{18}$$
$$=\frac{\square}{18}=\square\frac{\square}{18}$$

[06~07] 계산해 보세요.

06 $1\frac{1}{6}+2\frac{3}{5}$

07 $2\frac{2}{7}-1\frac{1}{4}$

08 빈칸에 알맞은 수를 써넣으세요.

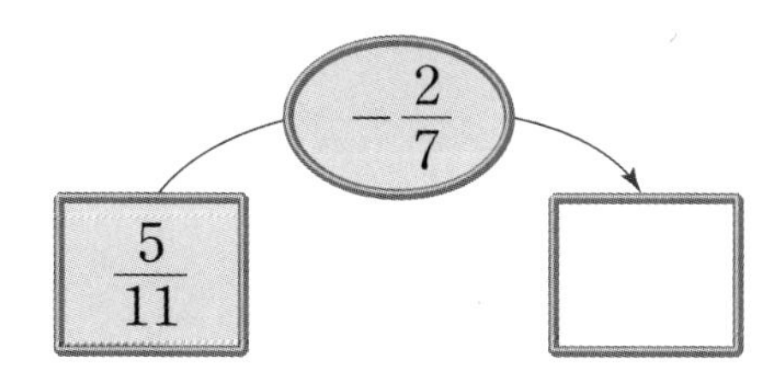

09 ┤보기├와 같이 계산해 보세요.

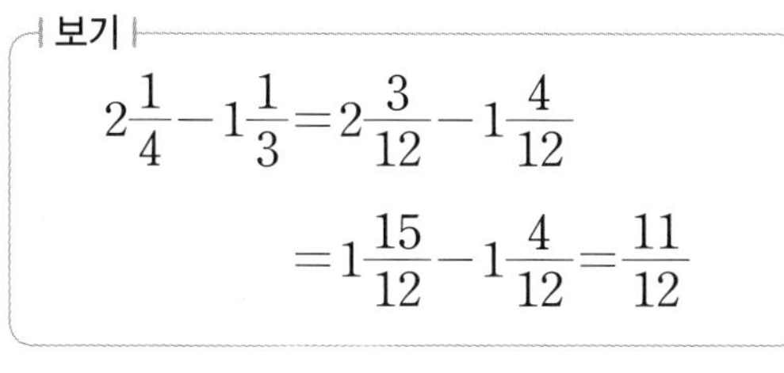
┤보기├

$2\frac{1}{4}-1\frac{1}{3}=2\frac{3}{12}-1\frac{4}{12}$

$=1\frac{15}{12}-1\frac{4}{12}=\frac{11}{12}$

$2\frac{1}{4}-1\frac{7}{10}$ ____________________

____

10 두 수의 차를 구하세요.

$8\frac{3}{4}$ $3\frac{7}{16}$

( )

11 다음이 나타내는 수를 구하세요.

$\frac{5}{16}$보다 $\frac{1}{12}$ 큰 수

( )

12 크기를 비교하여 ○ 안에 $>$, $=$, $<$를 알맞게 써넣으세요.

$\frac{4}{15}-\frac{3}{20}$ ○ $\frac{1}{10}$

13 빈칸에 알맞은 수를 써넣으세요.

$+$	$1\frac{3}{8}$	$2\frac{5}{9}$
$3\frac{5}{6}$		

14 바르게 계산한 사람을 찾아 이름을 써 보세요.

혜리: $\frac{1}{5}+\frac{1}{4}=\frac{1}{20}$

진석: $\frac{1}{10}+\frac{1}{6}=\frac{4}{15}$

( )

15 계산 결과가 1보다 큰 것의 기호를 써 보세요.

㉠ $\frac{1}{3}+\frac{7}{12}$ ㉡ $\frac{4}{7}+\frac{1}{2}$

( )

16 빈칸에 알맞은 수를 써넣으세요.

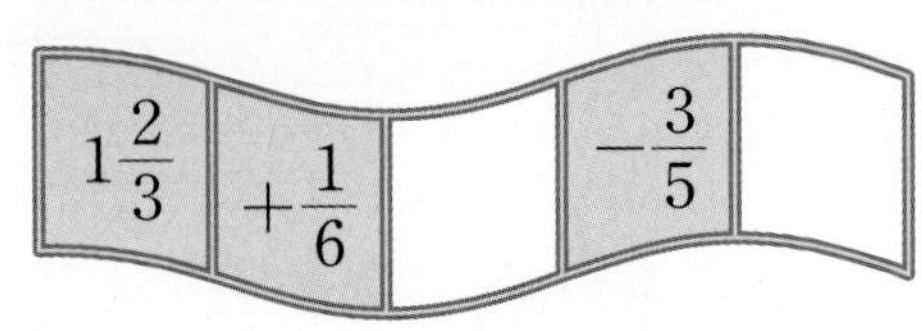

17 집에서 놀이터를 거쳐 학교까지의 거리는 몇 km일까요?

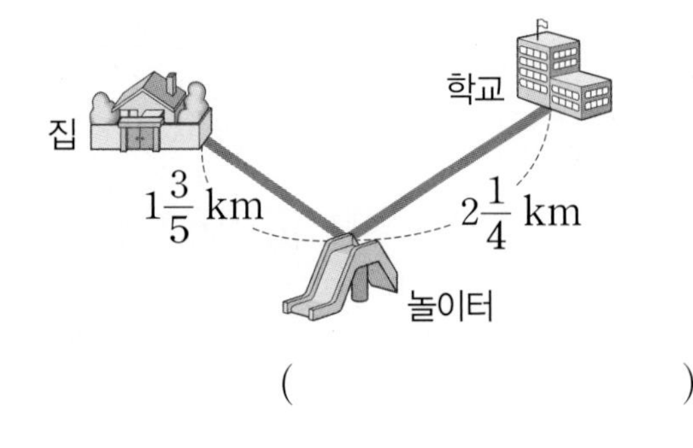

( )

18 가장 큰 수와 가장 작은 수의 차를 구하세요.

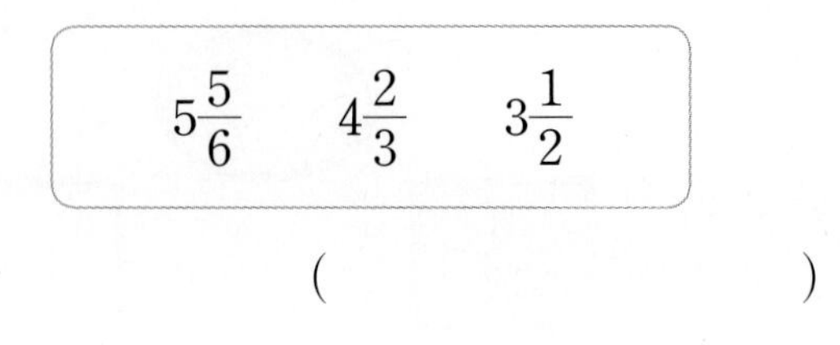

( )

19 빈칸에 알맞은 수를 써넣으세요.

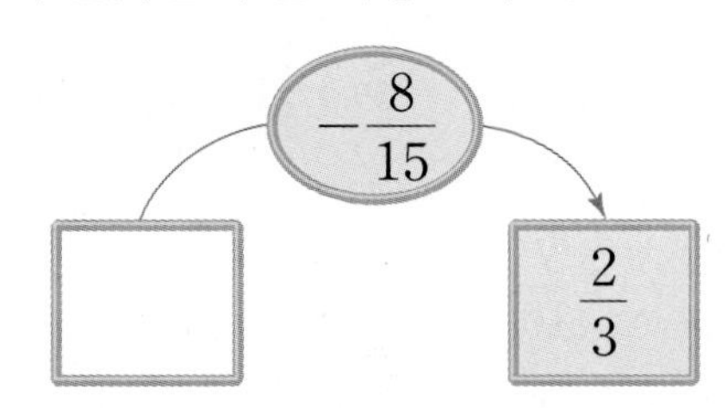

20 상자만의 무게가 $1\frac{1}{4}$ kg이라면 배의 무게는 몇 kg일까요?

( )

분수의 덧셈과 뺄셈

점수

스피드 정답표 12쪽, 정답 및 풀이 40쪽

01 분수만큼 색칠하고 □ 안에 알맞은 수를 써넣으세요.

$\frac{1}{4}=\frac{\square}{12}$ $\frac{2}{3}=\frac{\square}{12}$

$\frac{1}{4}+\frac{2}{3}=\frac{\square}{12}+\frac{\square}{12}=\frac{\square}{12}$

[02~03] □ 안에 알맞은 수를 써넣으세요.

02 $\frac{2}{3}-\frac{1}{8}=\frac{2\times\square}{3\times\square}-\frac{1\times\square}{8\times\square}$

$=\frac{\square}{24}-\frac{\square}{24}=\frac{\square}{24}$

03 $2\frac{7}{15}+2\frac{8}{45}=2\frac{\square}{45}+2\frac{8}{45}$

$=(2+2)+\left(\frac{\square}{45}+\frac{8}{45}\right)$

$=\square+\frac{\square}{45}=\square$

04 $3\frac{4}{9}+2\frac{1}{6}$ 을 계산하려고 합니다. 공통분모가 될 수 있는 수를 모두 고르세요. (　　　　)

① 12 ② 18 ③ 27
④ 30 ⑤ 54

[05~06] 계산해 보세요.

05 $1\frac{2}{7}+3\frac{1}{2}$

06 $4\frac{7}{10}-3\frac{3}{4}$

07 두 수의 합을 구하세요.

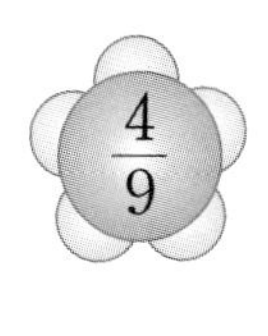

(　　　　　　　　)

5 분수의 덧셈과 뺄셈

08 대분수를 가분수로 나타내어 계산해 보세요.

$3\frac{1}{2}-1\frac{5}{6}$ ______________________

____

09 계산 결과를 찾아 이으세요.

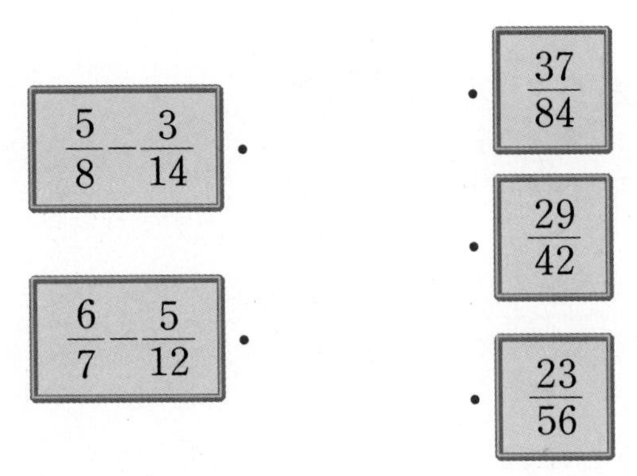

10 계산이 <u>잘못된</u> 곳을 찾아 옳게 고쳐 계산해 보세요.

$$\frac{4}{7}+\frac{2}{3}=\frac{4}{21}+\frac{2}{21}=\frac{6}{21}$$

⇨ ______________________

____

11 빈칸에 알맞은 수를 써넣으세요.

$+$	$1\frac{1}{3}$	$2\frac{3}{4}$
$\frac{5}{6}$		

12 윤정이는 미술 시간에 빨간 끈 $\frac{5}{6}$ m와 파란 끈 $\frac{5}{9}$ m를 사용했습니다. 윤정이가 사용한 끈은 모두 몇 m일까요?

( )

13 강아지는 고양이보다 몇 kg 더 무거울까요?

강아지: $3\frac{9}{16}$ kg

고양이: $2\frac{5}{12}$ kg

( )

14 계산 결과를 비교하여 ○ 안에 >, =, <를 알맞게 써넣으세요.

$$8\frac{5}{12}-4\frac{7}{15} \bigcirc 2\frac{4}{9}+1\frac{3}{4}$$

15 □ 안에 알맞은 수를 써넣으세요.

$$2\frac{2}{5}-\square=1\frac{1}{4}$$

16 어머니께서 심은 장미와 튤립은 화단 전체의 얼마인지 분수로 나타내어 보세요.

( )

17 빈칸에 알맞은 수를 써넣으세요.

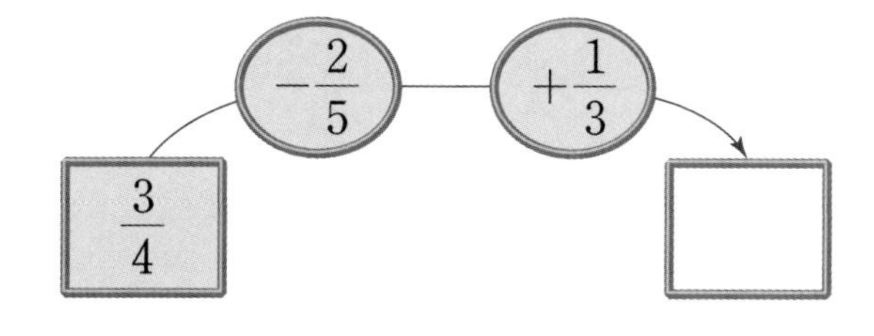

18 계산 결과가 가장 작은 것을 찾아 기호를 써 보세요.

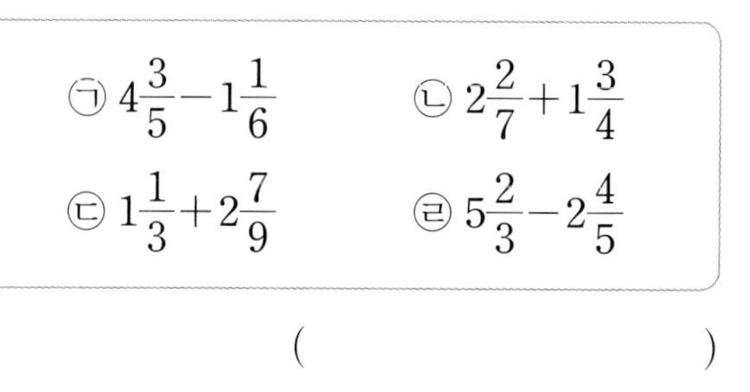

㉠ $4\frac{3}{5}-1\frac{1}{6}$　㉡ $2\frac{2}{7}+1\frac{3}{4}$

㉢ $1\frac{1}{3}+2\frac{7}{9}$　㉣ $5\frac{2}{3}-2\frac{4}{5}$

( )

19 어떤 수에 $\frac{1}{2}$을 더해야 할 것을 잘못하여 뺐더니 $\frac{4}{5}$가 되었습니다. 어떤 수를 구하세요.

( )

서술형

20 길이가 $2\frac{3}{10}$ m인 종이테이프 2장을 $\frac{5}{14}$ m만큼 겹쳐서 이어 붙였습니다. 이어 붙인 종이테이프 전체의 길이는 몇 m인지 풀이 과정을 쓰고 답을 구하세요.

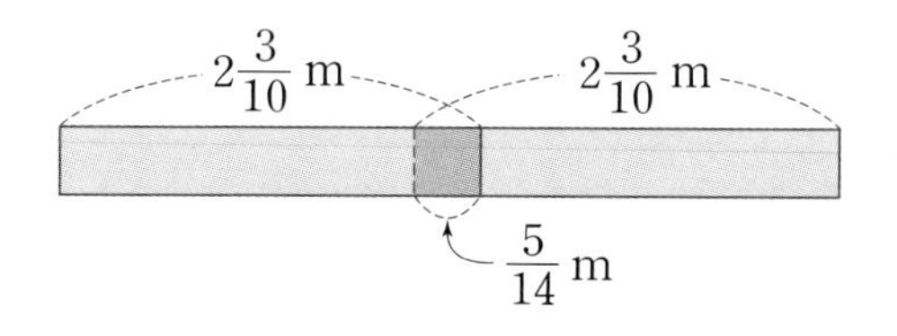

풀이

답

A B 난이도 C

점수

스피드 정답표 12쪽, 정답 및 풀이 40쪽

[01~02] □ 안에 알맞은 수를 써넣으세요.

01 $\frac{2}{15}+\frac{2}{3}=\frac{2}{15}+\frac{\square}{15}=\frac{\square}{15}=\square$

02 $\frac{4}{5}-\frac{2}{7}=\frac{\square}{35}-\frac{\square}{35}=\frac{\square}{35}$

03 $\frac{5}{7}-\frac{1}{2}$을 계산할 때 공통분모가 될 수 없는 수는 어느 것일까요? ·············· (　　　)

① 14 ② 20 ③ 28
④ 42 ⑤ 56

04 보기와 같이 계산해 보세요.

보기

$$2\frac{2}{3}+1\frac{1}{4}=\frac{8}{3}+\frac{5}{4}=\frac{32}{12}+\frac{15}{12}$$
$$=\frac{47}{12}=3\frac{11}{12}$$

$5\frac{7}{9}+3\frac{3}{5}$

[05~06] 계산해 보세요.

05 $\frac{1}{4}+\frac{5}{6}$

06 $6\frac{4}{5}-2\frac{7}{8}$

07 □ 안에 알맞은 수를 써넣으세요.

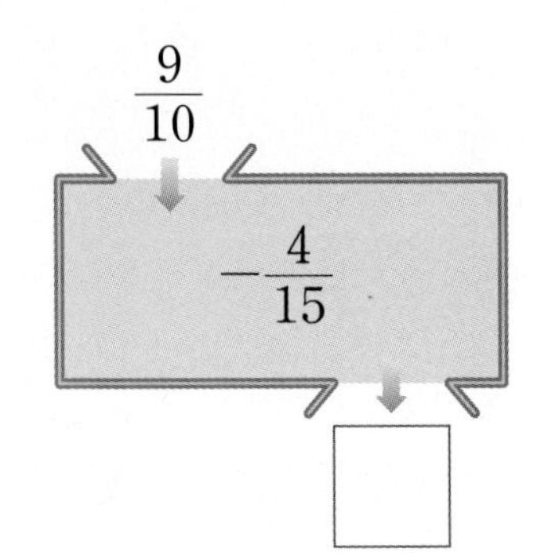

08 $\frac{5}{8}$보다 $\frac{1}{20}$ 큰 수를 구하세요.

(　　　　　　　　)

09 빈 곳에 두 수의 합을 써넣으세요.

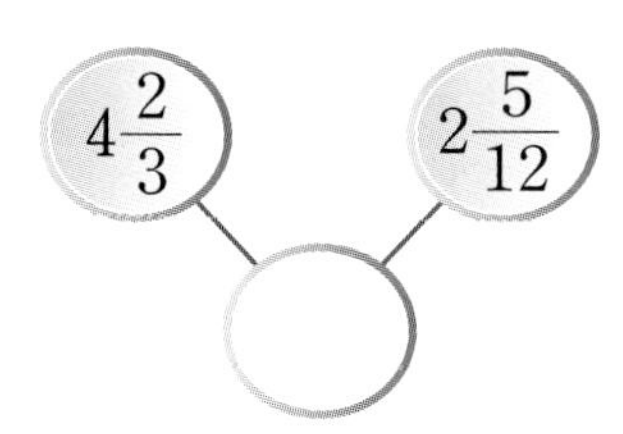

10 두 종이테이프의 길이의 차는 몇 m일까요?

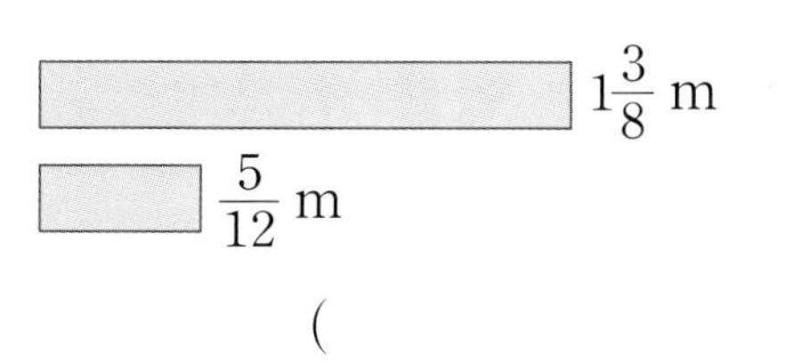

( )

11 바르게 계산한 것의 기호를 써 보세요.

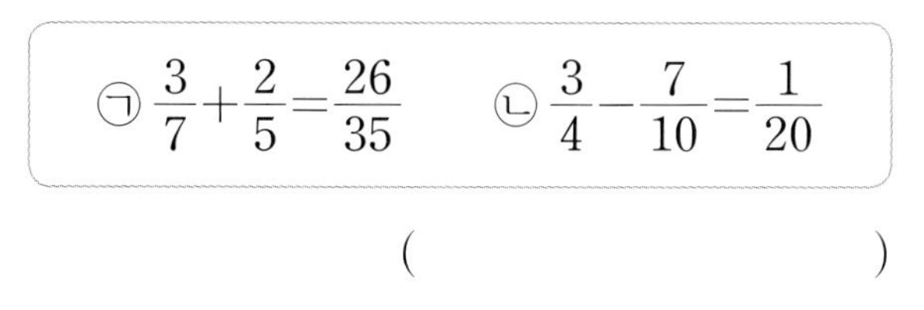

㉠ $\frac{3}{7}+\frac{2}{5}=\frac{26}{35}$ ㉡ $\frac{3}{4}-\frac{7}{10}=\frac{1}{20}$

( )

12 빈칸에 알맞은 수를 써넣으세요.

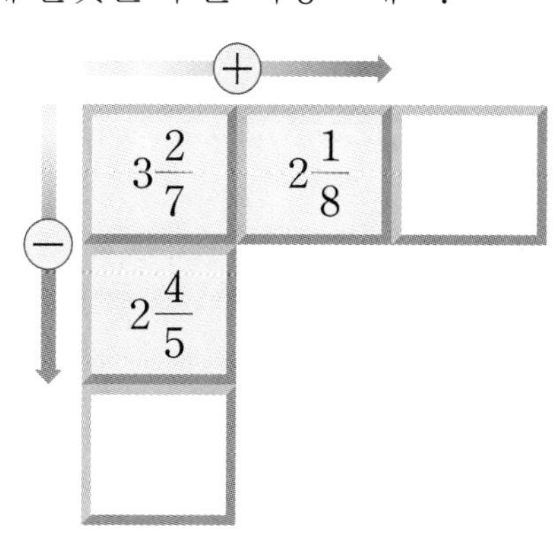

13 계산 결과를 비교하여 ○ 안에 >, =, <를 알맞게 써넣으세요.

$7\frac{3}{4}-5\frac{4}{7}$ ○ $4\frac{1}{2}-1\frac{9}{14}$

14 혜은이는 하루에 물을 $6\frac{1}{2}$컵 마시기로 했습니다. 지금까지 $2\frac{2}{5}$컵을 마셨다면 몇 컵을 더 마셔야 할까요?

( )

5 분수의 덧셈과 뺄셈

15 다음 중 계산 결과가 1보다 큰 것은 어느 것일까요? ························· (　　　)

① $\frac{1}{5}+\frac{1}{7}$　② $\frac{1}{2}+\frac{5}{6}$

③ $\frac{2}{3}+\frac{1}{8}$　④ $\frac{1}{6}+\frac{5}{12}$

⑤ $\frac{1}{4}+\frac{2}{9}$

16 두 사람이 캔 감자는 모두 몇 kg일까요?

(　　　　　　　　)

17 □ 안에 알맞은 수를 써넣으세요.

$\square-3\frac{3}{14}=8\frac{5}{21}$

18 빈칸에 알맞은 수를 써넣으세요.

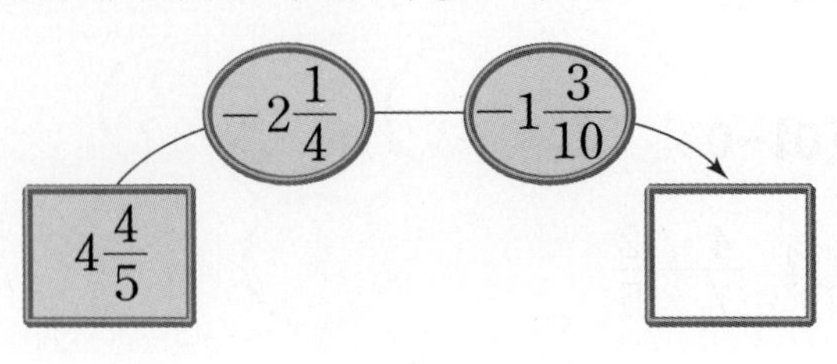

19 □ 안에 들어갈 수 있는 자연수를 모두 구하세요.

$8\frac{4}{5}-2\frac{3}{4}<\square<10$

(　　　　　　　　)

서술형

20 콜라가 $\frac{3}{8}$ L, 우유가 $\frac{4}{9}$ L 있습니다. 콜라, 우유, 주스를 합하여 1 L를 준비하려면 주스는 몇 L 준비해야 하는지 풀이 과정을 쓰고 답을 구하세요.

풀이

답

단원평가 5회 분수의 덧셈과 뺄셈

점수

스피드 정답표 12쪽, 정답 및 풀이 41쪽

[01~02] 계산을 하세요.

01 $\frac{4}{7}+\frac{2}{5}$

02 $4\frac{3}{5}-3\frac{3}{8}$

03 □ 안에 알맞은 수를 써넣으세요.

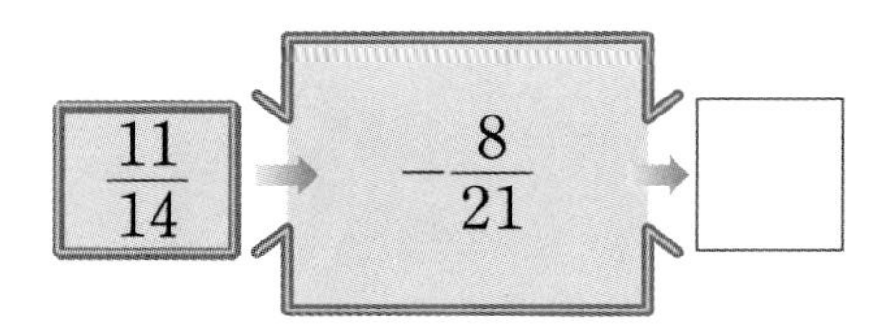

04 다음이 나타내는 수를 구하세요.

$2\frac{7}{12}$보다 $1\frac{2}{15}$ 작은 수

(　　　　　　　　)

05 □ 안에 알맞은 수를 써넣으세요.

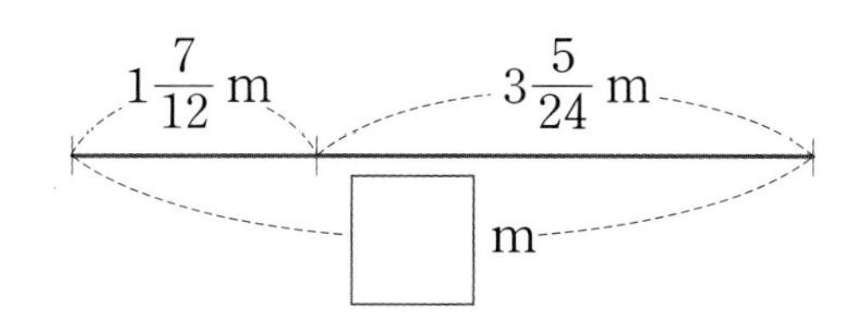

06 ㉠과 ㉡의 합을 구하세요.

$\frac{7}{12}-\frac{9}{16}=\frac{㉠}{48}-\frac{27}{48}=\frac{㉡}{48}$

(　　　　　　　　)

07 계산이 잘못된 곳을 찾아 옳게 고쳐 계산해 보세요.

$6\frac{1}{5}-2\frac{3}{8}=6\frac{8}{40}-2\frac{15}{40}$

$=6\frac{48}{40}-2\frac{15}{40}=4\frac{33}{40}$

⇨

08 크기를 비교하여 ○ 안에 >, =, <를 알맞게 써넣으세요.

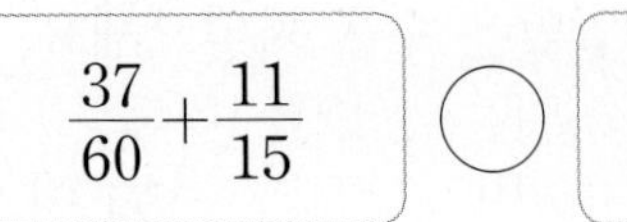

09 우유를 영은이는 $\frac{2}{9}$ L 마셨고 지후는 $\frac{3}{4}$ L 마셨습니다. 두 사람이 마신 우유는 모두 몇 L일까요?

( )

10 가장 큰 수와 가장 작은 수의 합을 구하세요.

$\frac{7}{10}$ $\frac{3}{5}$ $\frac{5}{6}$

( )

11 계산 결과가 더 큰 것의 기호를 써 보세요.

㉠ $1\frac{9}{10}+1\frac{5}{7}$ ㉡ $4\frac{1}{5}-\frac{3}{7}$

( )

12 다음 중 계산 결과가 1보다 큰 것을 모두 고르세요. ·························· ( )

① $\frac{1}{6}+\frac{5}{9}$ ② $\frac{1}{4}+\frac{1}{8}$

③ $\frac{1}{6}+\frac{7}{8}$ ④ $\frac{5}{8}+\frac{7}{12}$

⑤ $\frac{3}{10}+\frac{7}{15}$

13 영호가 버스와 지하철을 타고 이동할 거리는 전체 거리의 얼마인지 분수로 나타내어 보세요.

( )

14 □ 안에 알맞은 수를 써넣으세요.

$5\frac{1}{4}$ —(+□)→ $9\frac{1}{6}$

15 빈칸에 알맞은 수를 써넣으세요.

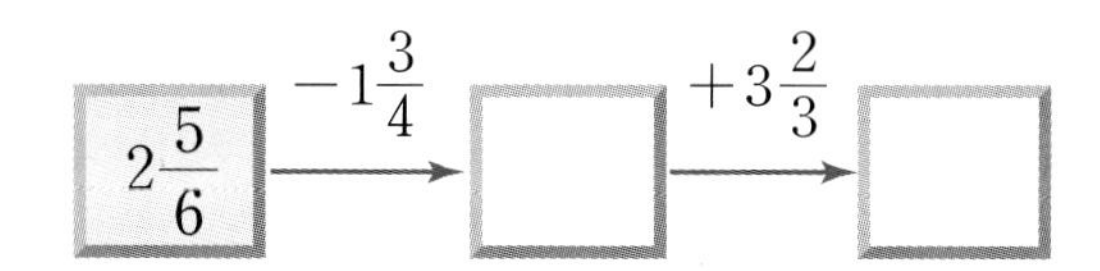

16 복숭아와 토마토의 무게를 재어 보니 다음과 같았습니다. 어느 것이 몇 kg 더 무거울까요?

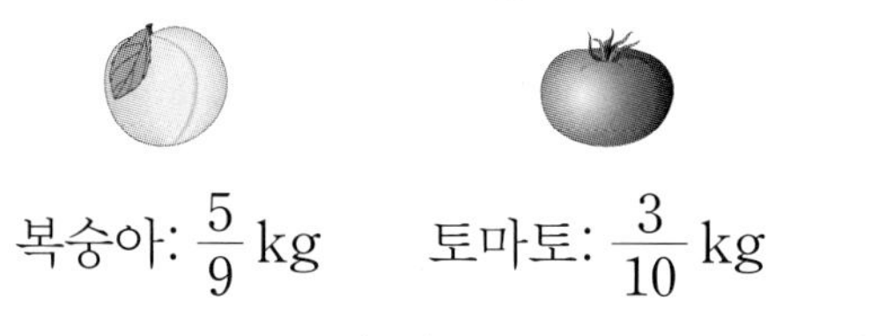

(　　　　　　　　), (　　　　　　　　)

서술형

17 서현이는 동화책을 어제는 전체의 $\frac{1}{2}$을 읽었고, 오늘은 전체의 $\frac{1}{5}$을 읽었습니다. 동화책을 다 읽으려면 전체의 얼마를 더 읽어야 하는지 풀이 과정을 쓰고 답을 구하세요.

풀이

답 ____________

18 딸기밭에서 딸기를 민선이는 $\frac{2}{3}$ kg, 가은이는 민선이보다 $\frac{3}{4}$ kg 더 땄습니다. 두 사람이 딴 딸기는 모두 몇 kg일까요?

(　　　　　　　　)

19 ㉠에 알맞은 수를 구하세요.

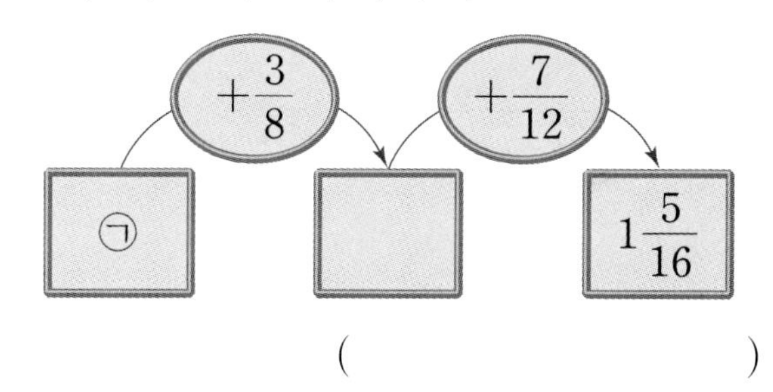

(　　　　　　　　)

서술형

20 어떤 수에 $\frac{3}{4}$을 더해야 할 것을 잘못하여 뺐더니 $\frac{5}{14}$가 되었습니다. 바르게 계산하면 얼마인지 풀이 과정을 쓰고 답을 구하세요.

풀이

답 ____________

5 분수의 덧셈과 뺄셈

단계별로 연습하는

단원 서술형평가 분수의 덧셈과 뺄셈

점수

스피드 정답표 13쪽, 정답 및 풀이 41쪽

01 선호는 수학을 $1\frac{1}{3}$시간, 영어를 $1\frac{1}{2}$시간 동안 공부했습니다. 선호가 수학과 영어를 공부한 시간은 모두 몇 시간 몇 분인지 구하세요.

❶ 수학과 영어를 공부한 시간은 모두 몇 시간일까요?

$$1\frac{1}{3}+1\frac{1}{2}=1\frac{\square}{6}+1\frac{\square}{6}=\square\frac{\square}{6}\text{(시간)}$$

❷ 수학과 영어를 공부한 시간은 모두 몇 시간 몇 분일까요?

( )

02 송희는 식혜 $4\frac{1}{5}$ L 중에서 $2\frac{5}{8}$ L를 이웃집에 나누어 주고 $\frac{1}{4}$ L를 마셨습니다. 남은 식혜는 몇 L인지 구하세요.

❶ 이웃집에 나누어 주고 남은 식혜는 몇 L일까요?

$$4\frac{1}{5}-2\frac{5}{8}=4\frac{\square}{40}-2\frac{\square}{40}=3\frac{\square}{40}-2\frac{\square}{40}=\square\frac{\square}{40}\text{(L)}$$

❷ 남은 식혜는 몇 L일까요?

( )

03 은영이와 민수가 각자 가지고 있는 수 카드를 한 번씩 사용하여 가장 큰 대분수를 만들었습니다. 은영이와 민수 중에서 누가 만든 대분수가 얼마나 더 큰지 구하세요.

은영			민수		
5	4	7	2	8	3

❶ 은영이와 민수가 만든 가장 큰 대분수를 각각 구하세요.

은영 ( ), 민수 ( )

❷ 은영이와 민수 중에서 누가 만든 대분수가 얼마나 더 클까요?

( ), ( )

04 선희와 지후 중에서 가지고 있는 색 테이프의 길이의 합이 더 긴 사람은 누구인지 구하세요.

❶ 선희가 가지고 있는 색 테이프는 모두 몇 m일까요?

( )

❷ 지후가 가지고 있는 색 테이프는 모두 몇 m일까요?

( )

❸ 선희와 지후 중에서 가지고 있는 색 테이프의 길이의 합이 더 긴 사람은 누구일까요?

( )

점수

스피드 정답표 13쪽, 정답 및 풀이 42쪽

01 동전을 만들 때에는 여러 금속을 혼합하여 만듭니다. 10원짜리 동전은 구리와 아연으로 만드는 데 구리는 전체의 $\frac{13}{20}$, 아연은 전체의 $\frac{1}{5}$만큼 사용된다고 합니다. 10원짜리 동전을 만드는 데 어느 금속이 전체의 얼마만큼 더 많이 사용되는지 풀이 과정을 쓰고 답을 구하세요.

풀이

답 ______, ______

> **어떻게 풀까요?**
> • 구리와 아연의 양을 비교하여 더 많이 사용된 금속을 찾아 해결합니다.

02 주영이는 할머니 댁에 가는 데 $2\frac{1}{4}$시간은 기차를 타고, $1\frac{1}{5}$시간은 버스를 타고 갔습니다. 주영이가 기차와 버스를 탄 시간은 모두 몇 시간 몇 분인지 풀이 과정을 쓰고 답을 구하세요.

풀이

답 ______

> **어떻게 풀까요?**
> • $\frac{●}{60}$시간은 1시간(=60분)을 똑같이 60으로 나눈 것 중의 ●이므로 ●분임을 이용하여 구합니다.

03 밭 전체의 $\frac{2}{5}$에는 배추를 심고, 밭 전체의 $\frac{3}{10}$에는 상추를 심었습니다. 배추와 상추를 심고 남은 부분은 전체의 얼마인지 풀이 과정을 쓰고 답을 구하세요.

풀이

답 ______

> **어떻게 풀까요?**
> • (남은 부분)
> =(밭 전체)−(배추를 심은 부분)
> −(상추를 심은 부분)

04 각자 가지고 있는 수 카드를 한 번씩 사용하여 승민이는 가장 큰 대분수를 만들고, 다연이는 가장 작은 대분수를 만들었습니다. 승민이와 다연이 중에서 누가 만든 대분수가 얼마나 더 큰지 풀이 과정을 쓰고 답을 구하세요.

승민			다연		
3	1	8	4	2	7

어떻게 풀까요?

- 가장 큰 대분수는 자연수 부분에 가장 큰 수를 놓아 만들고, 가장 작은 대분수는 자연수 부분에 가장 작은 수를 놓아 만듭니다.

풀이

답 ______________, ______________

05 명주와 진호 중에서 어제와 오늘 마신 우유의 양이 더 많은 사람은 누구인지 풀이 과정을 쓰고 답을 구하세요.

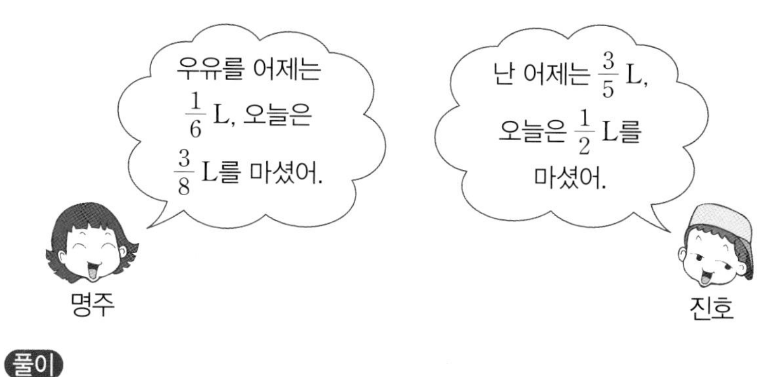

어떻게 풀까요?

- 명주와 진호가 어제와 오늘 마신 우유의 양을 각각 구하여 크기를 비교합니다.

풀이

답 ______________

분수의 덧셈과 뺄셈

스피드 정답표 13쪽, 정답 및 풀이 43쪽

01 두 분수의 합을 구하세요.

$$\left(\frac{4}{5}, \frac{2}{3}\right)$$

(　　　　　　　　)

02 크기를 비교하여 ○ 안에 $>$, $=$, $<$를 알맞게 써 넣으세요.

$$5\frac{1}{6}-3\frac{3}{5} \bigcirc 1\frac{19}{30}$$

03 계산 결과가 가장 큰 것을 찾아 기호를 쓰세요.

㉠ $6\frac{5}{6}-3\frac{5}{12}$

㉡ $7\frac{3}{8}-3\frac{1}{12}$

㉢ $10\frac{3}{8}-5\frac{1}{6}$

(　　　　　　　　)

04 수 카드 3장을 모두 한 번씩만 사용하여 대분수를 만들려고 합니다. 만들 수 있는 가장 큰 대분수와 가장 작은 대분수의 합을 구하세요.

3　8　5

(　　　　　　　　)

05 다음 수 카드를 한 번씩만 사용하여 만들 수 있는 가장 큰 대분수와 가장 작은 대분수의 합을 구하세요.

4　7　9

(　　　　　　　　)

CONTENTS

6

다각형의 둘레와 넓이

다각형의 둘레와 넓이

개념 1 정다각형의 둘레

(정다각형의 둘레)=(한 변의 길이)×(변의 수)

	한 변의 길이(cm)	변의 수(개)	둘레(cm)
정삼각형	4	3	$4\times3=12$
정사각형	4	4	$4\times4=16$
정오각형	4	❶ □	$4\times5=20$

개념 2 사각형의 둘레

● 직사각형의 둘레 구하기

(직사각형의 둘레)=(가로)×2+(세로)×2
=((가로)+(세로))×2

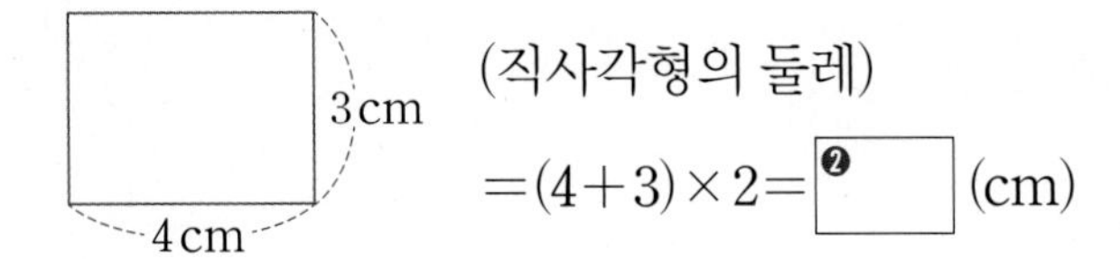

(직사각형의 둘레)
$=(4+3)\times2=$ ❷ □ (cm)

● 평행사변형의 둘레 구하기

(평행사변형의 둘레)
=(한 변의 길이)×2+(다른 한 변의 길이)×2
=((한 변의 길이)+(다른 한 변의 길이))×2

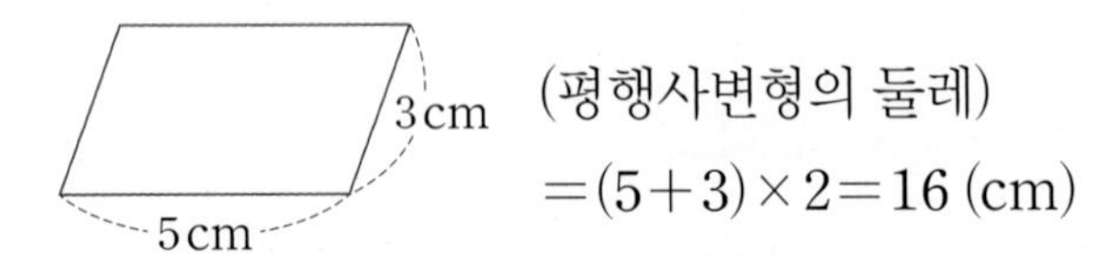

(평행사변형의 둘레)
$=(5+3)\times2=16$ (cm)

● 마름모의 둘레 구하기

(마름모의 둘레)=(한 변의 길이)×4

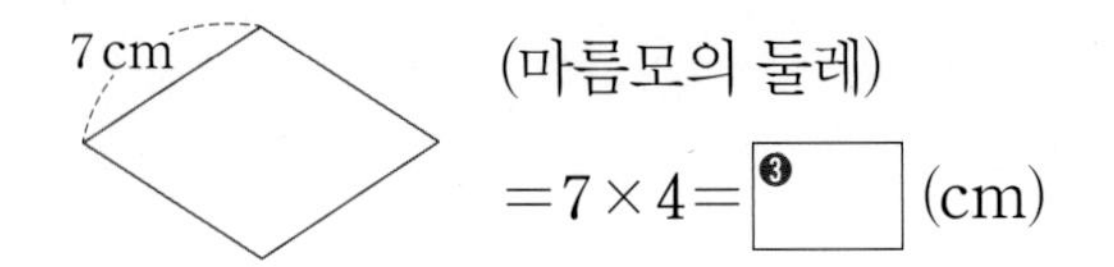

(마름모의 둘레)
$=7\times4=$ ❸ □ (cm)

개념 3 1 cm^2 알아보기

한 변의 길이가 1 cm인 정사각형의 넓이를 1 cm^2라 쓰고 1 제곱센티미터라고 읽습니다.

1cm
1cm 1cm^2

개념 4 직사각형의 넓이

● 직사각형의 넓이 구하기

(직사각형의 넓이)=(가로)×(세로)

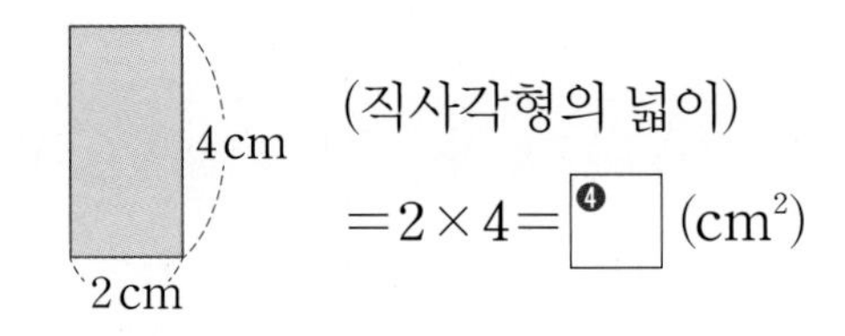

(직사각형의 넓이)
$=2\times4=$ ❹ □ (cm^2)

● 정사각형의 넓이 구하기

(정사각형의 넓이)
=(한 변의 길이)×(한 변의 길이)

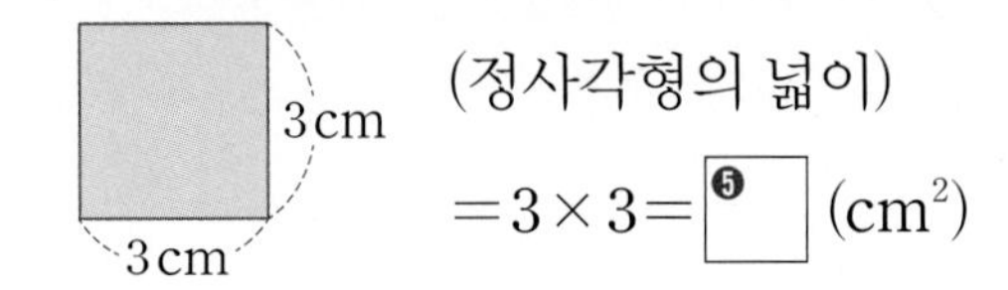

(정사각형의 넓이)
$=3\times3=$ ❺ □ (cm^2)

개념 5 1 cm^2보다 더 큰 넓이의 단위 알아보기

● 한 변의 길이가 1 m인 정사각형의 넓이를 1 m^2라 쓰고 1 제곱미터라고 읽습니다.

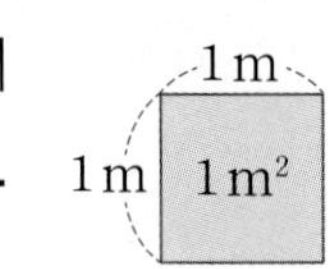

$1\ m^2=10000\ cm^2$

● 한 변의 길이가 1 km인 정사각형의 넓이를 1 km^2라 쓰고 1 제곱킬로미터라고 읽습니다.

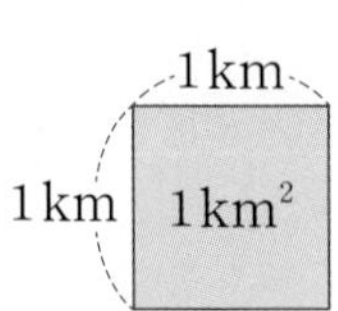

$1\ km^2=1000000\ m^2$

| 정답 | ❶ 5 ❷ 14 ❸ 28 ❹ 8 ❺ 9

개념 6 평행사변형의 넓이

- 밑변: 평행사변형에서 평행한 두 변
- 높이: 두 밑변 사이의 거리

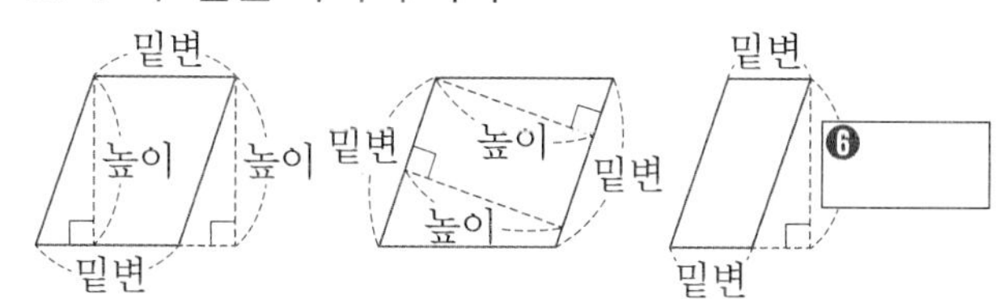

- 평행사변형의 넓이 구하기

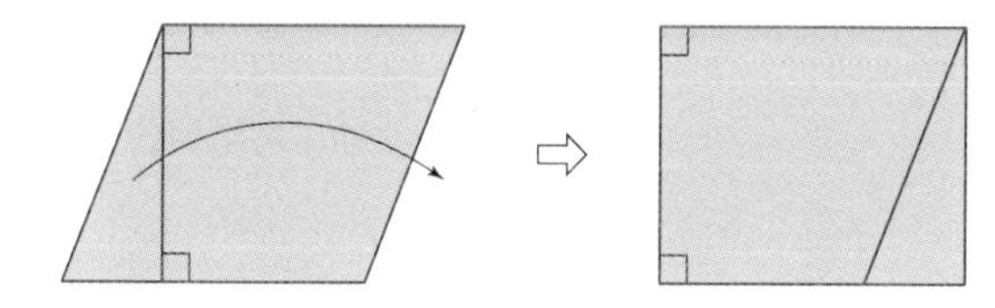

평행사변형을 잘라 붙이면 직사각형이 됩니다.

(평행사변형의 넓이)=(직사각형의 넓이)
=(가로)×(세로)
=(밑변의 길이)×(높이)

개념 7 삼각형의 넓이

- 밑변: 삼각형의 한 변
- 높이: 밑변과 마주 보는 꼭짓점에서 밑변에 수직으로 그은 선분의 길이

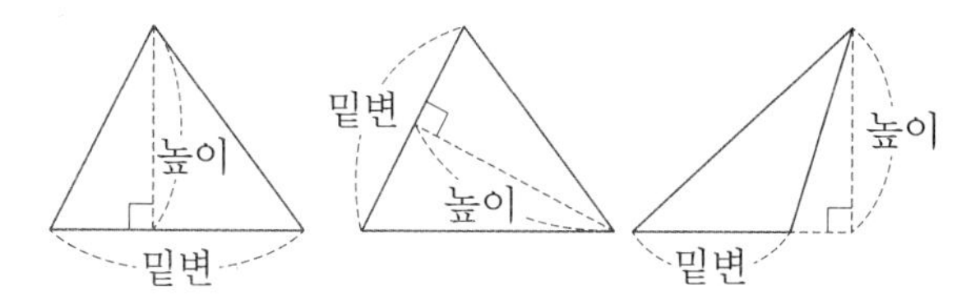

- 삼각형의 넓이 구하기

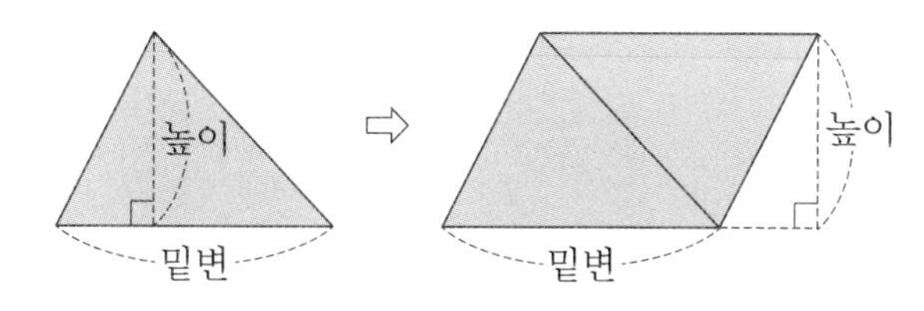

삼각형을 2개 붙이면 평행사변형이 됩니다.

(삼각형의 넓이)
=(평행사변형의 넓이)÷2
=(밑변의 길이)×(높이)÷ ❼ □

개념 8 마름모의 넓이

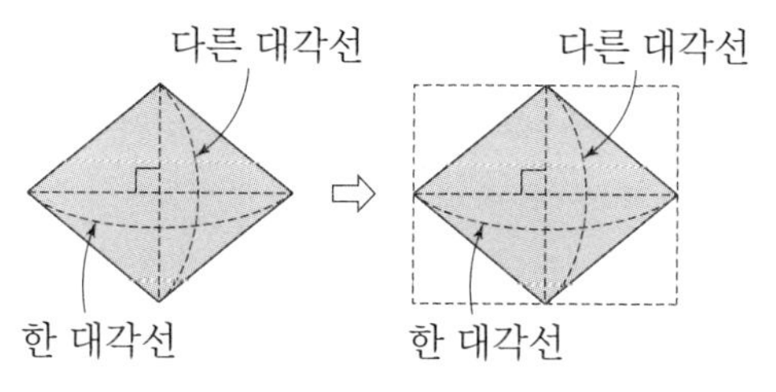

마름모를 둘러싸는 직사각형을 그리면 직사각형의 넓이는 마름모의 넓이의 ❽ □ 배입니다.

(마름모의 넓이)
=(직사각형의 넓이)÷2
=(가로)×(세로)÷2
=(한 대각선의 길이)×(다른 대각선의 길이)÷ ❾ □

개념 9 사다리꼴의 넓이

- 밑변: 사다리꼴에서 평행한 두 변
  한 밑변을 윗변, 다른 밑변을 아랫변이라고 합니다.
- 높이: 두 밑변 사이의 거리
- 사다리꼴의 넓이 구하기

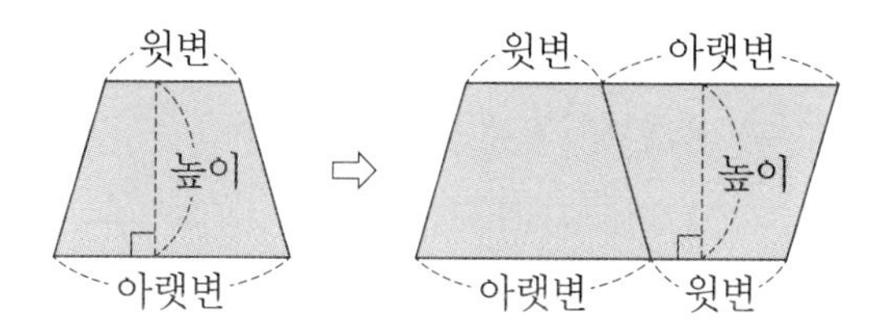

사다리꼴을 2개 붙이면 평행사변형이 됩니다.

(사다리꼴의 넓이)
=(평행사변형의 넓이)÷2
=(밑변의 길이)×(높이)÷2
=((윗변의 길이)+(아랫변의 길이))
×  ❿ ÷2

| 정답 | ❻ 높이 ❼ 2 ❽ 2 ❾ 2 ❿ 높이

[01~02] 정다각형의 둘레를 구하려고 합니다. □ 안에 알맞은 수를 써넣으세요.

01 (정사각형의 둘레)
=(한 변의 길이)×(변의 수)
=3×□=□ (cm)

3 cm

02 (정육각형의 둘레)
=(한 변의 길이)×(변의 수)
=5×□=□ (cm)

5 cm

03 직사각형의 둘레를 구하려고 합니다. □ 안에 알맞게 써넣으세요.

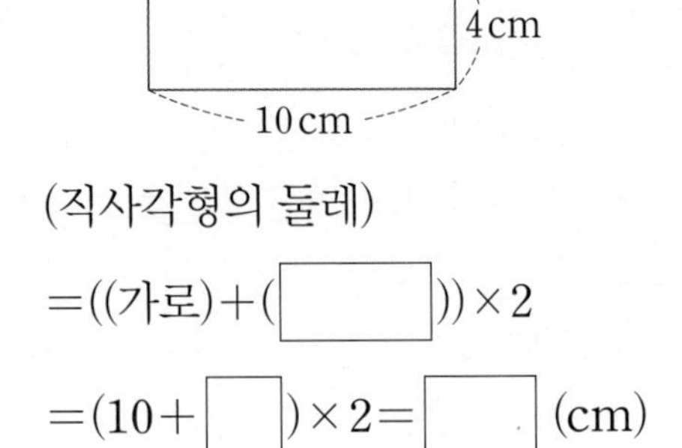

(직사각형의 둘레)
=((가로)+(□))×2
=(10+□)×2=□ (cm)

04 □ 안에 알맞은 수를 써넣으세요.

(마름모의 둘레)=(한 변의 길이)×□

05 평행사변형의 둘레를 구하려고 합니다. □ 안에 알맞은 수를 써넣으세요.

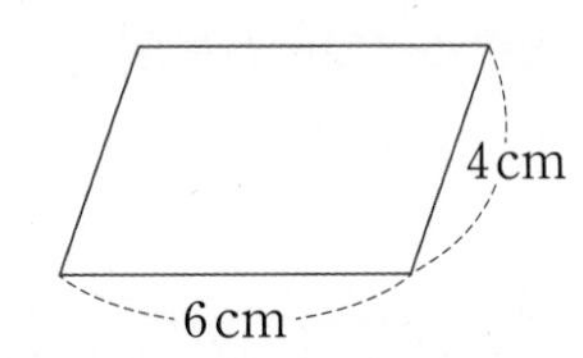

(평행사변형의 둘레)
=6+4+6+□
=(6+4)×□=□ (cm)

[06~07] 마름모의 둘레를 구하려고 합니다. □ 안에 알맞은 수를 써넣으세요.

06

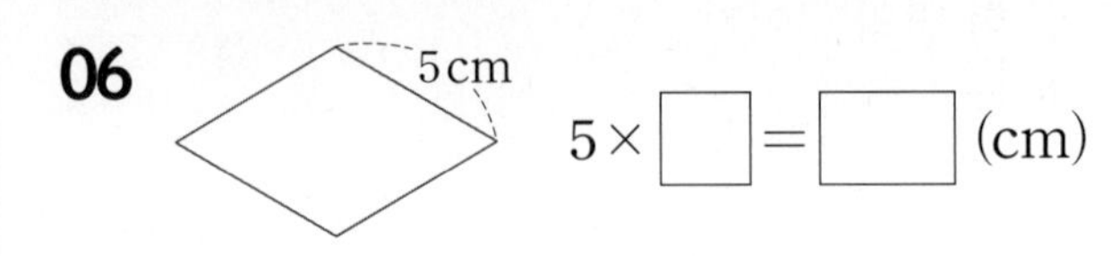

07

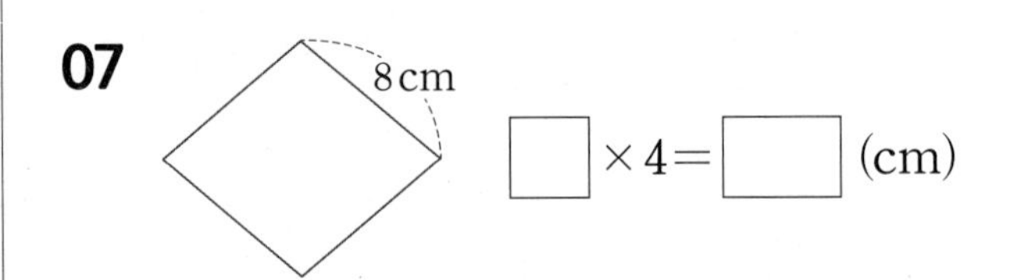

08 정오각형의 둘레는 몇 cm일까요?

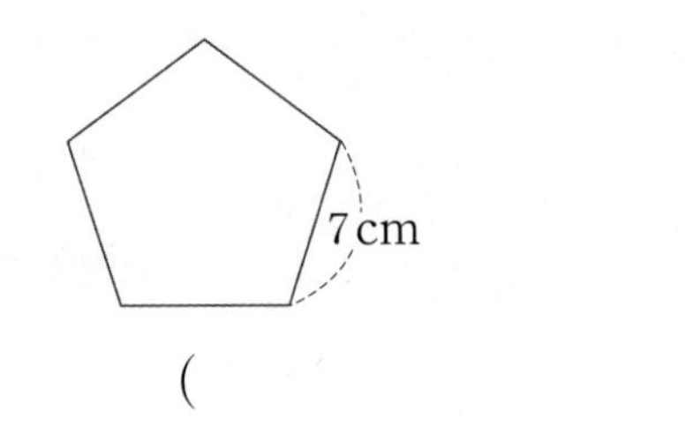

(　　　　　　　　)

[09~10] 사각형의 둘레는 몇 cm인지 구하세요.

09

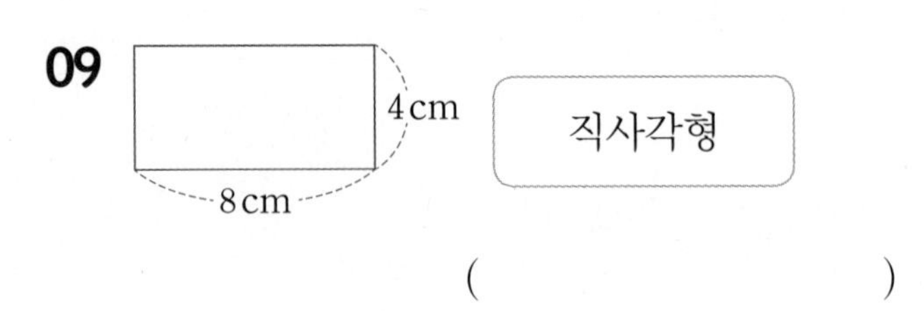

(　　　　　　　　)

10

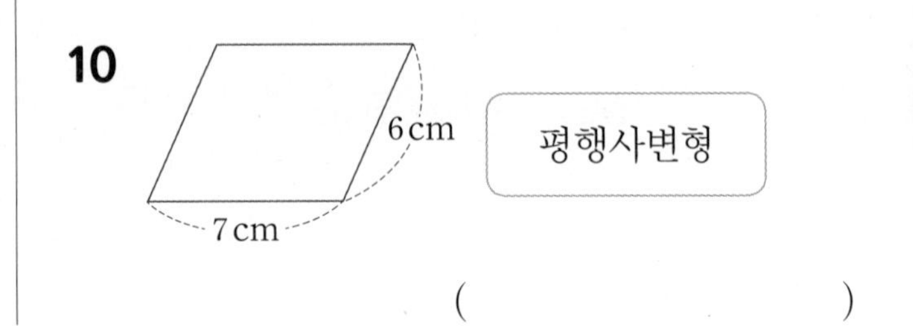

(　　　　　　　　)

▶ $1\,cm^2$ 알아보기 ~ 평행사변형의 넓이

스피드 정답표 14쪽, 정답 및 풀이 43쪽

01 □ 안에 알맞게 써넣으세요.

한 변의 길이가 1 cm인 정사각형의 넓이를 □라고 합니다.

02 넓이가 $6\,cm^2$인 것에 ○표 하세요.

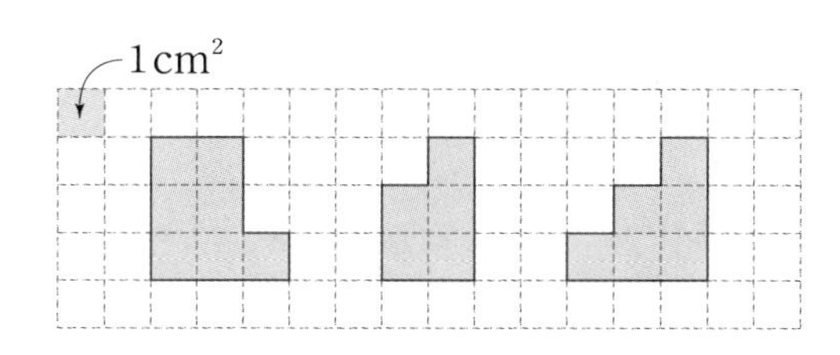

03 직사각형의 넓이를 구하려고 합니다. □ 안에 알맞게 써넣으세요.

5 cm, 7 cm

(직사각형의 넓이)
=(가로)×(□)
=5×□=□ (cm^2)

[04~05] □ 안에 알맞은 수를 써넣으세요.

04 $60000\,cm^2$=□m^2

05 $4\,km^2$=□m^2

06 |보기|와 같이 평행사변형의 높이를 표시해 보세요.

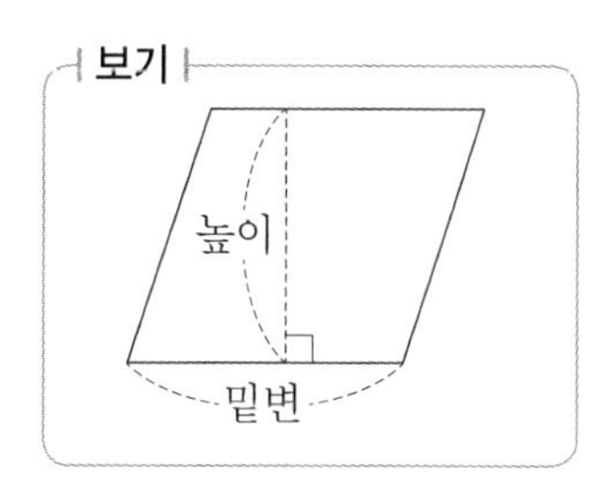

[07~08] 직사각형의 넓이는 몇 cm^2인지 구하세요.

07

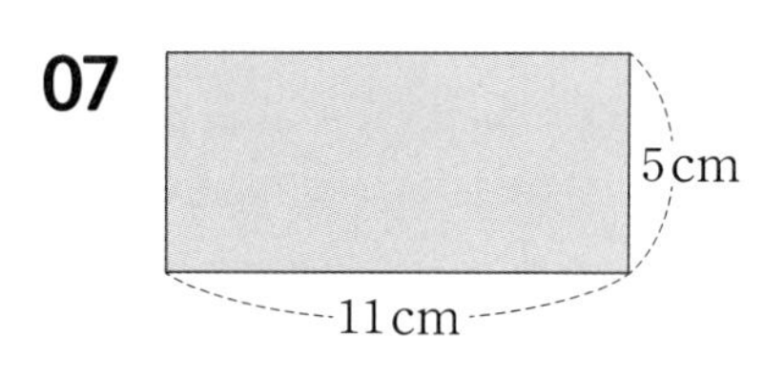

(　　　　　　　　)

08

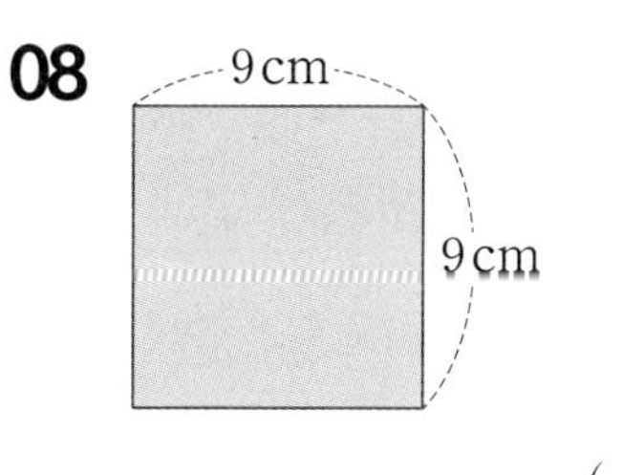

(　　　　　　　　)

09 $1\,km^2$가 몇 번 들어가는지 □ 안에 알맞은 수를 써넣으세요.

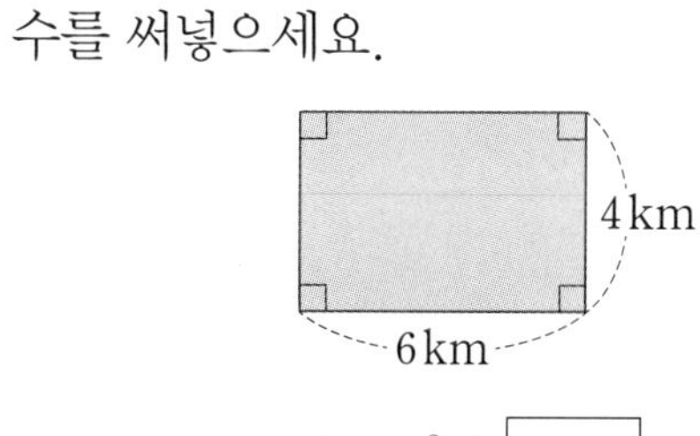

$1\,km^2$가 □번

10 평행사변형의 넓이는 몇 cm^2일까요?

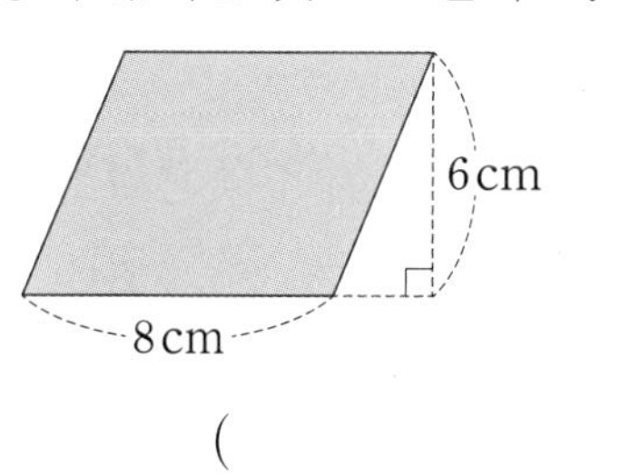

(　　　　　　　　)

[01~02] | 보기 |와 같이 도형의 높이를 표시해 보세요.

01

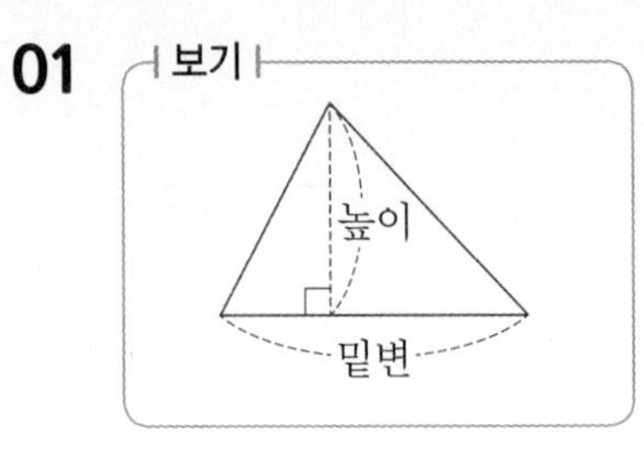

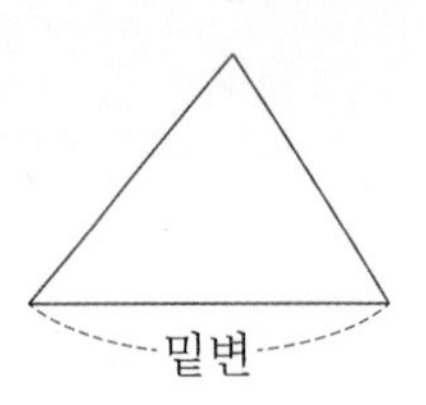

02

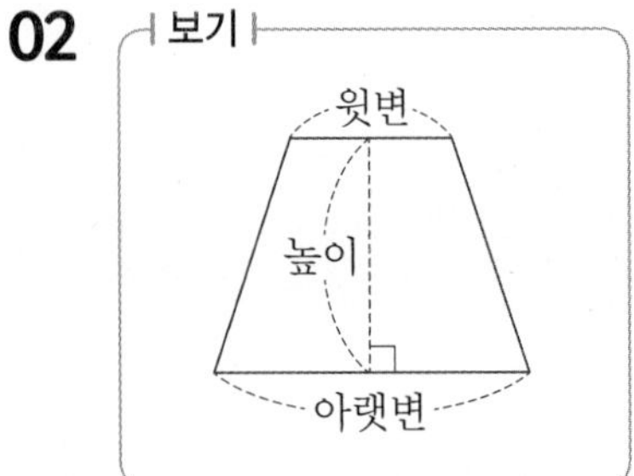

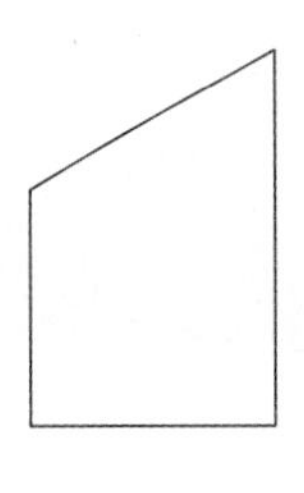

[03~05] 도형의 넓이를 구하려고 합니다. □ 안에 알맞은 수를 써넣으세요.

03

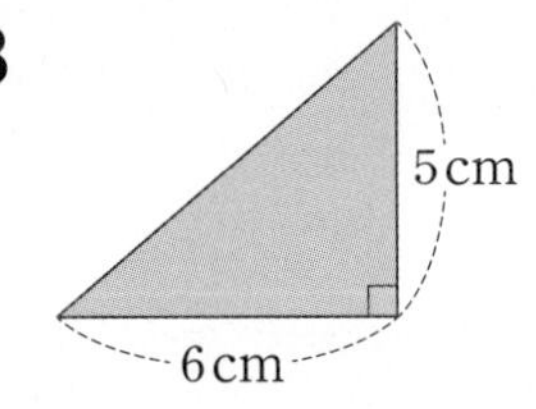

(삼각형의 넓이)
$=6\times5\div\square$
$=\square$ (cm²)

04

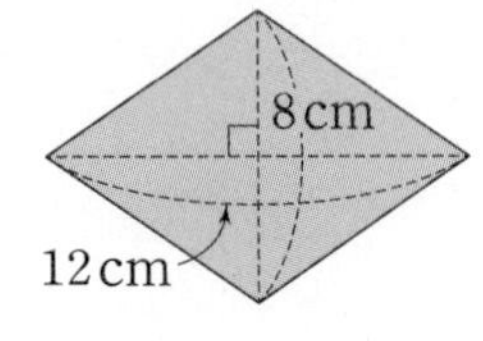

(마름모의 넓이)
$=12\times\square\div2$
$=\square$ (cm²)

05

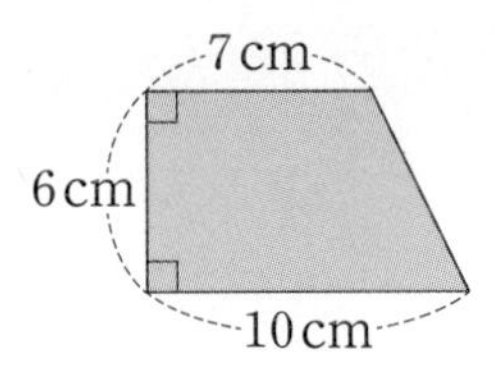

(사다리꼴의 넓이)
$=(7+\square)\times\square\div2$
$=\square$ (cm²)

06 오른쪽 삼각형의 넓이는 몇 cm² 일까요?

8 cm
7 cm

( )

07 사다리꼴을 삼각형 2개로 나누어 넓이를 구하려고 합니다. □ 안에 알맞은 수를 써넣으세요.

9 cm
10 cm
14 cm

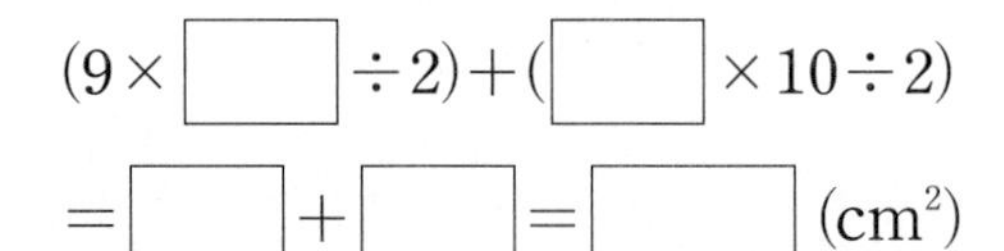

$(9\times\square\div2)+(\square\times10\div2)$
$=\square+\square=\square$ (cm²)

08 오른쪽 마름모의 넓이는 몇 cm²일까요?

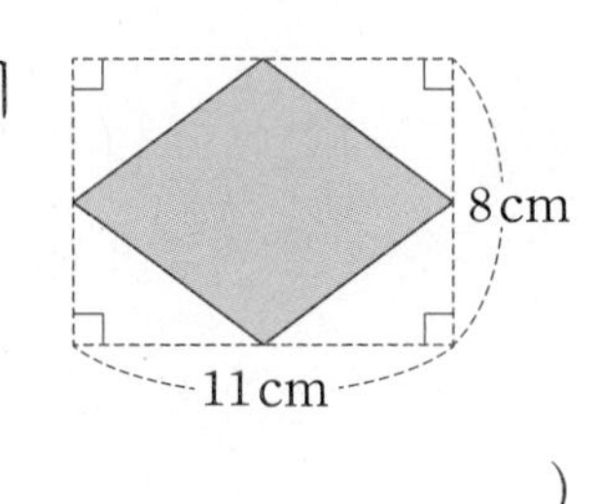

( )

09 넓이가 다른 삼각형을 하나 찾아 기호를 써 보세요.

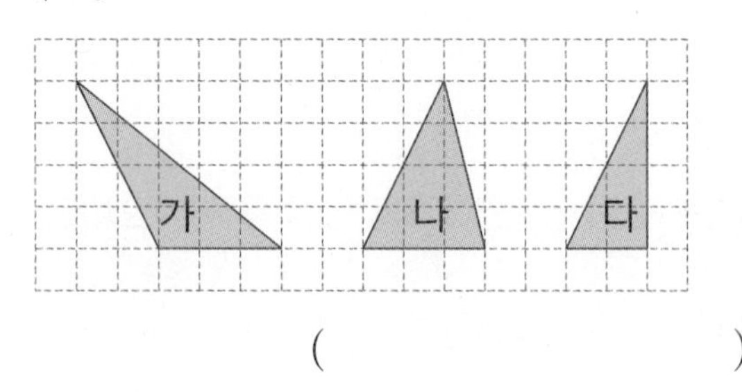

( )

10 □ 안에 알맞은 수를 써넣으세요.

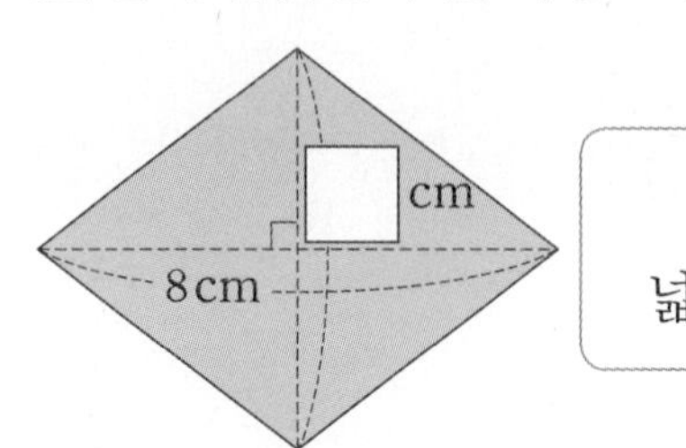

마름모의 넓이: 24 cm²

6 단원 단원평가 1회 다각형의 둘레와 넓이

점수

스피드 정답표 14쪽, 정답 및 풀이 44쪽

01 정칠각형의 둘레를 구하려고 합니다. □ 안에 알맞은 수를 써넣으세요.

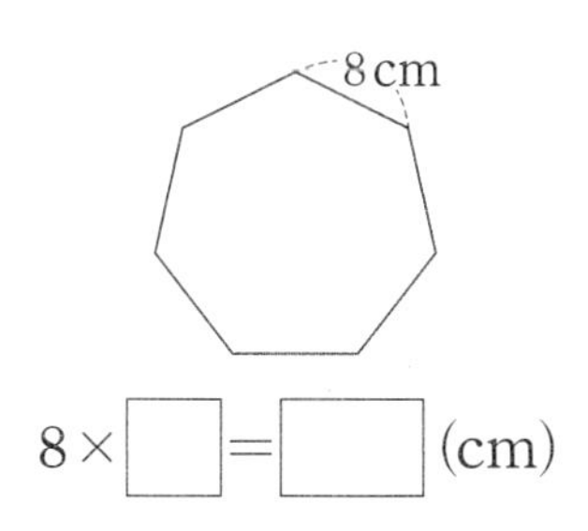

$8 \times \square = \square$ (cm)

[02~03] 도형의 둘레를 구하려고 합니다. □ 안에 알맞은 수를 써넣으세요.

02

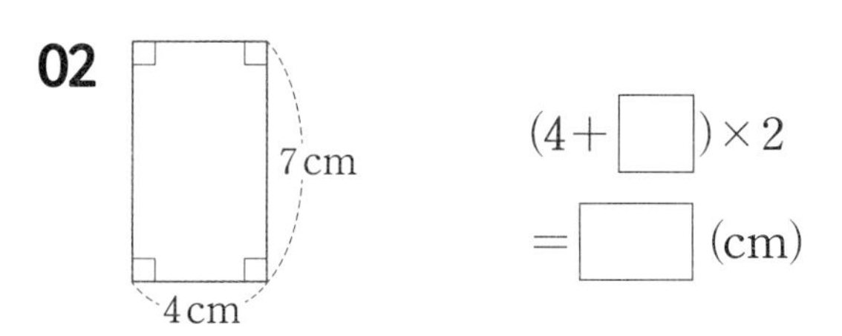

03

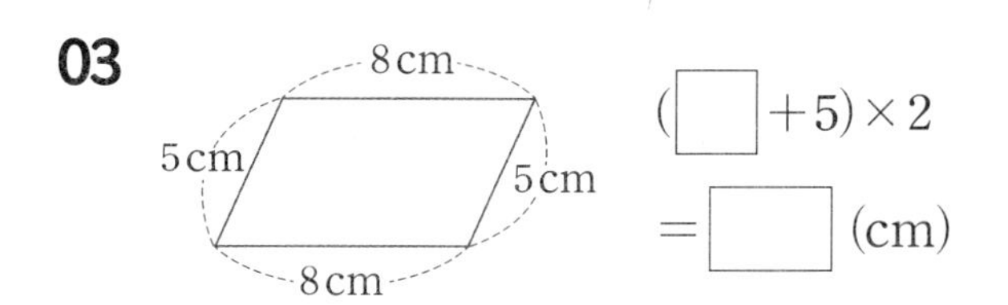

04 도형의 넓이를 구하려고 합니다. □ 안에 알맞은 수를 써넣으세요.

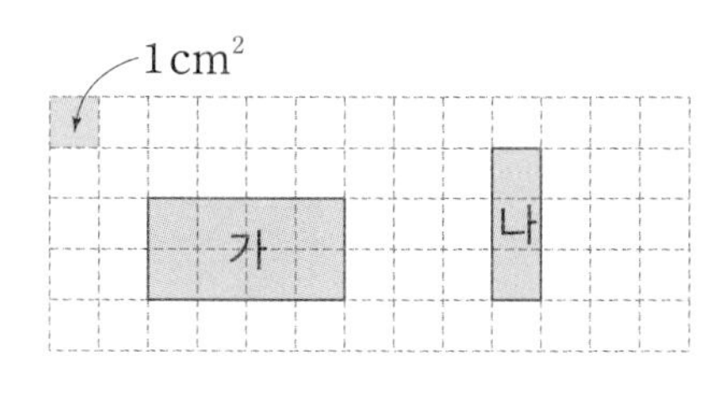

- 도형 가의 넓이는 □ cm^2입니다.
- 도형 나의 넓이는 □ cm^2입니다.

05 단위를 바르게 사용하여 말한 사람을 찾아 이름을 써 보세요.

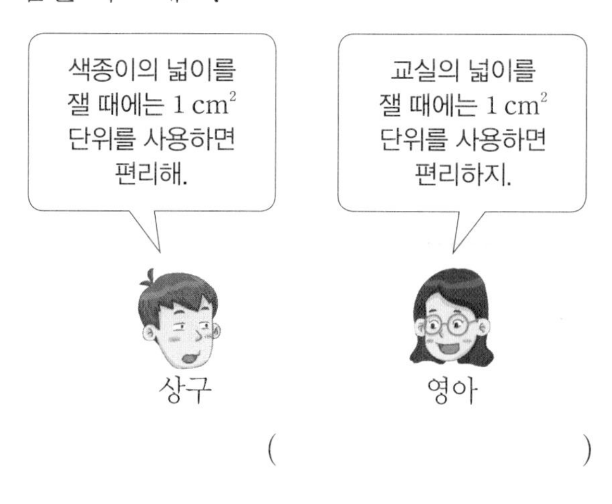

(　　　　　　　　)

06 평행사변형과 삼각형에 높이를 각각 표시해 보세요.

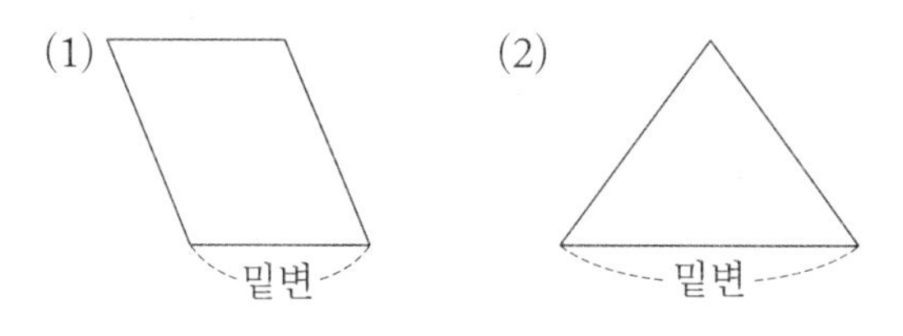

07 □ 안에 알맞은 말을 써넣으세요.

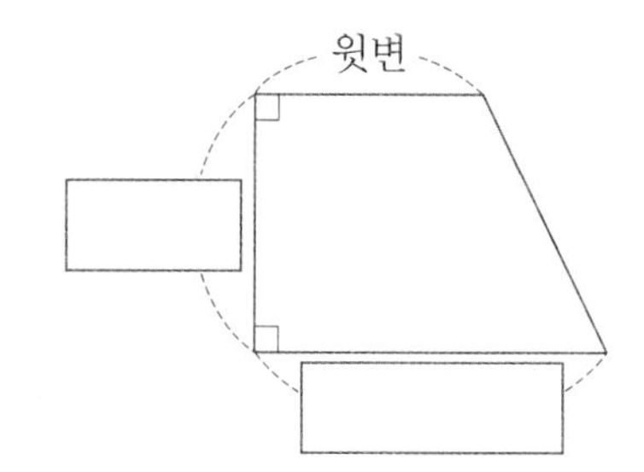

08 크기를 비교하여 ○ 안에 >, =, <를 알맞게 써넣으세요.

$300000\ m^2$ ○ $30\ km^2$

[09~10] 정사각형을 보고 물음에 답하세요.

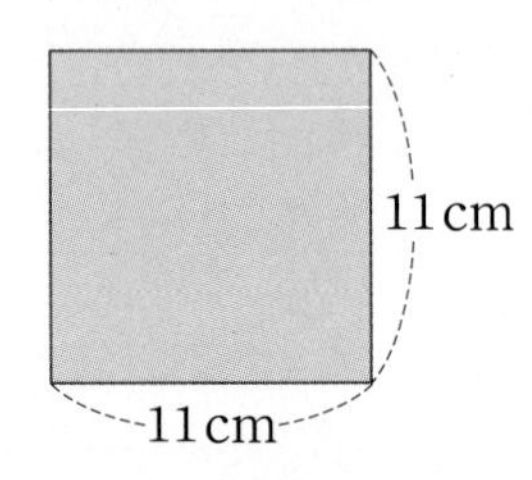

09 □ 안에 알맞은 수를 써넣으세요.

(정사각형의 둘레)=(한 변의 길이)×□

=11×□=□(cm)

10 정사각형의 넓이는 몇 cm^2일까요?

(　　　　　　)

11 평행사변형의 넓이는 몇 cm^2일까요?

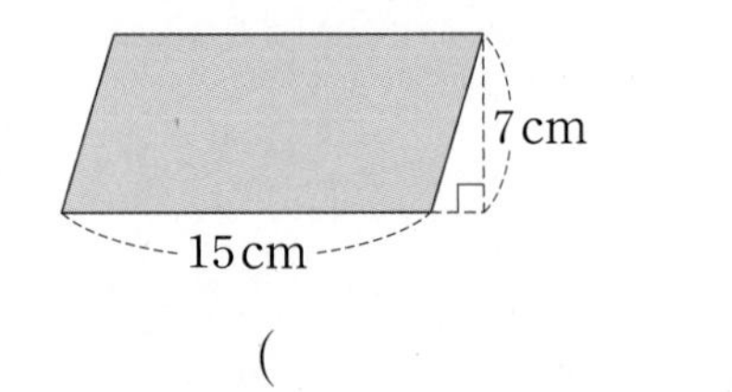

(　　　　　　)

12 $1\ m^2$가 몇 번 들어가는지 □ 안에 알맞은 수를 써넣으세요.

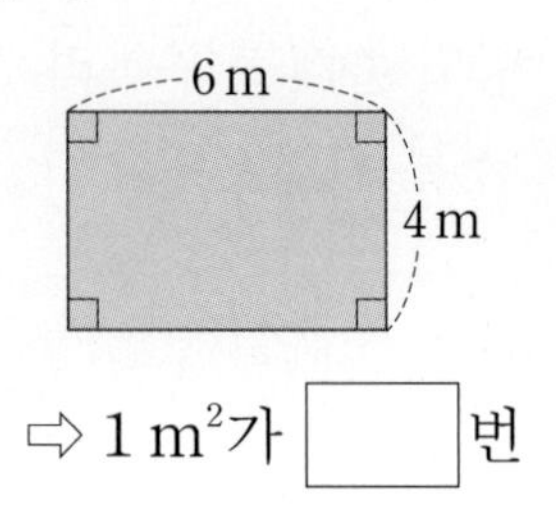

⇨ $1\ m^2$가 □번

13 삼각형의 넓이는 몇 cm^2일까요?

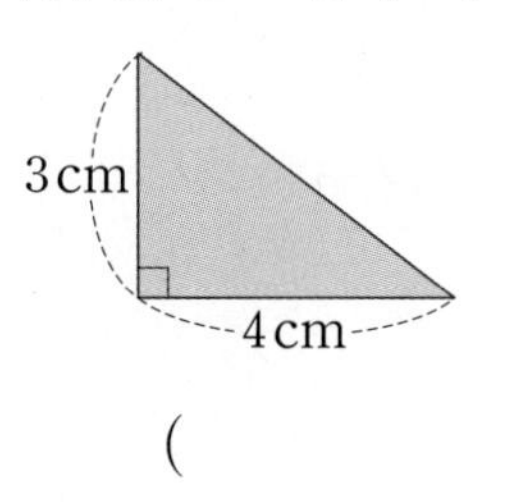

(　　　　　　)

14 사다리꼴의 넓이는 몇 cm^2일까요?

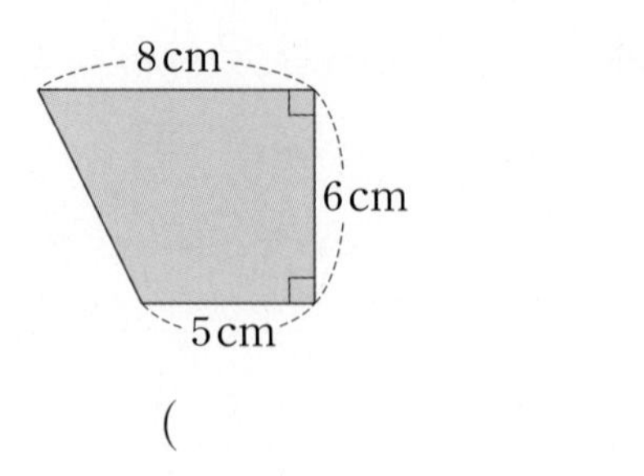

(　　　　　　)

15 지운이는 한지로 오른쪽과 같은 마름모 모양의 가오리 연을 만들기로 했습니다. 지운이가 오린 한지의 넓이는 몇 cm^2일까요?

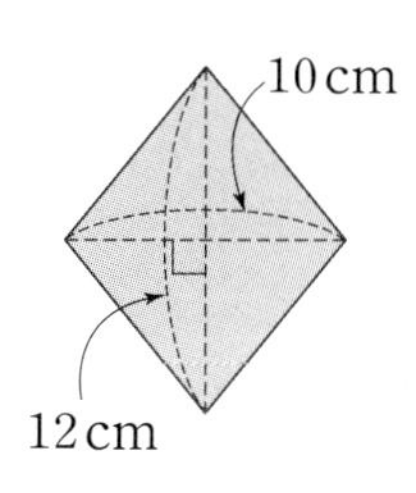

(　　　　　　　　　　)

16 둘레가 16 cm인 정사각형을 그려 보세요.

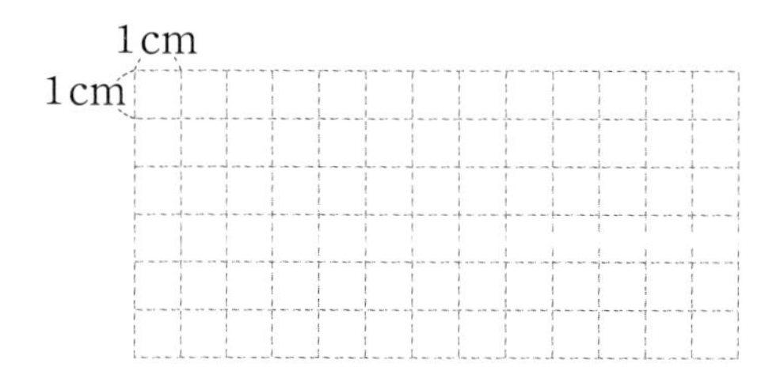

17 평행사변형의 넓이가 80 cm^2일 때, □ 안에 알맞은 수를 써넣으세요.

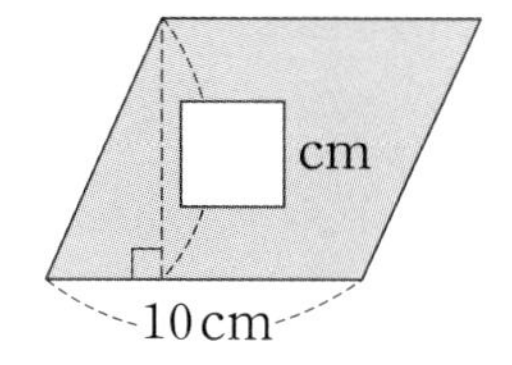

18 넓이가 더 넓은 사각형의 기호를 써 보세요.

㉠ 한 변의 길이가 7 cm인 정사각형
㉡ 가로가 6 cm, 세로가 8 cm인 직사각형

(　　　　　　　　　　)

19 삼각형의 넓이가 36 cm^2일 때, □ 안에 알맞은 수를 써넣으세요.

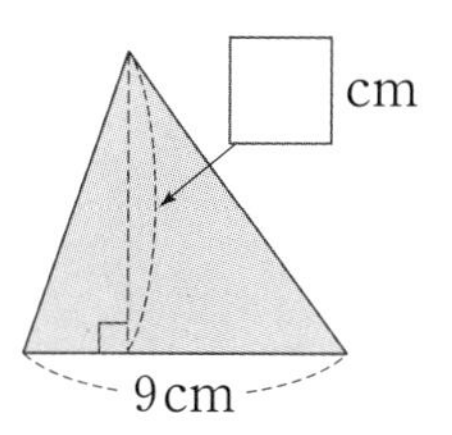

20 가로가 9 cm이고, 둘레가 30 cm인 직사각형이 있습니다. 이 직사각형의 넓이는 몇 cm^2일까요?

(　　　　　　　　　　)

6 다각형의 둘레와 넓이

점수

스피드 정답표 14쪽, 정답 및 풀이 45쪽

01 직사각형의 둘레를 구하세요.

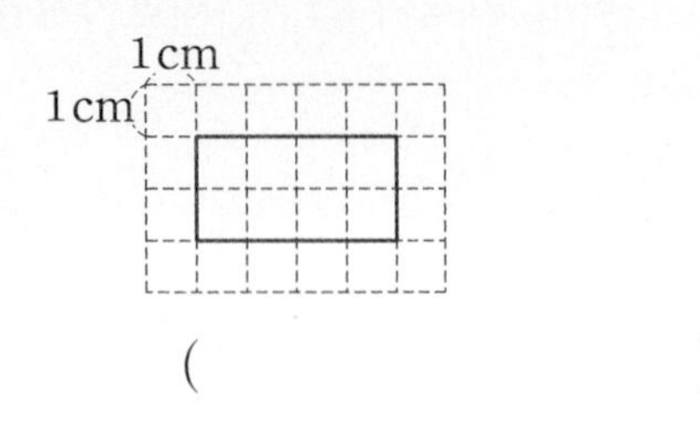

(　　　　　　　　　　)

02 정사각형의 넓이를 구하려고 합니다. □ 안에 알맞게 써넣으세요.

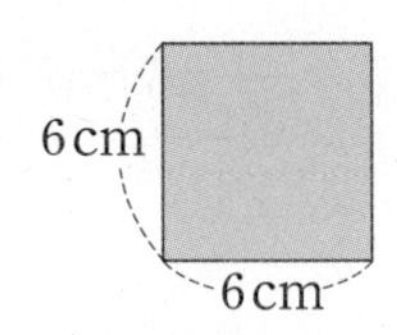

(정사각형의 넓이)

=(한 변의 길이)×(□)

=6×□=□ (cm^2)

03 □ 안에 알맞은 수를 써넣으세요.

$8000000\ m^2=$□$\ km^2$

04 도형의 넓이는 몇 cm^2일까요?

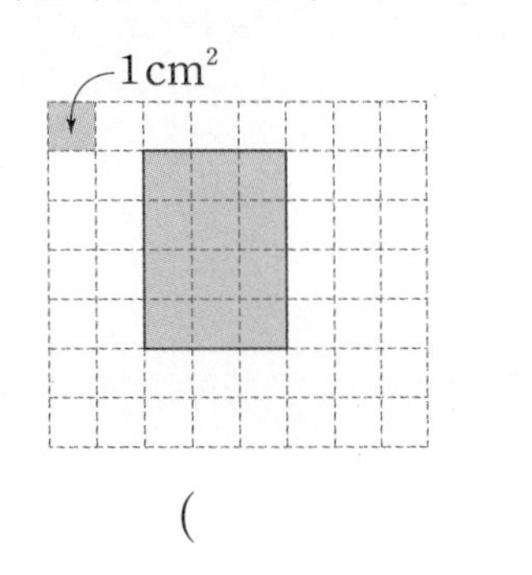

(　　　　　　　　　　)

05 삼각형에서 높이를 나타내는 것을 찾아 기호를 써 보세요.

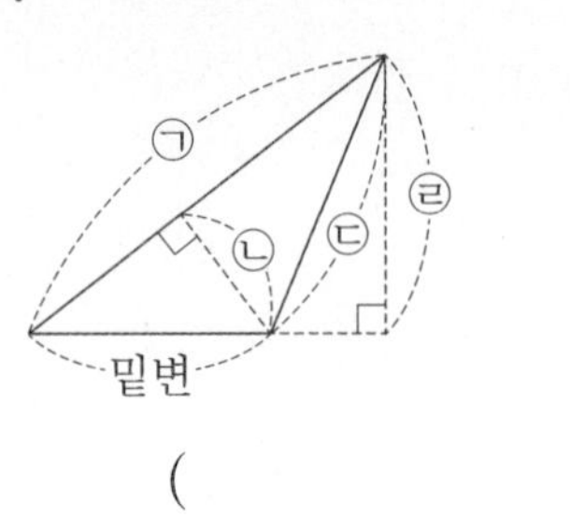

(　　　　　　　　　　)

[06~07] 사다리꼴 ㄱㄴㄷㄹ과 모양과 크기가 같은 사다리꼴 ㅁㅂㅅㅇ을 돌려서 이어 붙여 사각형 ㄱㄴㅁㅂ을 만들었습니다. 물음에 답하세요.

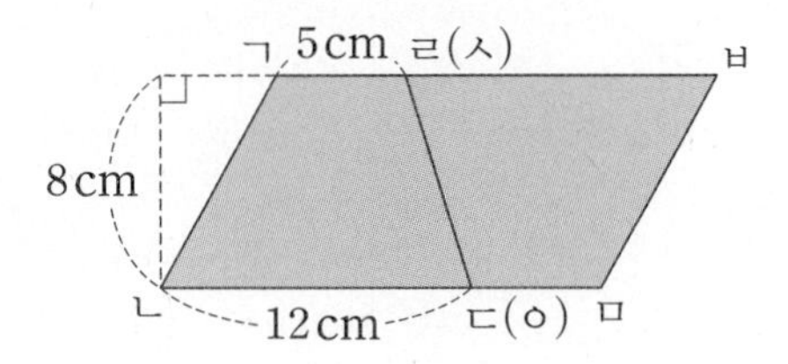

06 사각형 ㄱㄴㅁㅂ의 넓이를 구하려고 합니다. □ 안에 알맞은 수를 써넣으세요.

(사각형 ㄱㄴㅁㅂ의 넓이)

=(□+□)×8=□ (cm^2)

07 사다리꼴 ㄱㄴㄷㄹ의 넓이는 몇 cm^2일까요?

(　　　　　　　　　　)

08 사다리꼴의 넓이를 2개의 삼각형으로 나누어 구하려고 합니다. □ 안에 알맞은 수를 써넣으세요.

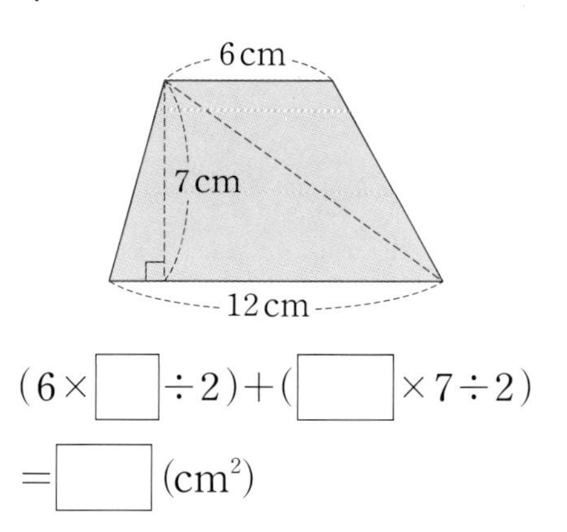

$(6\times\square\div2)+(\square\times7\div2)$

$=\square(cm^2)$

09 정사각형의 둘레는 몇 cm일까요?

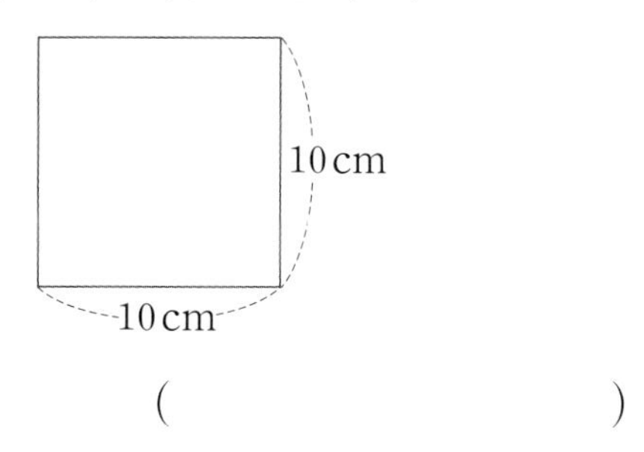

( )

10 평행사변형의 넓이는 몇 cm^2일까요?

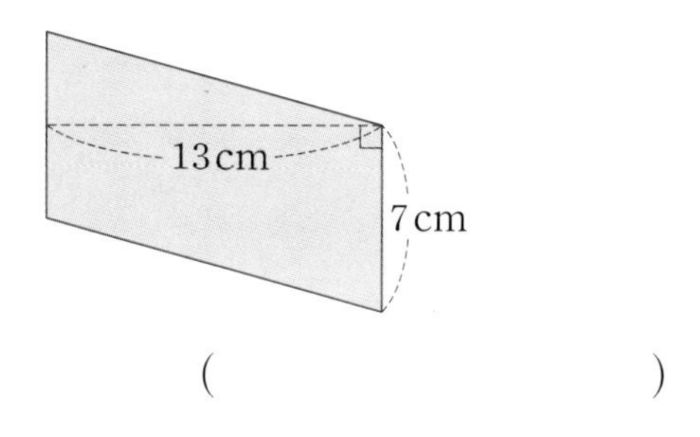

( )

11 마름모의 넓이는 몇 cm^2일까요?

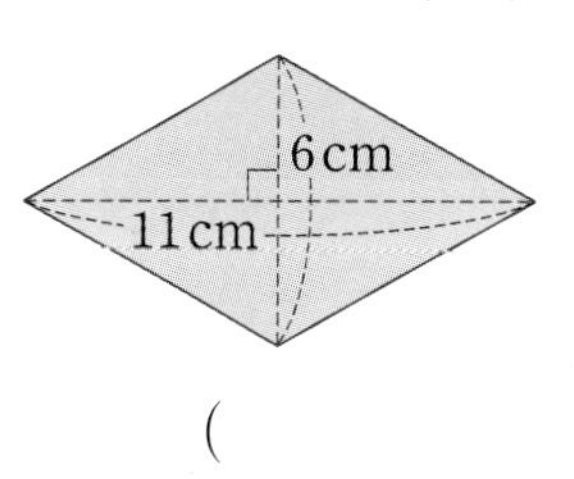

( )

12 직사각형의 넓이는 몇 m^2일까요?

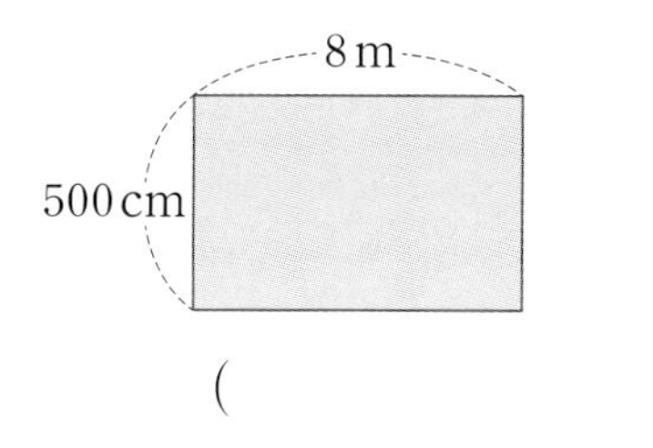

( )

13 넓이가 다른 사각형을 그린 사람을 찾아 이름을 써 보세요.

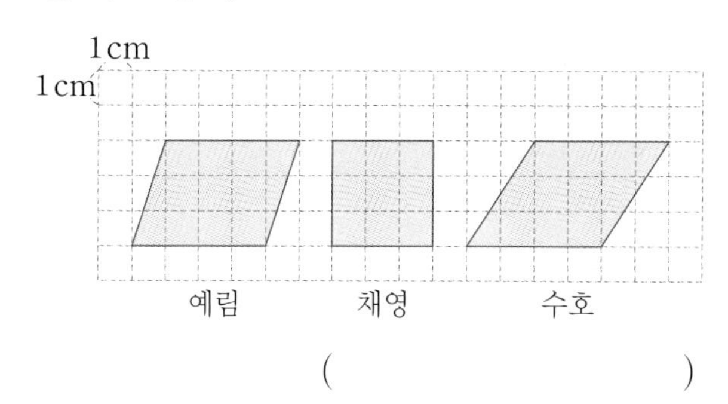

( )

14 둘레가 24cm인 마름모의 한 변의 길이는 몇 cm일까요?

( )

6 다각형의 둘레와 넓이

15 정다각형의 둘레가 60 cm입니다. □ 안에 알맞은 수를 써넣으세요.

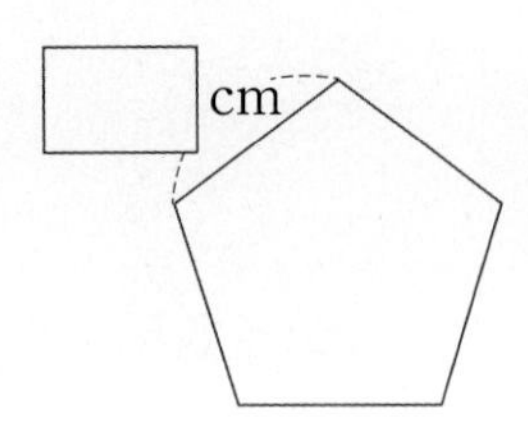

16 직사각형의 넓이는 104 cm^2입니다. 직사각형의 세로는 몇 cm일까요?

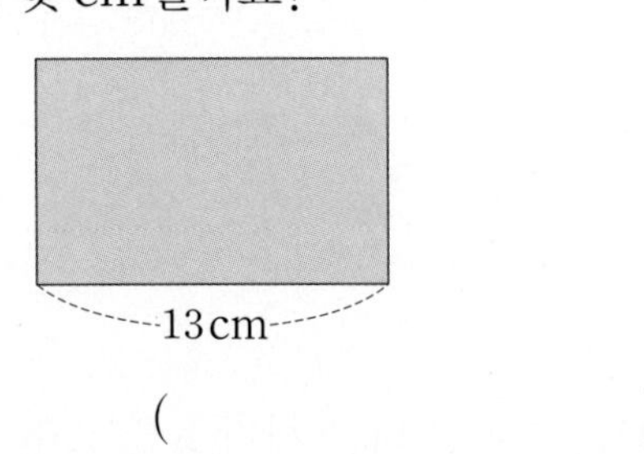

(　　　　　　　　)

17 마름모의 넓이가 14 cm^2일 때, □ 안에 알맞은 수를 써넣으세요.

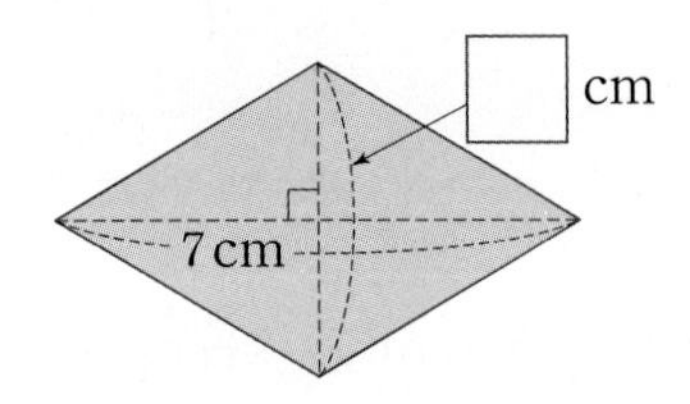

18 넓이가 더 넓은 것의 기호를 써 보세요.

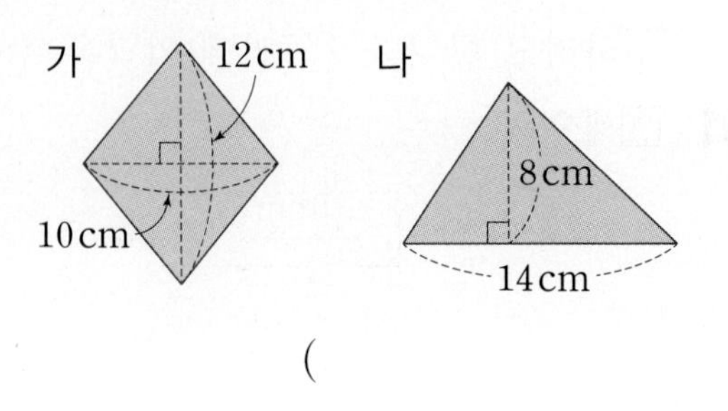

(　　　　　　　　)

19 넓이가 216 cm^2인 삼각형이 있습니다. 이 삼각형의 밑변의 길이가 18 cm일 때, 높이는 몇 cm일까요?

(　　　　　　　　)

20 한 변의 길이가 9 cm인 정사각형 모양의 색종이에서 한 변의 길이가 3 cm인 정사각형 모양을 1개 오려냈습니다. 남은 색종이의 넓이는 몇 cm^2일까요?

(　　　　　　　　)

01 □ 안에 알맞은 수를 써넣으세요.

$40\ \mathrm{m}^2=$ □ cm^2

[02~03] 그림을 보고 물음에 답하세요.

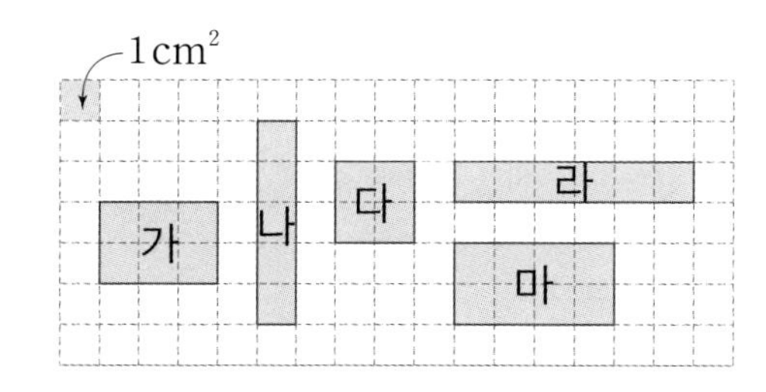

02 도형 가의 넓이는 몇 cm^2일까요?

(　　　　　　)

03 도형 가와 넓이가 같은 도형을 찾아 기호를 써 보세요.

(　　　　　　)

04 평행사변형의 넓이는 몇 cm^2일까요?

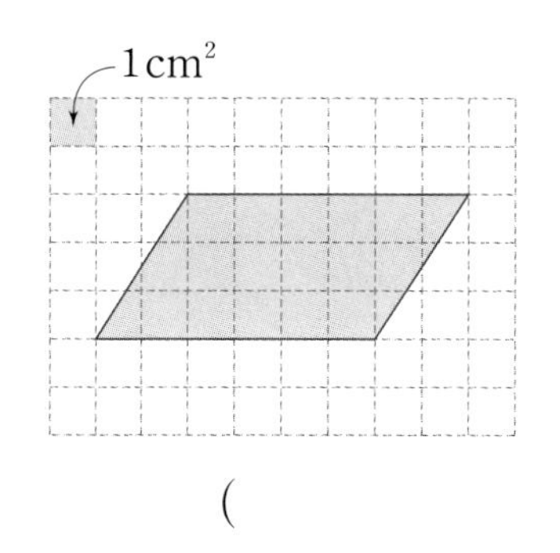

(　　　　　　)

05 정사각형의 넓이는 몇 cm^2일까요?

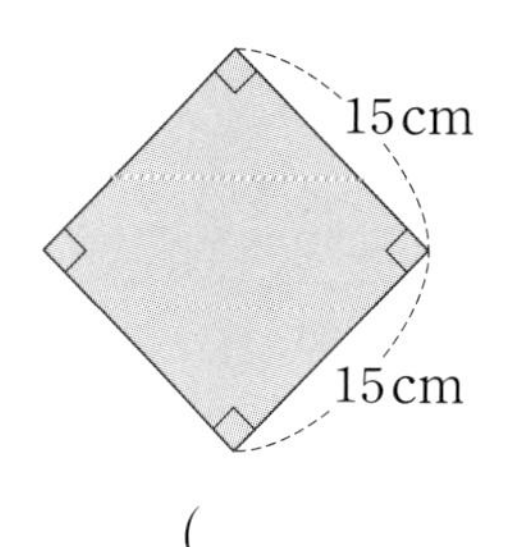

(　　　　　　)

[06~07] 사다리꼴을 평행사변형과 삼각형으로 나누었습니다. 물음에 답하세요.

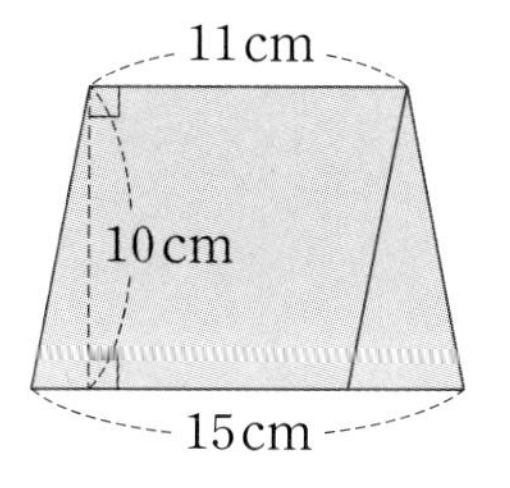

06 평행사변형과 삼각형의 넓이는 각각 몇 cm^2일까요?

평행사변형 (　　　　　　)

삼각형 (　　　　　　)

07 사다리꼴의 넓이는 몇 cm^2일까요?

(　　　　　　)

6 다각형의 둘레와 넓이

08 마름모의 넓이는 몇 cm^2일까요?

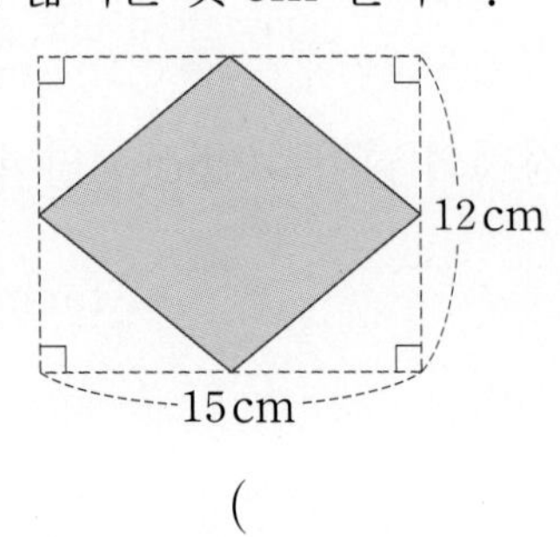

(　　　　　　　　　　)

09 직사각형의 넓이는 몇 m^2일까요?

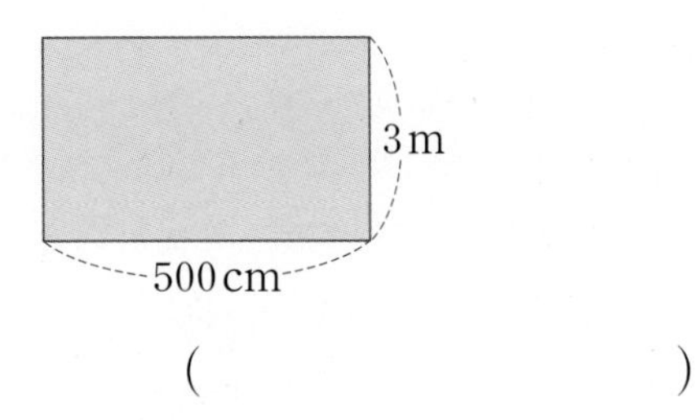

(　　　　　　　　　　)

10 사다리꼴의 넓이는 몇 cm^2일까요?

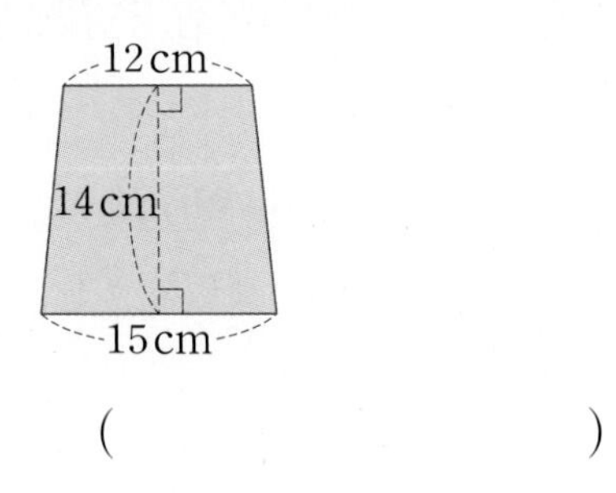

(　　　　　　　　　　)

11 한 변의 길이가 7 cm인 정사각형의 둘레는 몇 cm일까요?

(　　　　　　　　　　)

12 효주가 오린 정사각형 모양 색종이의 한 변의 길이는 몇 cm일까요?

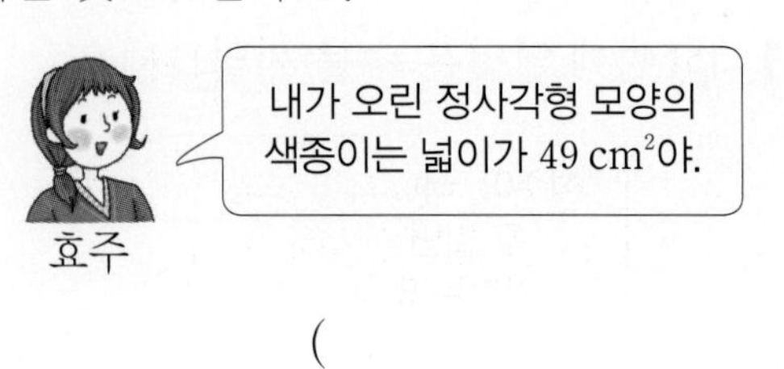

(　　　　　　　　　　)

13 넓이가 6 cm^2인 직사각형을 서로 다른 모양으로 2개 그려 보세요.

14 둘레가 긴 것부터 차례로 기호를 써 보세요.

㉠ 가로가 8 cm, 세로가 5 cm인 직사각형
㉡ 한 변의 길이가 7 cm인 정사각형
㉢ 가로가 6 cm, 세로가 4 cm인 직사각형

(　　　　　　　　　　)

15 성수네집 꽃밭은 윗변의 길이가 5 m이고 아랫변의 길이가 8 m인 사다리꼴 모양입니다. 이 꽃밭의 넓이는 몇 m^2일까요?

( )

16 평행사변형의 넓이가 96 cm^2일 때, □ 안에 알맞은 수를 써넣으세요.

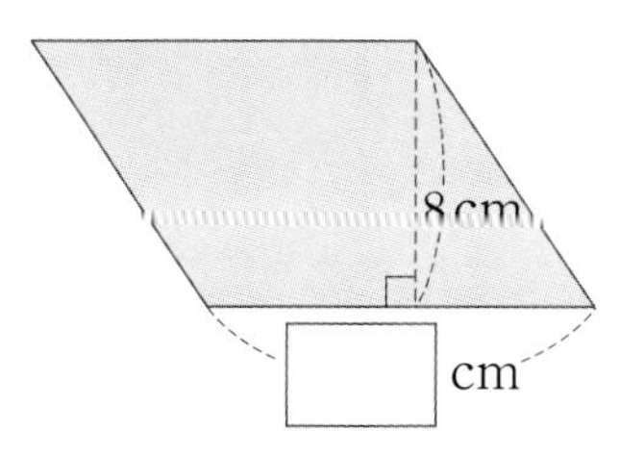

17 도형은 마름모입니다. □ 안에 알맞은 수를 써넣으세요.

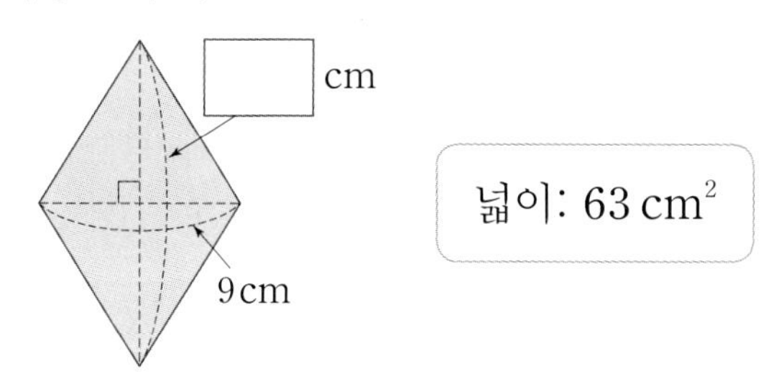

서술형

18 직사각형의 둘레는 50 cm입니다. 이 직사각형의 세로는 몇 cm인지 풀이 과정을 쓰고 답을 구하세요.

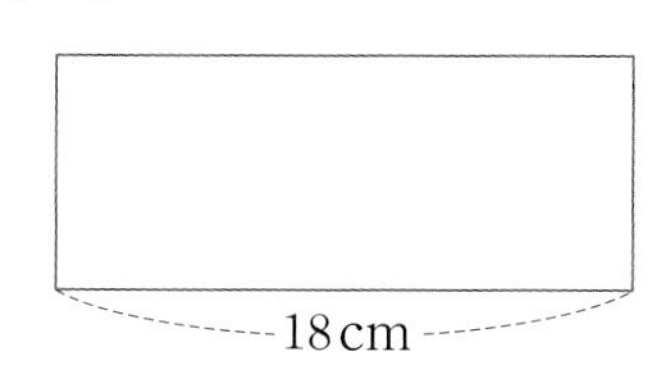

풀이

답

19 색칠한 부분의 넓이는 몇 cm^2일까요?

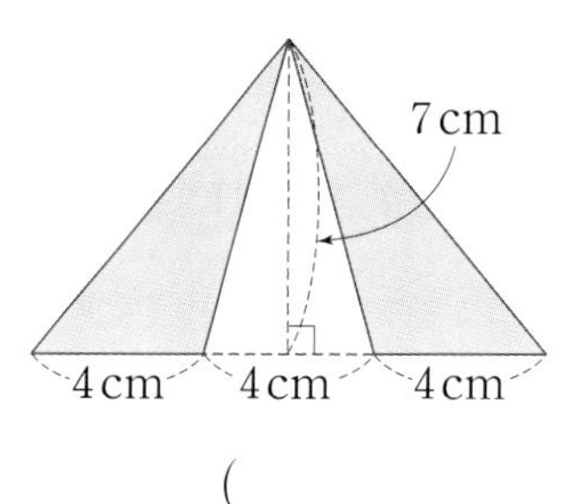

( )

20 □ 안에 알맞은 수를 써넣으세요.

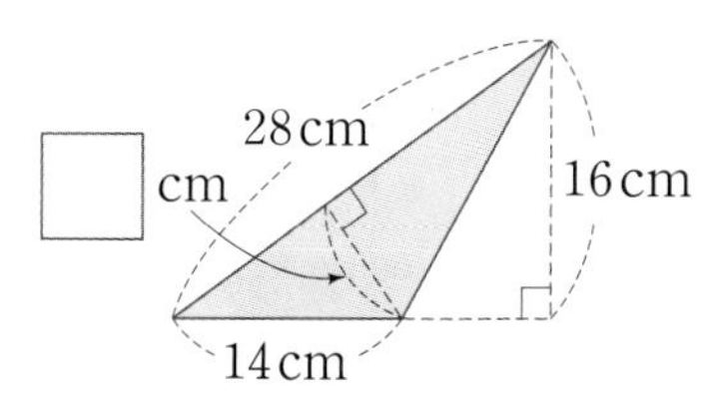

6 다각형의 둘레와 넓이

A 난이도 B C

점수

스피드 정답표 15쪽, 정답 및 풀이 46쪽

01 정팔각형의 둘레는 몇 cm일까요?

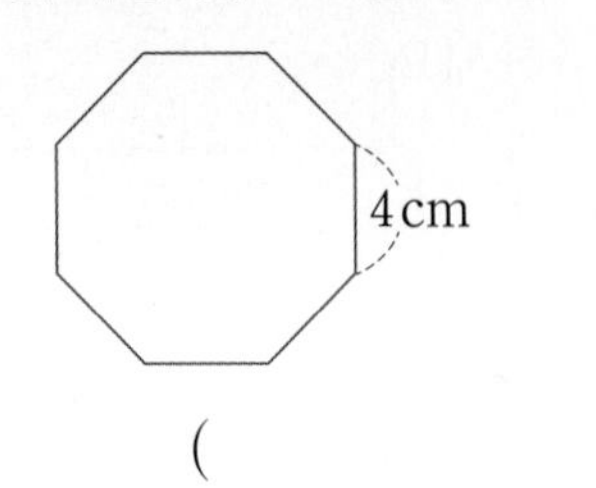

( )

[02~03] 그림을 보고 물음에 답하세요.

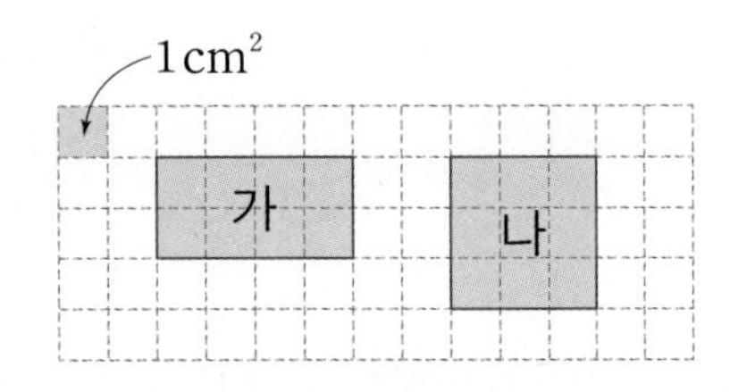

02 도형 가와 나의 넓이는 각각 몇 cm^2일까요?

가 ( )

나 ( )

03 도형 가와 나 중에서 넓이가 더 넓은 도형을 찾아 기호를 써 보세요.

( )

04 직사각형의 넓이는 몇 cm^2일까요?

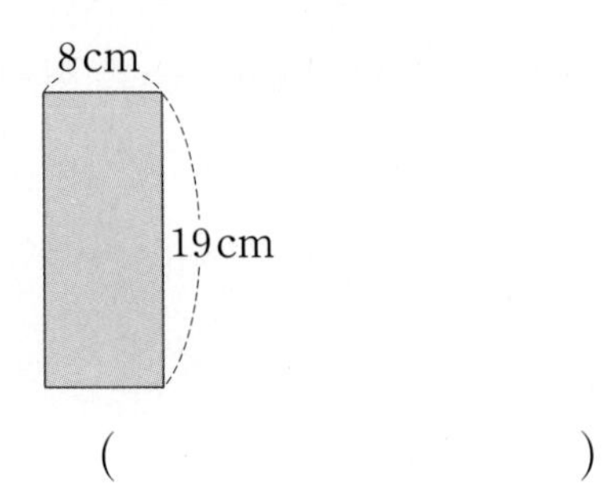

( )

05 삼각형을 이용하여 마름모의 넓이를 구하려고 합니다. □ 안에 알맞은 수를 써넣으세요.

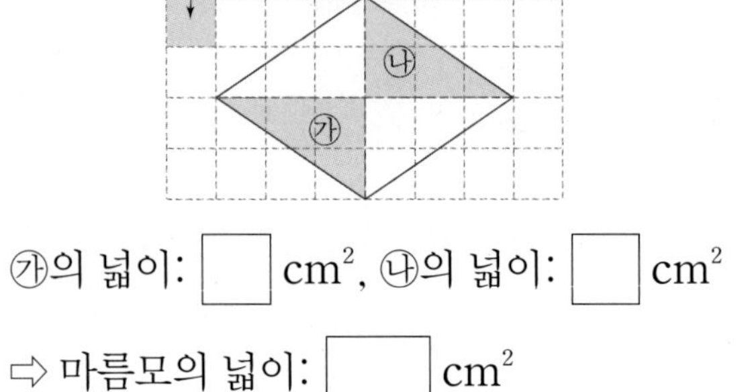

㉮의 넓이: □ cm^2, ㉯의 넓이: □ cm^2

⇨ 마름모의 넓이: □ cm^2

06 삼각형의 넓이는 몇 cm^2일까요?

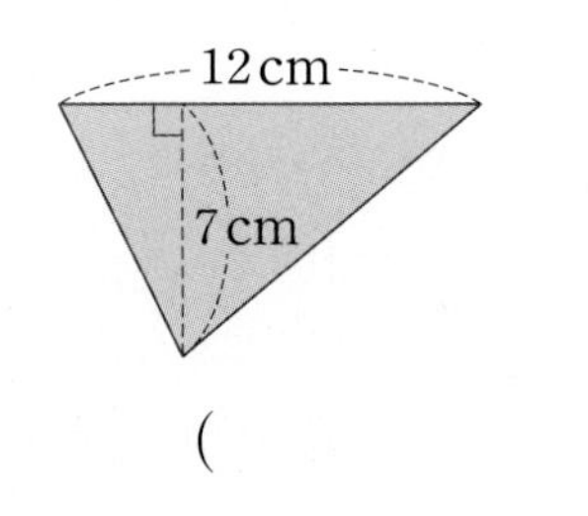

( )

07 $1\,km^2$가 몇 번 들어가는지 □ 안에 알맞은 수를 써넣으세요.

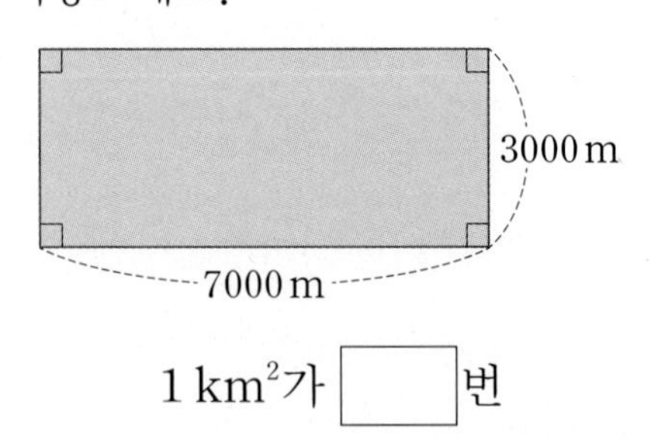

$1\,km^2$가 □ 번

08 주어진 평행사변형과 넓이가 같은 평행사변형을 서로 다른 모양으로 1개 그려 보세요.

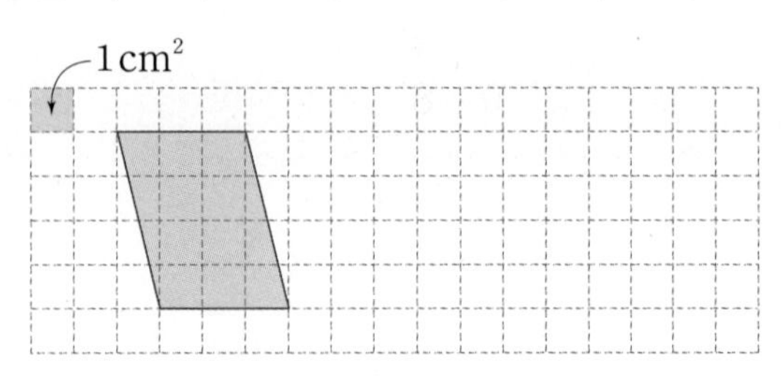

09 넓이가 81 cm^2인 정사각형의 한 변의 길이는 몇 cm일까요?

( )

10 평행사변형의 밑변의 길이가 13 cm일 때, 높이는 몇 cm일까요?

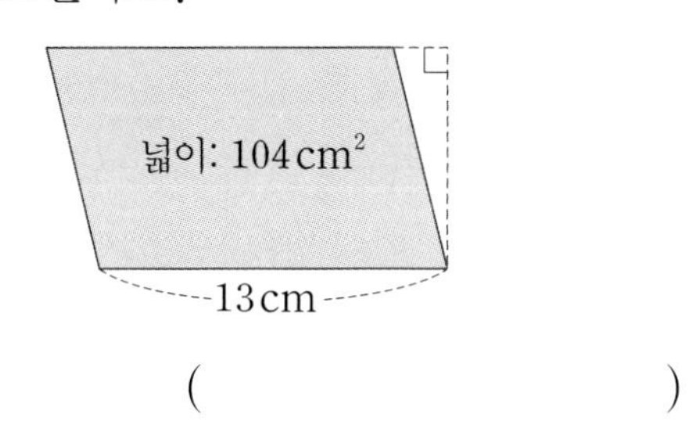

( )

11 사다리꼴의 넓이를 구하는 방법을 이야기하고 있습니다. 틀리게 말한 사람을 찾아 이름을 써 보세요.

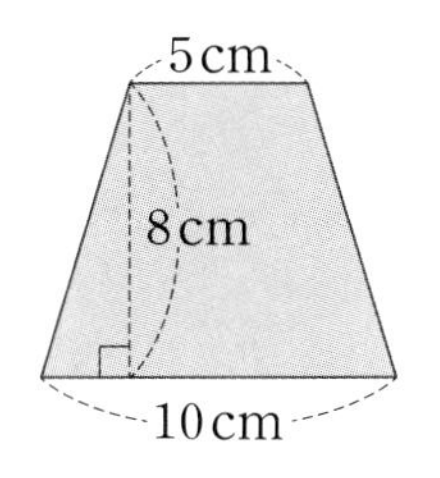

- 선호: 밑변의 길이가 10 cm, 높이가 8 cm이니까 넓이는 10×8로 구하면 돼.
- 수영: 윗변의 길이와 아랫변의 길이의 합은 15 cm이고, 높이가 8 cm이니까 넓이는 $15 \times 8 \div 2$로 구하면 돼.
- 재인: 사다리꼴을 삼각형 2개로 나누어 하나는 $5 \times 8 \div 2$, 나머지 하나는 $10 \times 8 \div 2$로 구하여 더하면 돼.

( )

12 직사각형의 넓이는 28 m^2입니다. □ 안에 알맞은 수를 써넣으세요.

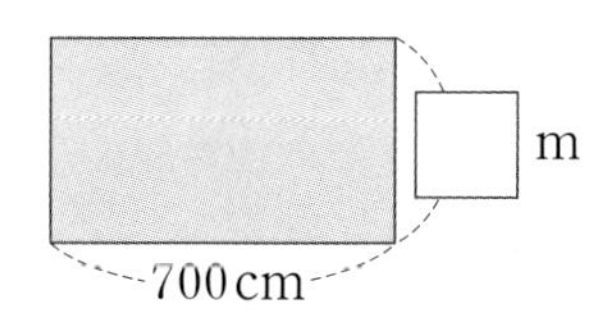

13 그림과 같은 직사각형 모양의 종이를 잘라서 만들 수 있는 가장 큰 정사각형의 넓이는 몇 cm^2일까요?

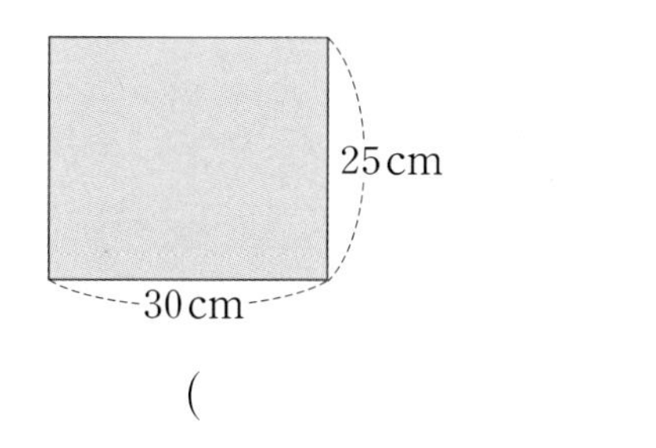

( )

14 둘레가 가장 긴 것은 어느 것일까요? ( )

① 한 변의 길이가 11 cm인 정사각형
② 한 변의 길이가 8 cm인 정오각형
③ 한 변의 길이가 10 cm인 마름모
④ 가로가 10 cm, 세로가 6 cm인 직사각형
⑤ 한 변의 길이가 13 cm, 다른 한 변의 길이가 8 cm인 평행사변형

6 다각형의 둘레와 넓이

15 사다리꼴의 넓이는 $22\,cm^2$입니다. 이 사다리꼴의 높이는 몇 cm일까요?

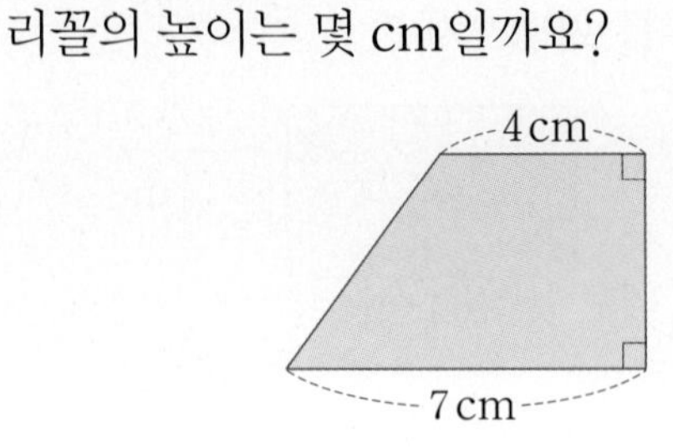

( )

16 도형의 둘레는 몇 cm일까요?

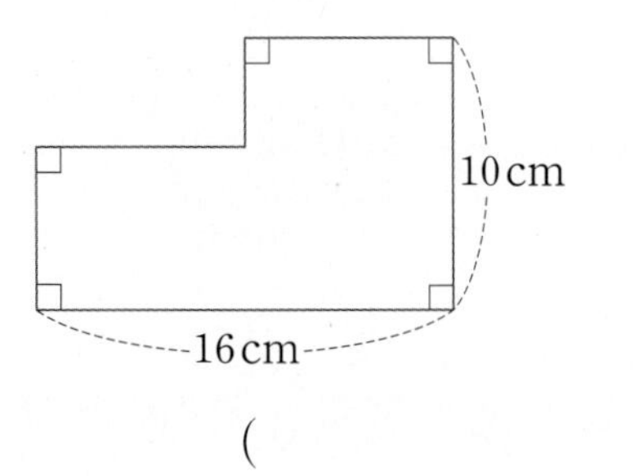

( )

17 □ 안에 알맞은 수를 구하세요.

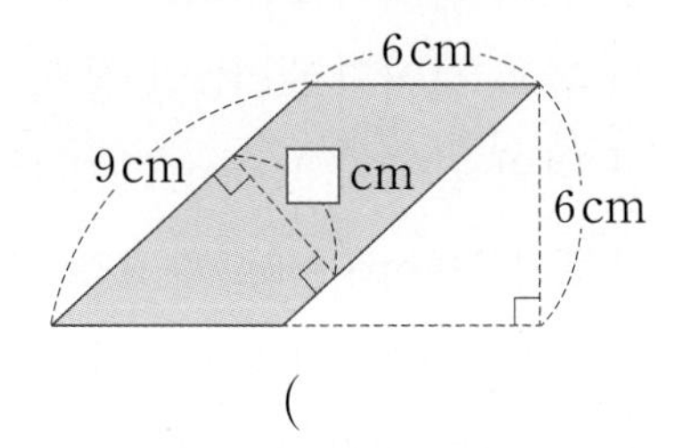

( )

18 한 변의 길이가 14 cm인 정사각형과 넓이가 같은 직사각형이 있습니다. 이 직사각형의 가로가 28 cm라면 세로는 몇 cm일까요?

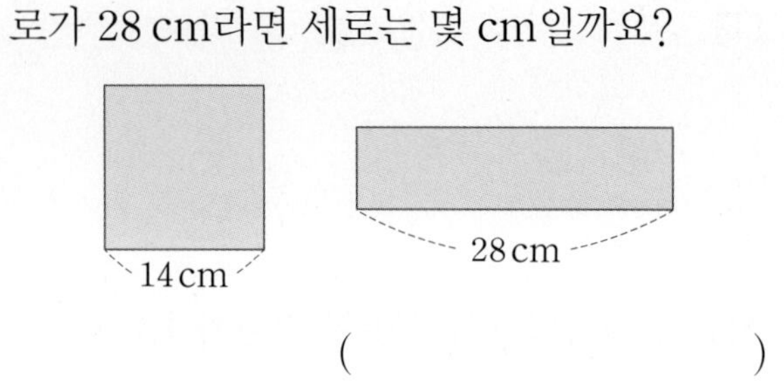

( )

19 도형의 넓이는 몇 cm^2일까요?

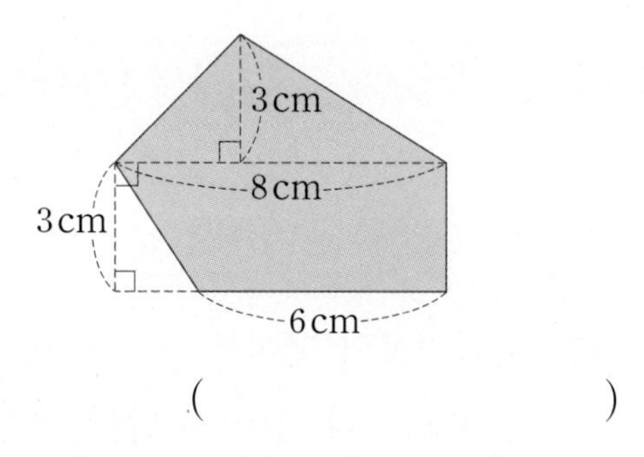

( )

서술형

20 정사각형의 네 변의 가운데를 이어 마름모를 그렸습니다. 색칠한 부분의 넓이는 몇 cm^2인지 풀이 과정을 쓰고 답을 구하세요.

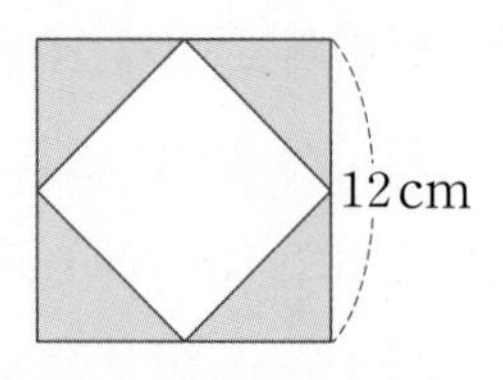

풀이

답

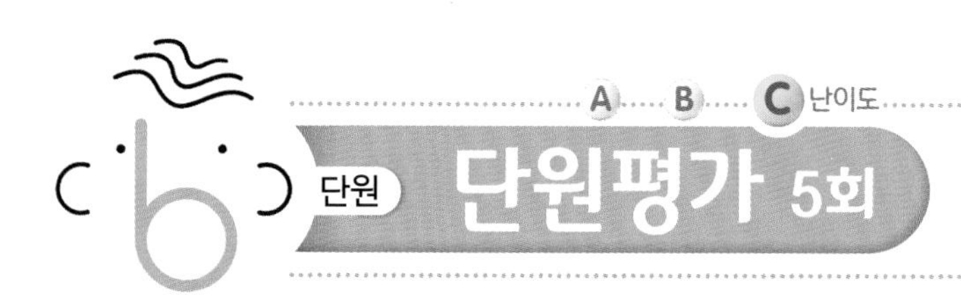

다각형의 둘레와 넓이

점수

스피드 정답표 15쪽, 정답 및 풀이 47쪽

01 직사각형의 둘레는 몇 cm일까요?

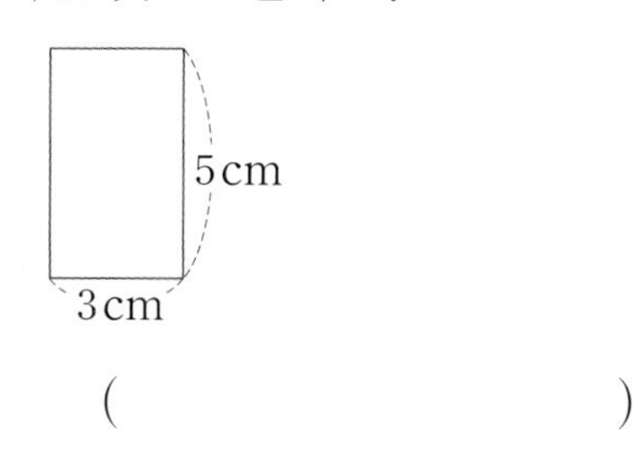

( )

02 모양과 크기가 같은 사다리꼴 2개를 겹치지 않게 이어 붙여서 만든 평행사변형 ㄱㄴㅂㅁ의 넓이가 48 cm^2일 때, 사다리꼴 ㄱㄴㄷㄹ의 넓이는 몇 cm^2일까요?

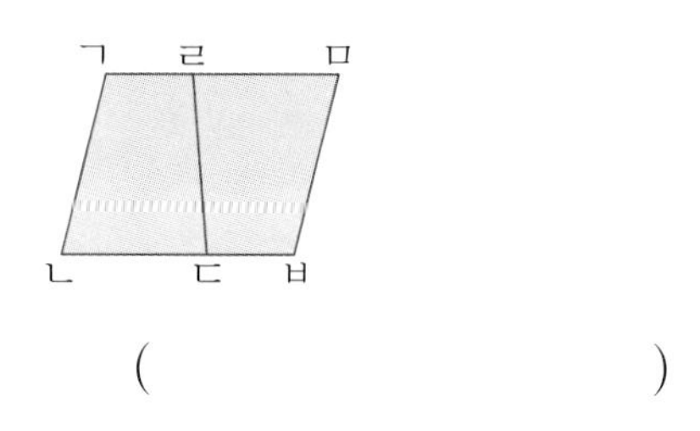

( )

03 색칠한 부분의 넓이가 다음과 같을 때, 마름모의 넓이는 몇 cm^2일까요?

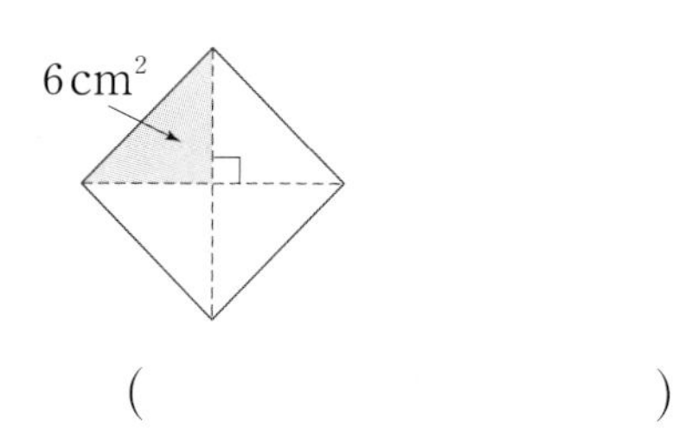

( )

04 한 변의 길이가 14 cm인 정사각형 모양의 수첩이 있습니다. 이 수첩의 둘레는 몇 cm일까요?

( )

05 직사각형의 넓이는 몇 km^2일까요?

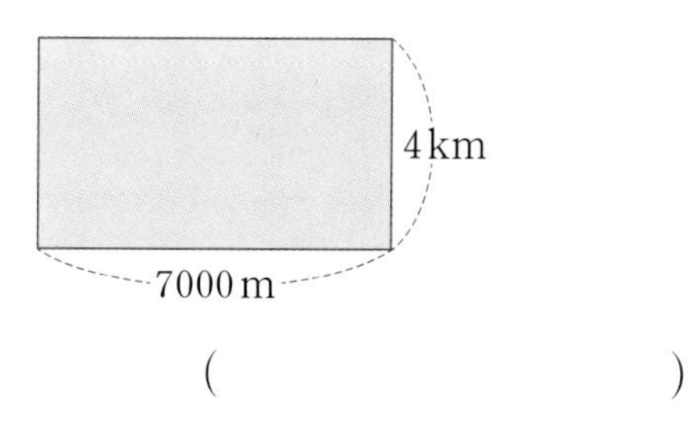

( )

06 사다리꼴의 넓이는 몇 cm^2일까요?

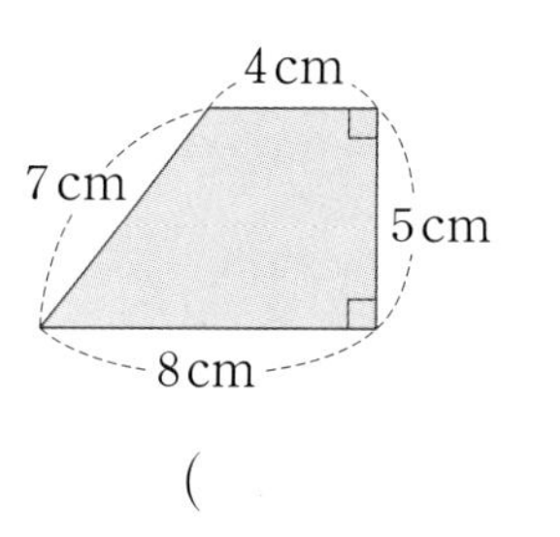

( )

07 넓이가 다른 삼각형을 하나 찾아 기호를 써 보세요.

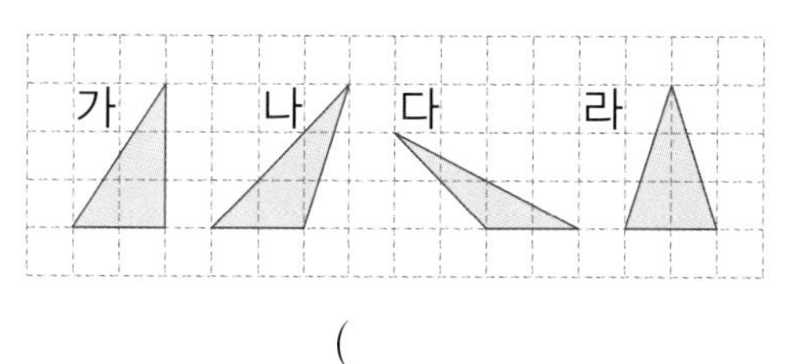

( )

08 □ 안에 알맞은 수를 써넣으세요.

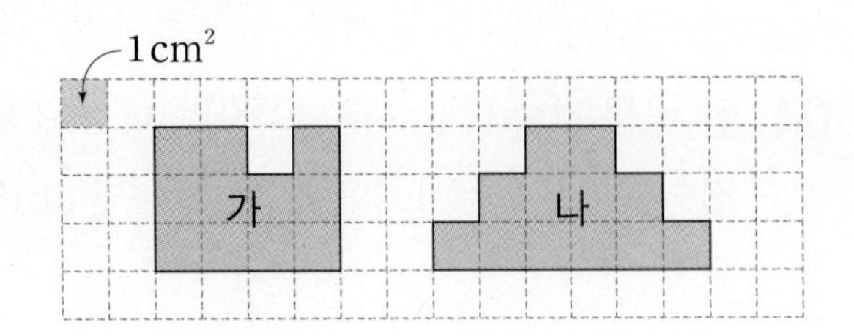

도형 나는 도형 가보다 넓이가 □ cm^2 더 넓습니다.

09 넓이가 더 넓은 평행사변형을 찾아 기호를 써 보세요.

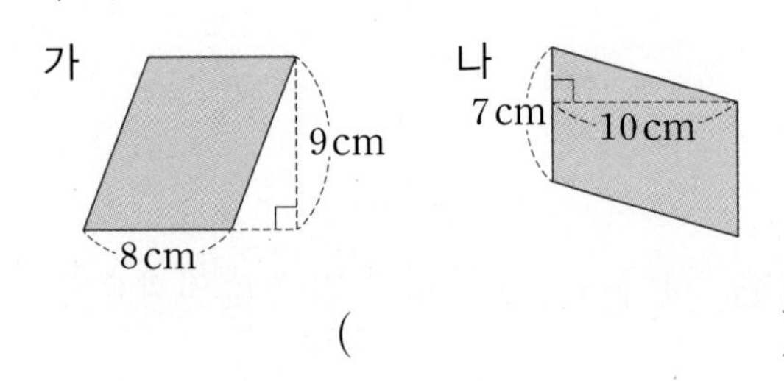

(　　　　　　　)

10 직사각형의 둘레는 34 cm입니다. 직사각형의 세로는 몇 cm일까요?

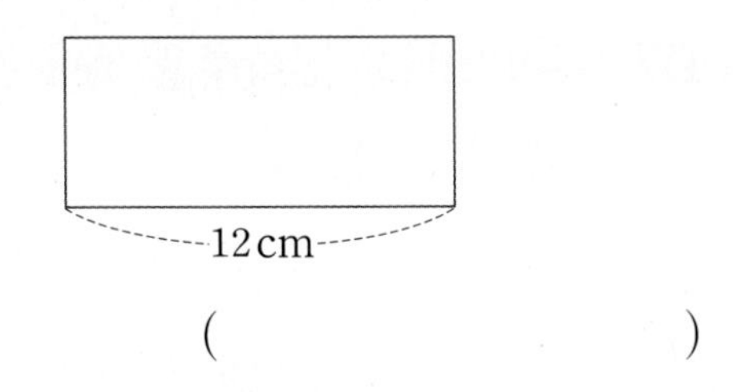

(　　　　　　　)

11 넓이가 12 cm^2인 사각형을 서로 다른 모양으로 2개 그려 보세요.

12 직사각형 안에 마름모를 그린 것입니다. 마름모 ㅁㅂㅅㅇ의 넓이가 48 cm^2일 때, 직사각형 ㄱㄴㄷㄹ의 넓이는 몇 cm^2일까요?

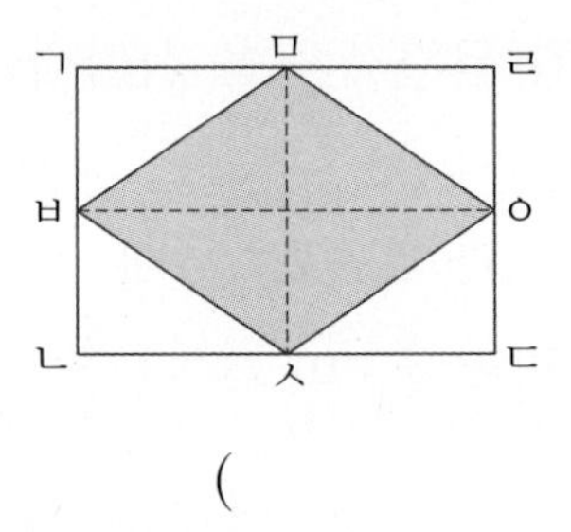

(　　　　　　　)

13 평행사변형의 넓이가 56 cm^2일 때, □ 안에 알맞은 수를 써넣으세요.

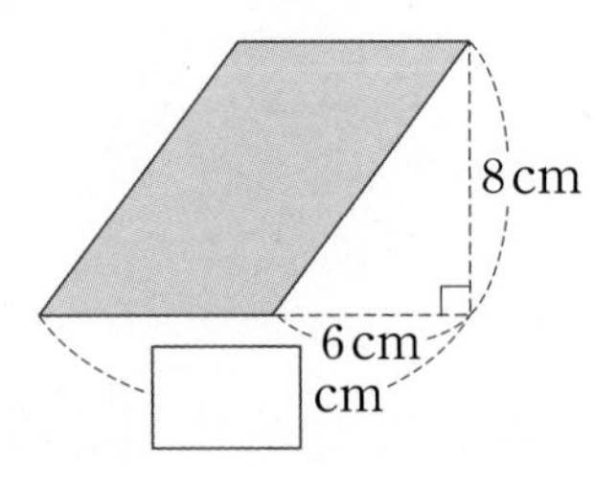

14 두 삼각형의 넓이가 같을 때, □ 안에 알맞은 수를 구하세요.

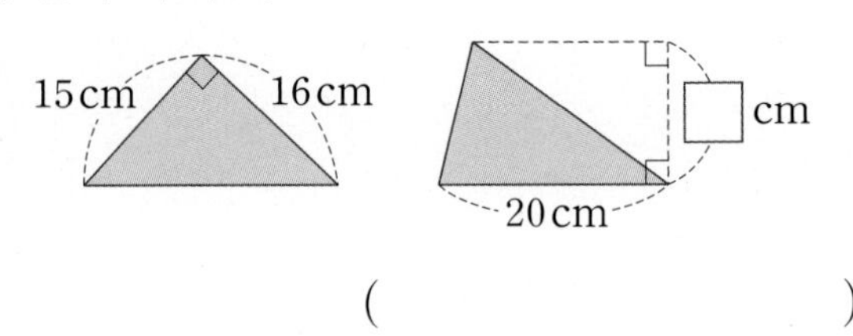

(　　　　　　　)

서술형

15 직사각형 모양에서 색칠한 부분의 넓이는 몇 cm^2인지 풀이 과정을 쓰고 답을 구하세요.

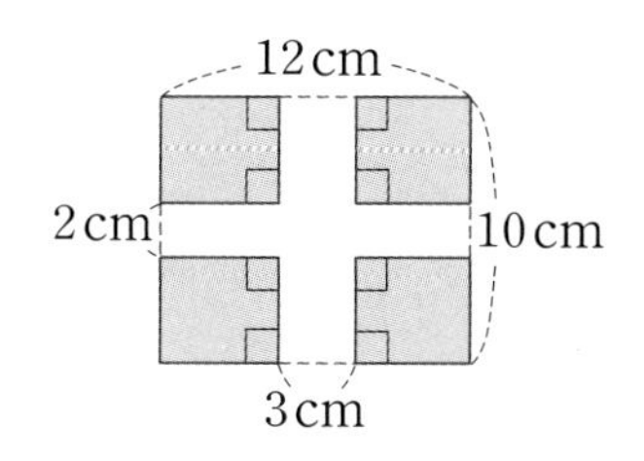

풀이

답 ____________

16 색칠한 부분의 넓이는 몇 cm^2일까요?

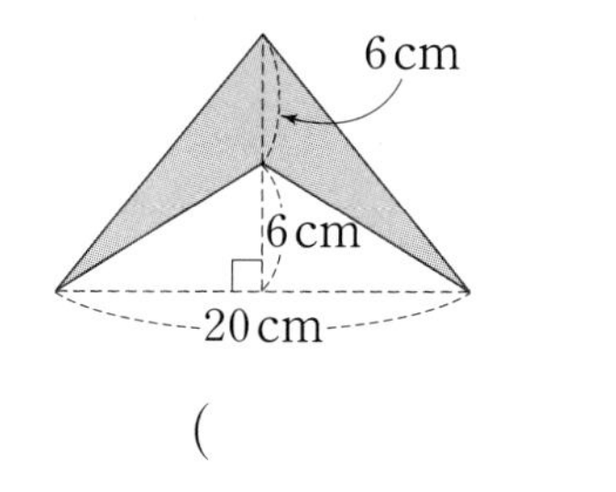

(　　　　　　　　　)

17 마름모 가와 나의 넓이는 같습니다. 마름모 나의 한 대각선의 길이가 12 cm일 때, 다른 대각선의 길이는 몇 cm일까요?

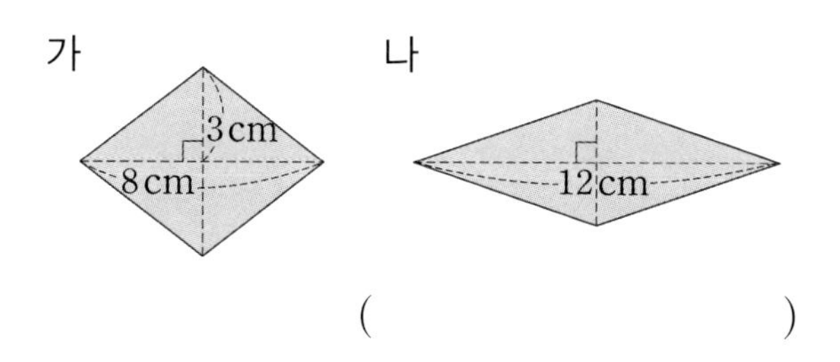

(　　　　　　　　　)

서술형

18 다음 직사각형과 둘레가 같은 정사각형의 넓이는 몇 cm^2인지 풀이 과정을 쓰고 답을 구하세요.

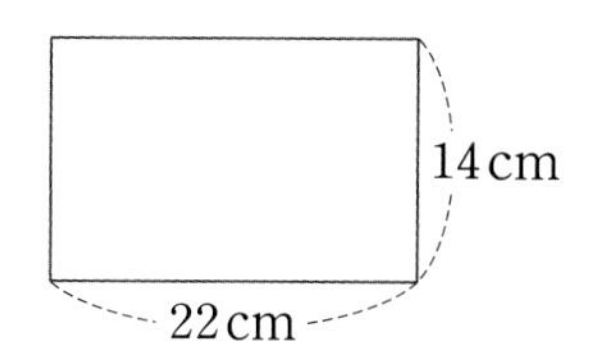

풀이

답 ____________

19 사다리꼴 ㄱㄴㄷㄹ의 넓이는 몇 cm^2일까요?

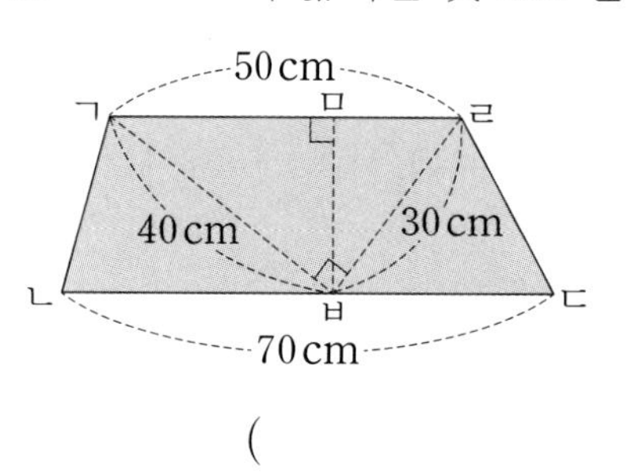

(　　　　　　　　　)

20 크기가 다른 정사각형 2개를 겹치지 않게 이어 붙여 놓은 것입니다. 색칠한 부분의 넓이는 몇 cm^2일까요?

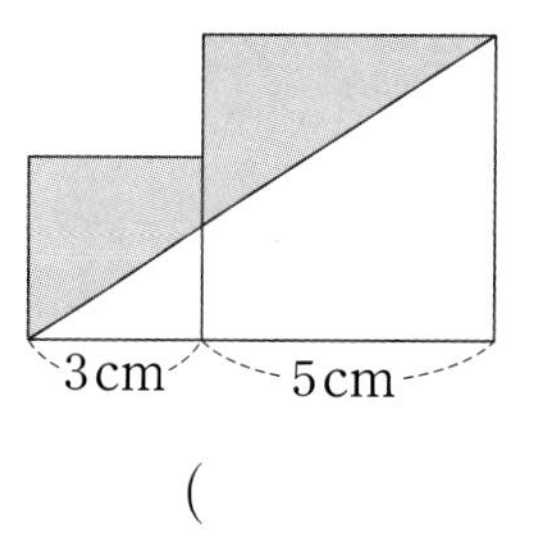

(　　　　　　　　　)

점수

스피드 정답표 15쪽, 정답 및 풀이 47쪽

01 오른쪽 원 안에 그릴 수 있는 마름모 중에서 가장 큰 마름모의 넓이는 몇 cm^2인지 구하세요.

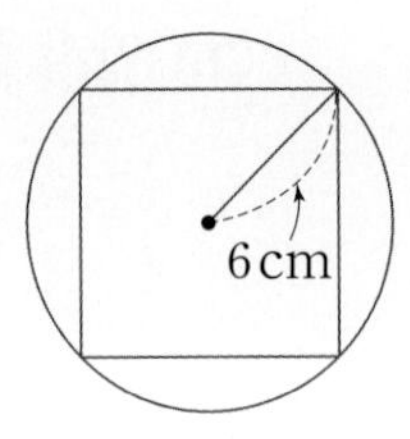

❶ 마름모의 대각선의 길이는 몇 cm일까요?

( )

❷ 마름모의 넓이는 몇 cm^2일까요?

( )

02 가와 나 중 넓이가 더 넓은 도형의 기호를 써 보세요.

가

6 cm

30 cm

나

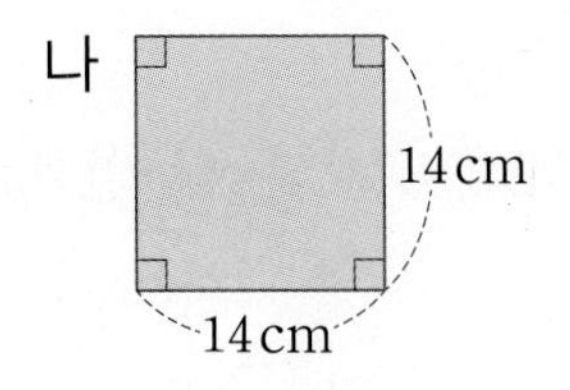

❶ 직사각형 가의 넓이는 몇 cm^2일까요?

( )

❷ 정사각형 나의 넓이는 몇 cm^2일까요?

( )

❸ 가와 나 중 넓이가 더 넓은 도형의 기호를 써 보세요.

( )

03 색칠한 부분의 넓이는 몇 cm^2인지 구하세요.

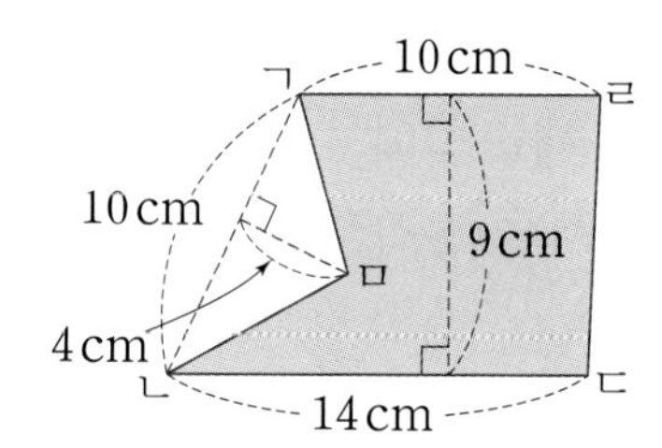

❶ 사다리꼴 ㄱㄴㄷㄹ의 넓이는 몇 cm^2일까요?

( )

❷ 삼각형 ㄱㄴㅁ의 넓이는 몇 cm^2일까요?

( )

❸ 색칠한 부분의 넓이는 몇 cm^2일까요?

( )

04 마름모 가와 나가 있습니다. 가의 넓이는 나의 넓이의 3배일 때, □ 안에 알맞은 수를 구하세요.

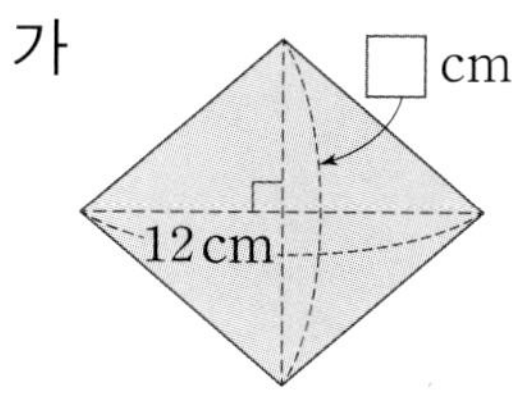

❶ 마름모 나의 넓이는 몇 cm^2일까요?

( )

❷ 마름모 가의 넓이는 몇 cm^2일까요?

( )

❸ □ 안에 알맞은 수를 구하세요.

( )

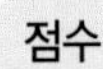

6 단원 서술형평가 다각형의 둘레와 넓이

점수

스피드 정답표 15쪽, 정답 및 풀이 48쪽

01 오른쪽 원 안에 그릴 수 있는 마름모 중에서 가장 큰 마름모의 넓이는 몇 cm^2인지 풀이 과정을 쓰고 답을 구하세요.

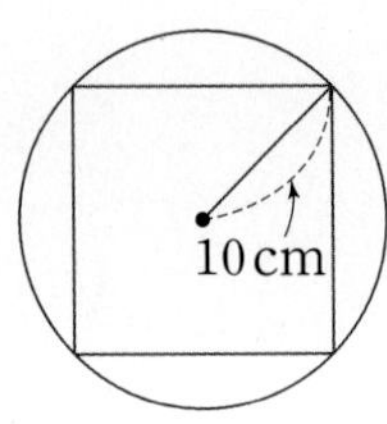

풀이

답

어떻게 풀까요?

- (가장 큰 마름모의 대각선의 길이)
  =(원의 지름)
  =(원의 반지름)×2

02 가와 나 중 넓이가 더 넓은 도형은 어느 것인지 풀이 과정을 쓰고 답을 구하세요.

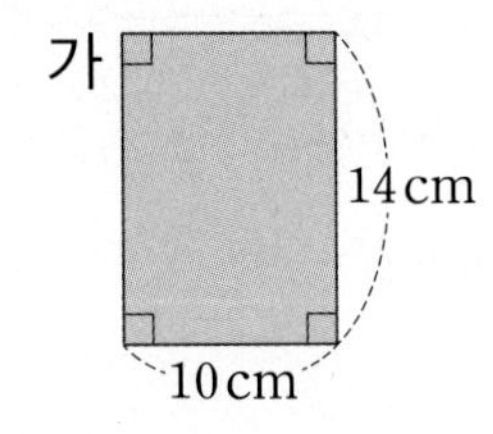

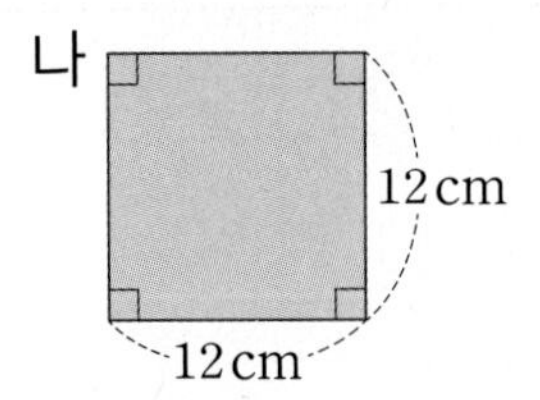

풀이

답

어떻게 풀까요?

- (직사각형의 넓이)
  =(가로)×(세로)
- (정사각형의 넓이)
  =(한 변의 길이)×(한 변의 길이)

03 색칠한 부분의 넓이는 몇 cm^2인지 풀이 과정을 쓰고 답을 구하세요.

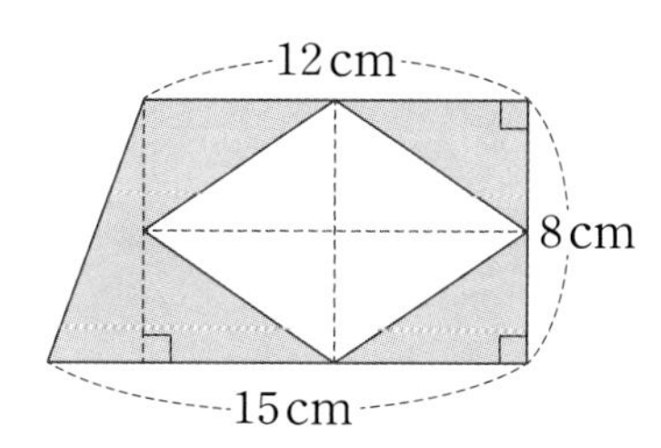

어떻게 풀까요?

• (색칠한 부분의 넓이)
=(사다리꼴의 넓이)
−(마름모의 넓이)

풀이

답 ____________

04 삼각형 가와 나가 있습니다. 가의 넓이는 나의 넓이의 2배일 때, □ 안에 알맞은 수를 구하려고 합니다. 풀이 과정을 쓰고 답을 구하세요.

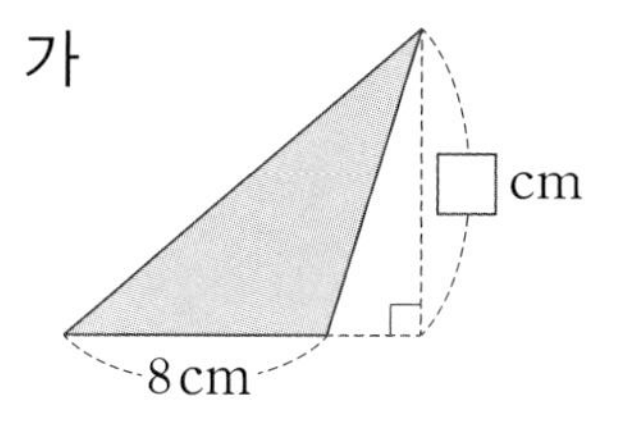

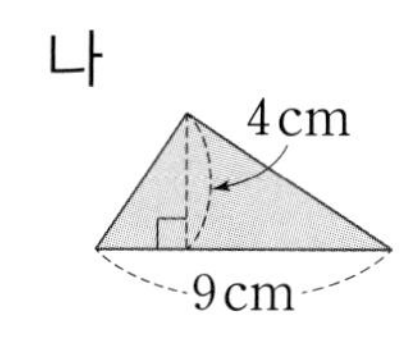

어떻게 풀까요?

• (가의 넓이)=(나의 넓이)×2임을 이용합니다.

풀이

답 ____________

6 다각형의 둘레와 넓이

다각형의 둘레와 넓이

스피드 정답표 15쪽, 정답 및 풀이 48쪽

01 다음 평행사변형의 넓이는 60 cm^2입니다. 밑변의 길이는 몇 cm일까요?

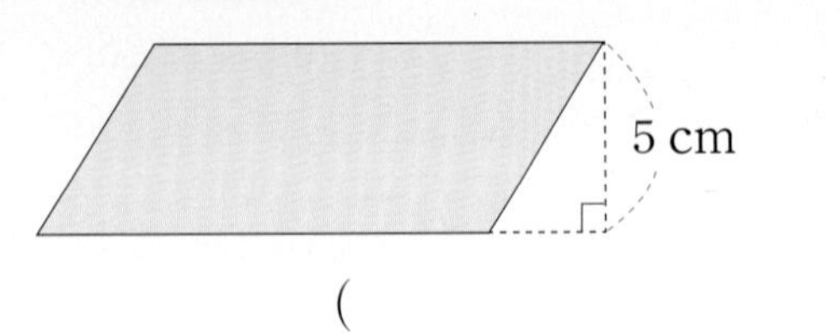

(　　　　　　　　　)

02 삼각형의 □ 안에 알맞은 수를 써넣으세요.

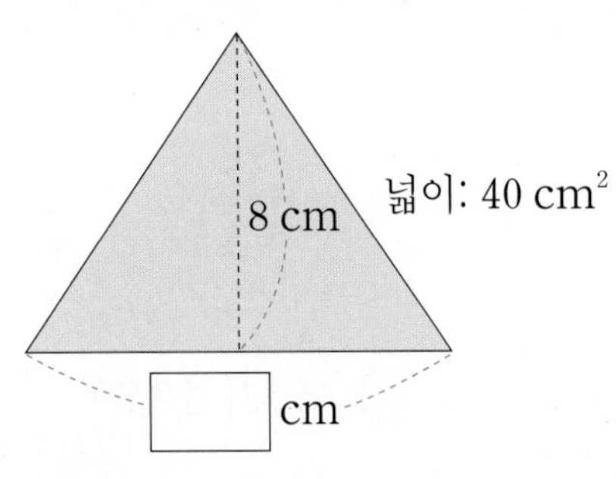

03 사다리꼴의 넓이는 몇 cm^2인지 구하세요.

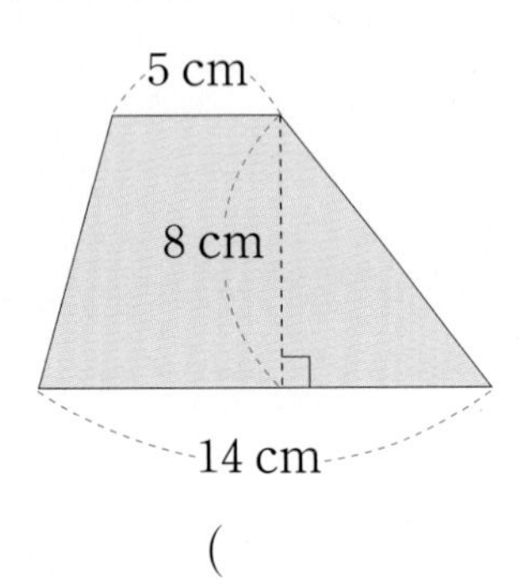

(　　　　　　　　　)

04 넓이가 가장 넓은 것을 찾아 기호를 쓰세요.

㉠ 한 변의 길이가 8 cm인 정사각형
㉡ 가로가 15 cm, 세로가 4 cm인 직사각형
㉢ 두 변의 길이가 각각 7 cm, 9 cm인 직사각형

(　　　　　　　　　)

05 두 마름모의 넓이의 합을 구하세요.

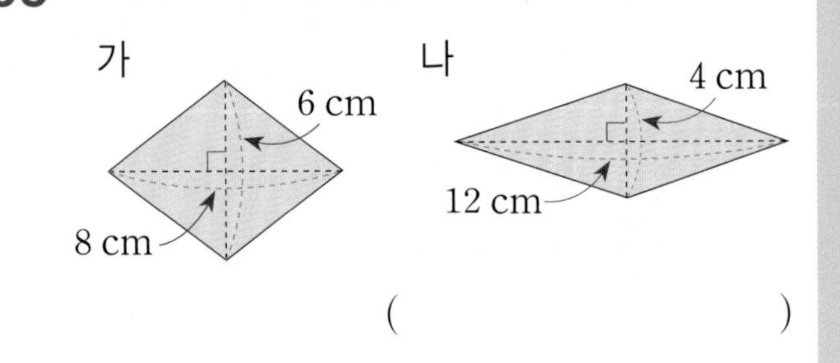

(　　　　　　　　　)

배움으로 행복한 내일을 꿈꾸는

천재교육 커뮤니티 안내

교재 안내부터 구매까지 한 번에!

천재교육 홈페이지

자사가 발행하는 참고서, 교과서에 대한 소개는 물론
도서 구매도 할 수 있습니다. 회원에게 지급되는 별을 모아
다양한 상품 응모에도 도전해 보세요!

다양한 교육 꿀팁에 깜짝 이벤트는 덤!

천재교육 인스타그램

천재교육의 새롭고 중요한 소식을 가장 먼저 접하고 싶다면?
천재교육 인스타그램 팔로우가 필수!
깜짝 이벤트도 수시로 진행되니 놓치지 마세요!

수업이 편리해지는

천재교육 ACA 사이트

오직 선생님만을 위한, 천재교육 모든 교재에 대한 정보가 담긴
아카 사이트에서는 다양한 수업자료 및 부가 자료는 물론
시험 출제에 필요한 문제도 다운로드하실 수 있습니다.

https://aca.chunjae.co.kr

천재교육을 사랑하는 샘들의 모임

천사샘

학원 강사, 공부방 선생님이시라면 누구나 가입할 수 있는 천사샘!
교재 개발 및 평가를 통해 교재 검토진으로 참여할 수 있는 기회는 물론
다양한 교사용 교재 증정 이벤트가 선생님을 기다립니다.

아이와 함께 성장하는 학부모들의 모임공간

튠맘 학습연구소

튠맘 학습연구소는 초·중등 학부모를 대상으로 다양한 이벤트와 함께
교재 리뷰 및 학습 정보를 제공하는 네이버 카페입니다.
초등학생, 중학생 자녀를 둔 학부모님이라면 튠맘 학습연구소로 오세요!

수학
단원평가

단원 평가

학교 수행평가 완벽 대비

5·1

밀크T 성취도평가 오답 베스트5 수록

천재교육

수학
단원평가

스피드 정답표

1 자연수의 혼합 계산

3쪽 쪽지시험 1회 (풀이는 16쪽에)

01 36, 49 02 31, 23 03 18, 36
04 8, 9 05 24 06 6
07 $72-(16+25)=72-41=31$ (① $16+25$, ② $72-41$)
08 $6\times(8\div2)=6\times4=24$ (① $8\div2$, ② 6×4)
09 (선 잇기)
10 $<$

4쪽 쪽지시험 2회 (풀이는 16쪽에)

01 10, 25, 10, 15 02 12, 36, 41
03 22, 66, 26 04 ㉢, ㉠, ㉡
05 ㉡, ㉠, ㉢ 06 75 07 46
08 64 09 ㉡ 10 민수

5쪽 쪽지시험 3회 (풀이는 16쪽에)

01 3, 22, 29 02 6, 8, 17 03 4, 74, 4, 70
04 27 05 19 06 24
07 $16+7-54\div9=16+7-6$
$=23-6$
$=17$
(① $54\div9$, ② $16+7$, ③ $23-6$)
08 영주 09 $>$ 10 20

6쪽 쪽지시험 4회 (풀이는 16쪽에)

01 9, 9, 2, 98 02 21, 21, 3, 8 03 3, 36, 9, 30
04 18×2에 밑줄 05 $(8-4)$에 밑줄
06 64 07 34 08 9
09 $=$ 10 수지

7~9쪽 단원평가 1회 (난이도 A) (풀이는 17쪽에)

01 4×2에 ○표 02 35, 59
03 (계산 순서대로) 8, 72, 72 04 ( )(○)
05 ㉡, ㉢, ㉠, ㉣ 06 12
07 96 08 ④
09 $33+4\times7-38=33+28-38$
$=61-38$
$=23$
(① 4×7, ② $33+28$, ③ $61-38$)
10 (선 잇기) 11 $>$ 12 12
13 $24\times(16-7)=24\times9=216$ (① $16-7$, ② 24×9)
14 19, 25, 4, 11 ; 11 15 ③
16 소담 17 14 18 5, 4, 15
19 43명 20 $23+54\div(6-4)=50$

10~12쪽 단원평가 2회 (난이도 A) (풀이는 17쪽에)

01 ㉠ 02 51, 87
03 (계산 순서대로) 6, 48, 32, 32 04 2, 4, 1, 3
05 20 06 129 07 ㉠
08 (선 잇기)
09 $39+(47-26)\div3\times5=74$ (① 21, ② 7, ③ 35, ④ 74)
10 $<$ 11 ㉡ 12 ㉡
13 45 14 $120\div15\times2=16$; 16
15 수현 16 6 17 17, 31, 10
18 2, 5, 18 19 14일 20 $\times$

13~15쪽 단원평가 3회 B 난이도 풀이는 18쪽에

01 (12+4)에 ○표 **02** $32\div4+10$ (①, ②)

03 18, 18, 61 **04** × **05** 7

06 22 **07** ③ **08** 36

09 > **10** 지수 **11** ④

12 30 **13** 68 **14** 83

15 $16\times28+12=460$; 460개 **16** 392

17 예 12자루씩 4타가 있고 8명에게 똑같이 나누어 주었으므로 한 사람은 연필을 $12\times4\div8=48\div8=6$(자루) 가지게 됩니다. ; 6자루

18 200원 **19** 19 **20** ×, +, ÷

16~18쪽 단원평가 4회 B 난이도 풀이는 19쪽에

01 4, 72 **02** ( )(○) **03** ②

04 30 **05** 35

06 $84-(54+7)+3=26$

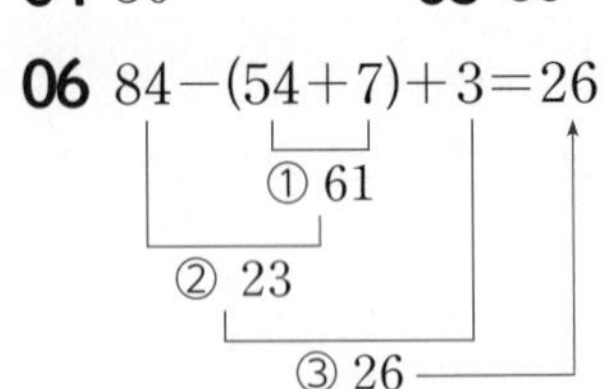

07 <

08 $24+(19-3)\div4=24+16\div4=24+4=28$

09 **10** 120 **11** 13, 5, 5

12 13, 5, 2, 3

13 $(56-8)\div12+3=7$; 7 **14** 36줄

15 17개 **16** 24개 **17** 14개

18 (위에서부터) 7, 25, 459, 459

19 $14\times(15-9)\div3=8$

20 예 복숭아 65개를 한 상자에 9개씩 7상자에 담았습니다. 남은 복숭아는 몇 개일까요? ; 예 2개

19~21쪽 단원평가 5회 C 난이도 풀이는 19쪽에

01 4, 2, 1, 3 **02** (계산 순서대로) 7, 16, 33, 33

03 12 **04** 59 **05** **06** 고양이

07 $48\div(12-8)+9=48\div4+9$

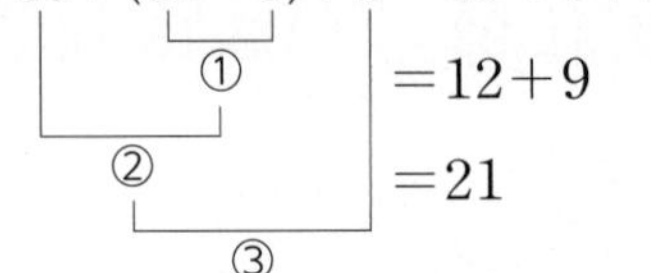

$=12+9$

$=21$

08 $120-(96-16)+32=72$ (80, 40, 72) **09** ⑤

10 민아 **11** 56

12 $4+4\times3$, 16 ; $4+4\times4$, 20 **13** 36개

14 ㉢

15 예 세 번째로 6×7을 계산해야 합니다.

16 $7\times40+(7-2)\times30=430$; 430번

17 15 ℃ **18** 4 **19** 29

20 예 주차할 수 있는 전체 자동차 수에서 지금 주차되어 있는 자동차 수를 뺍니다.

$60-(8\times4-17)=60-(32-17)$

$=60-15$

$=45$(대) ; 45대

22~23쪽 단계별로 연습하는 서술형평가 풀이는 20쪽에

01 ❶ 50, 12 ❷ 22

02 ❶ 8, 120 ; 120장 ❷ 9, 180 ; 180장

❸ 9, 8, 60 ; 60장

03 ❶ 5, 65, 13 ❷ 13, 13, 50, 10 ; 10

04 ❶ 7, 2100 ; 2100원 ❷ 5, 3500 ; 3500원

❸ 7, 5, 1400 ; 1400원

24~25쪽 풀이 과정을 직접 쓰는 **서술형평가** 풀이는 20쪽에

01 예 9와 18을 더한 수에 4를 곱해야 하므로 ( )를 이용하여 하나의 식으로 나타냅니다.
$(9+18)\times4\div9=27\times4\div9=108\div9=12$
; 12

02 예 사탕은 (20×8)개, 초콜릿은 (30×5)개임을 이용하여 사탕은 초콜릿보다 몇 개 더 많은지 구합니다. ⇨ $20\times8-30\times5=160-150=10$(개)
; 10개

03 예 ( ) 안에 있는 7◎18을 먼저 계산합니다.
7◎18=$(18-7)\times3=11\times3=33$
⇨ 33◎42=$(42-33)\times3=9\times3=27$
; 27

04 예 떡볶이 3인분은 (2500×3)원, 튀김 2인분은 (3000×2)원이므로 한 명이 내야 하는 돈을 식으로 나타내면 $(2500\times3+3000\times2)\div5$입니다.
$(2500\times3+3000\times2)\div5$
$=(7500+3000\times2)\div5$
$=(7500+6000)\div5$
$=13500\div5$
$=2700$(원)
; 2700원

26쪽 밀크티 성취도평가 **오답 베스트 5** 풀이는 21쪽에

01 8개 **02** ㉡, ㉠, ㉢
03 39 **04** 280원
05 2250원

2 약수와 배수

29쪽 쪽지시험 1회 풀이는 21쪽에

01 7, 4, 1 ; 7, 14, 28 **02** 7, 14, 21 ; 7, 14, 21
03 1, 2, 7, 14 **04** 1, 3, 5, 9, 15, 45
05 9, 18, 27, 36, 45 **06** 배수, 약수
07 ○ **08** × **09** ㉠, ㉣
10 9개

30쪽 쪽지시험 2회 풀이는 21쪽에

01 1, 5 **02** 6, 12 ; 6, 9, 18 ; 3, 6 ; 6
03 2, 4 **04** 1, 2, 4, 8 **05** 1, 5 ; 5
06 2, 3 ; 7, 14 **07** 3, 18, 5, 6 ; 3, 9
08 4 **09** 10 **10** 1, 3, 9, 27

31쪽 쪽지시험 3회 풀이는 22쪽에

01 4, 8, 12, 16 **02** 4
03 8, 12, 16, 20, 24 ; 16, 24, 32, 40, 48
04 8, 16, 24 ; 8 **05** 30, 60, 90
06 18, 36, 54 ; 18 **07** 32
08 15 **09** 36, 72, 108 **10** 60, 90

32쪽 쪽지시험 4회 풀이는 22쪽에

01 2, 5, 40 **02** 3, 75
03 3, 4 ; 3, 4, 108 **04** 6, 5, 2 ; 3, 5, 2, 60
05 예
$$\begin{array}{r|rr} 2 & 50 & 70 \\ \hline 5 & 25 & 35 \\ \hline & 5 & 7 \end{array}$$
; $2\times5\times5\times7=350$
06 78 **07** 42 **08** 48
09 90 **10** 210

33~35쪽 단원평가 1회 Ⓐ 난이도 풀이는 22쪽에

01 5, 2, 1 ; 2, 5, 10 **02** 8, 12, 16 ; 8, 12, 16
03 6, 12, 18 **04** 배수에 ○표, 약수에 ○표
05 ( )( )(×) **06** 8에 ×표
07 1, 2, 4 ; 4 **08** 36
09 5, 5, 20, 1, 4 ; 2, 5, 10 **10** ㉢
11 90
12

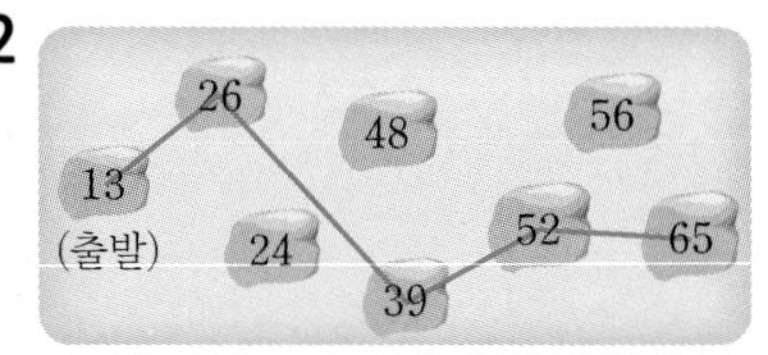

13 ③, ④ **14** ③ **15** 28, 84
16 21, 28, 35 **17** 14, 28, 42 **18** 9
19 ㉡ **20** 3번

36~38쪽 단원평가 2회 Ⓐ 난이도 풀이는 23쪽에

01 3, 6, 9, 12 ; 3, 6, 9, 12 **02** 5, 10, 15, 20
03 배수, 약수 **04** 1, 2, 4, 8 **05** ㉡
06 1, 2, 3, 6 ; 6 **07** 1, 2, 4, 7, 8, 14, 28, 56
08 5, 15, 1 ; 15 **09** 2, 5, 7, 140
10 예 3) 27 45
3) 9 15
3 5 ; $3\times3=9$
11 3, 9, 21, 3, 7 ; 3, 3, 7, 126 **12** 6 ; 1, 2, 3, 6
13 56, 112, 168 **14** ②
15 7개 **16** 2, 2, 5 ; 2 ; 40
17 1, 3, 9 **18** 8개
19 3명, 12명에 ○표 **20** 4명

39~41쪽 단원평가 3회 Ⓑ 난이도 풀이는 24쪽에

01 1, 2, 3, 4 ; 1, 2, 4
02 배수에 ○표, 약수에 ○표
03 8, 16, 24, 32, 40
04 4, 8, 16 ; 3, 4, 6, 8, 12, 24 ; 1, 2, 4, 8
05 ( )( )(○) **06** 5, 10
07 14
08 예 2) 28 42
7) 14 21
2 3 ; $2\times7\times2\times3=84$
09 예 3 **10** 1, 3, 5, 15 **11** 108
12 9, 18, 27, 36, 45 **13** ②, ④
14 ( )(○) **15** 28 **16** 10, 20, 30
17 1, 2, 5, 7, 10, 14, 35, 70 **18** 15일 후
19 3가지
20 예 3과 8의 공배수 중에서 100에 가장 가까운 수를 구합니다. 3과 8의 최소공배수가 24이므로 24의 배수 중에서 100에 가장 가까운 수를 찾으면 $24\times4=96$입니다. ; 96

42~44쪽 단원평가 4회 Ⓑ 난이도 풀이는 24쪽에

01 ④ **02** 배수, 약수 **03** ㉣
04 ( )(○)( ) **05** ④
06 ④ **07** 2, 12, 14, 6, 7 ; 2, 2, 4
08 144 **09** 42, 84
10 예 2) 12 48
2) 6 24
3) 3 12
1 4 ; 48
11 1, 3, 9
12 ㉡ **13** ① **14** 61
15 1, 5, 25 **16** 10
17 예 2) 24 40
2) 12 20
2) 6 10
3 5
⇨ 24와 40의 최대공약수: $2\times2\times2=8$
따라서 최대 8명까지 나누어 줄 수 있습니다. ; 8명
18 1, 2, 19, 38 **19** 9번 **20** 84

45~47쪽 단원평가 5회 (난이도 C) 풀이는 25쪽에

01 2, 3, 21, 14, 42
02 2, 3, 24
03 35, 5, 7 ; 1, 5, 7, 35 ; 1, 5, 7, 35
04 ㉢
05 90
06 1, 2, 3, 6
07 예 2) 30 54
3) 15 27
5 9 ; 270
08 ②, ④
09 5, 105
10 21, 42, 63
11 105
12 70
13 105
14 5개
15 20
16 4개 ; 5병
17 예 4와 5의 최소공배수는 20이므로 다음번에 두 사람이 함께 자전거를 타는 날은 20일 후인 5월 22일입니다. ; 5월 22일
18 21
19 73
20 예 2) 56 48
2) 28 24
2) 14 12
7 6
⇨ 56과 48의 최대공약수: $2\times2\times2=8$
한 변의 길이가 8 cm인 정사각형으로 만들 수 있으므로 가로에 $56\div8=7$(장)씩, 세로에 $48\div8=6$(장)씩 만들 수 있습니다. 따라서 모두 $7\times6=42$(장) 만들 수 있습니다. ; 42장

48~49쪽 단계별로 연습하는 서술형평가 풀이는 25쪽에

01 ❶ 약수 ❷ 1, 3, 5, 9, 15, 45 ❸ 6개
02 ❶ 공배수에 ○표 ❷ 30, 60, 90, 120, 150 ❸ 3개
03 ❶ 공약수에 ○표 ❷ 1, 2, 7, 14 ❸ 14 cm
04 ❶ 120 cm ❷ 3장, 5장 ❸ 15장

50~51쪽 풀이 과정을 직접 쓰는 서술형평가 풀이는 26쪽에

01 예 288을 9로 나누면 나누어떨어지기 때문입니다.
⇨ $288\div9=32$
02 예 어떤 두 수의 공약수는 두 수의 최대공약수인 30의 약수와 같습니다. 30의 약수는 1, 2, 3, 5, 6, 10, 15, 30으로 모두 8개입니다.
; 8개
03 예 5의 배수도 되고 7의 배수도 되는 수는 두 수의 공배수입니다. 5와 7의 공배수는 35, 70, 105…… 이고 이 중 두 자리 수는 35, 70으로 모두 2개입니다.
; 2개
04 예 32와 60의 최대공약수를 구합니다.
2) 32 60
2) 16 30
8 15
⇨ 32와 60의 최대공약수: $2\times2=4$
따라서 두 색 테이프를 4 cm씩 잘라야 합니다.
; 4 cm
05 예 3) 30 21
10 7
⇨ 30과 21의 최소공배수: $3\times10\times7=210$
만들 수 있는 가장 작은 정사각형의 한 변의 길이가 210 cm이므로 (가로)$=210\div30=7$(장), (세로)$=210\div21=10$(장)을 놓아야 합니다.
따라서 도화지는 모두 $7\times10=70$(장) 필요합니다.
; 70장

52쪽 밀크티 성취도평가 오답 베스트 5 풀이는 26쪽에

01 72
02 ③
03 4개
04 30
05 8 cm

3 규칙과 대응

55쪽 쪽지시험 1회

풀이는 27쪽에

01 14개 02 2 03 6, 8
04 20개 05 2 06 12, 18, 24
07 48개
08 예 바퀴의 수는 트럭의 수의 6배입니다.
09 3, 6, 9, 12
10 예 공책의 수는 사람의 수의 3배입니다.

56쪽 쪽지시험 2회

풀이는 27쪽에

01 6, 9, 12 02 3 03 45개
04 2550, 3400 05 850 06 3, 4, 5
07 ⊙+1=☆(또는 ☆−1=⊙) 08 8, 9
09 (서윤이의 나이)+2012=(연도)
또는 (연도)−2012=(서윤이의 나이)
10 18살

57~59쪽 단원평가 1회

A 난이도

풀이는 27쪽에

01 2도막 02 3번 03 3, 4, 5
04 1 05 5, 6 06 12개
07 2 08 12, 16 09 4
10 48개 11 6, 8
12 ○×2=△(또는 △÷2=○) 13 28개
14 ☆+3=□(또는 □−3=☆) 15 12, 16
16 △×4=⊙(또는 ⊙÷4=△)
17 24개 18 13, 14
19 ◉−2006=◈ (또는 ◈+2006=◉)
20 2700, 3600 ; □×900=△(또는 △÷900=□)

60~62쪽 단원평가 2회

A 난이도

풀이는 28쪽에

01 30, 40 02 50개 03 7판
04 예 달걀의 수는 달걀판의 수의 10배입니다.
05 30 06 20개
07 예 사각형의 수는 삼각형의 수의 3배입니다.
08 27, 36 09 9 10 63명
11 6대 12 6000, 8000
13 □×2000=△(또는 △÷2000=□)
14 28000원 15 ◉×7=◇(또는 ◇÷7=◉)
16 □+3=○(또는 ○−3=□)
17 ☆×12=○(또는 ○÷12=☆)
18 9, 12, 15 19 ○×3=△(또는 △÷3=○)
20 200 cm

63~65쪽 단원평가 3회

B 난이도

풀이는 29쪽에

01 6 02 15개 03 1
04 ⑤ 05 1500, 2000 06 500
07 7명 08 70, 105, 140
09 △×35=⊙(또는 ⊙÷35=△) 10 315 g
11 15, 16, 17 ; 2005 12 10, 15, 20
13 ○×5=◇(또는 ◇÷5=○)
14 예 (필요한 꽃잎의 수)=(꽃의 수)×5
=8×5=40(장)
⇨ 꽃을 8송이 만들 때 필요한 꽃잎의 수는 40장입니다. ; 40장
15 3, 4, 5 16 ⊙+1=△(또는 △−1=⊙)
17 11개 18 8, 12, 16
19 □×4=△(또는 △÷4=□) 20 320개

66~68쪽 단원평가 4회 (B 난이도) 풀이는 30쪽에

01 2, 4, 6, 8 **02** 40

03 예 사각형의 수는 삼각형의 수의 2배입니다.

04 25개 **05** 10, 15, 20

06 예 호두의 수는 피자의 수의 5배입니다.

07 □×5=△(또는 △÷5=□) **08** 8판

09 (탑의 층수)×3=(성냥개비의 수)

또는 (성냥개비의 수)÷3=(탑의 층수)

10 27개 **11** 39, 40, 41 ; 39세

12 8, 12, 16

13 (요구르트 팩 수)×4=(요구르트 수)

또는 (요구르트 수)÷4=(요구르트 팩 수)

14 9팩

15 (위에서부터) 2500, 1500 ; 3000, 2000

16 (윤제가 모은 돈)+1000=(서윤이가 모은 돈)

또는 (서윤이가 모은 돈)−1000=(윤제가 모은 돈)

17 6000원

18 60, 90, 120 ; ○×30=◎(또는 ◎÷30=○)

19 △+3=☆(또는 ☆−3=△)

20 예 (도막 수)=(자른 횟수)+1이므로 통나무를 9번 자르면 10도막이 됩니다. ⇨ 2×9=18(분)

; 18분

69~71쪽 단원평가 5회 (C 난이도) 풀이는 31쪽에

01 4, 6, 8 **02** 26개 **03** 2

04 (위에서부터) 4, 15

05 △+13=◎(또는 ◎−13=△)

06 11, 22, 33, 44

07 △×11=◇(또는 ◇÷11=△)

08 6 **09** 60, 90, 120

10 (걸린 시간)×30=(이동 거리)

또는 (이동 거리)÷30=(걸린 시간)

11 15초 **12** ㉡ **13** ◇×◇=⊙

14 예 일곱 번째의 한 변에 놓인 가장 작은 정사각형의 수는 7개입니다.

⇨ (가장 작은 정사각형의 전체 개수)

=7×7=49(개) ; 49개

15 오전 5시, 오전 7시

16 ○×4=△(또는 △÷4=○) **17** 24

18 14개 **19** 24개

20 예 실을 접은 횟수와 도막 수 사이의 대응 관계를 표로 나타내면

접은 횟수(번)	1	2	3	……
도막 수(도막)	3	4	5	……

도막 수는 접은 횟수보다 2 더 크므로

(실을 6번 접은 후 가운데를 자른 도막 수)

=6+2=8(도막)입니다.

; 8도막

72쪽 단계별로 연습하는 서술형평가 풀이는 31쪽에

01 ❶ 6, 7, 8 ❷ 3 ❸ 18개

02 ❶ 75, 100, 125 ❷ 25 ❸ 375장

73쪽 풀이 과정을 직접 쓰는 서술형평가 풀이는 32쪽에

01 예 (배열 순서)×2=(사각형 조각의 수)이므로 배열 순서가 20일 때 사각형 조각은 20×2=40(개) 필요합니다.

; 40개

02 예 (색종이의 수)÷6=(응원 도구의 수)이므로 색종이 108장으로 응원 도구를 108÷6=18(개) 만들 수 있습니다.

; 18개

74쪽 밀크티 성취도평가 오답 베스트 5 풀이는 32쪽에

01 ③ **02** ②

03 22개 **04** 60개

05 117분

4 약분과 통분

77쪽 쪽지시험 1회

풀이는 32쪽에

01 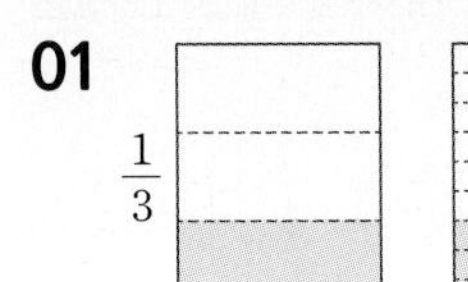 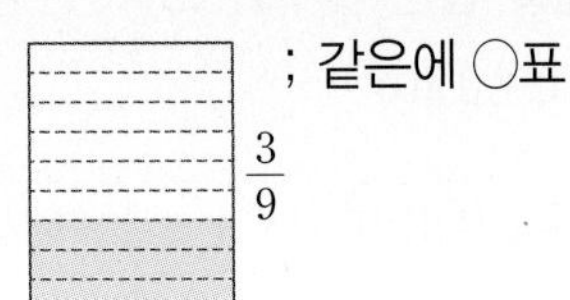 ; 같은에 ○표

02 예 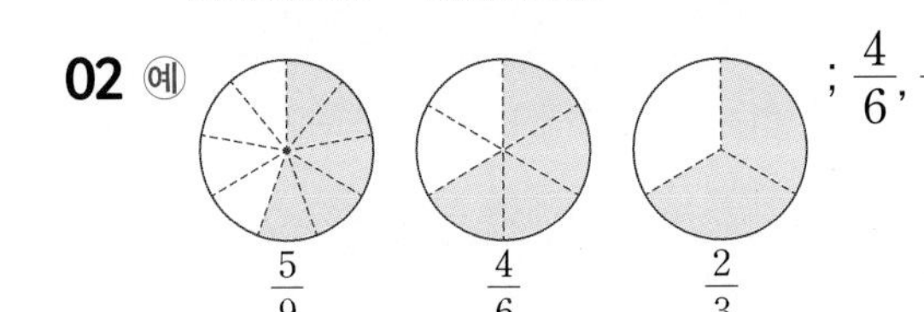 ; $\frac{4}{6}$, $\frac{2}{3}$

03 예 $\frac{6}{10}$, $\frac{4}{5}$, $\frac{3}{5}$ (수직선) ; $\frac{6}{10}$, $\frac{3}{5}$

04 4, 12　**05** 9, 1　**06** 6, 42

07 4, 6　**08** 18, 27　**09** 12, 8

10 $\frac{4}{6}$, $\frac{24}{36}$에 ○표

78쪽 쪽지시험 2회

풀이는 32쪽에

01 2, 21 ; 3, 14 ; 6, 7　**02** 8, $\frac{2}{5}$

03 14, $\frac{2}{3}$　**04** 3　**05** 5

06 $\frac{1}{5}$　**07** $\frac{1}{2}$　**08** $\frac{4}{5}$

09 $\frac{7}{9}$, $\frac{3}{10}$　**10** ㉠

79쪽 쪽지시험 3회

풀이는 33쪽에

01 32, 27　**02** $\frac{35}{42}$, $\frac{24}{42}$　**03** 9, 14

04 21, 22　**05** $\frac{33}{36}$, $\frac{28}{36}$　**06** 36, 14

07 35, 12　**08** 예 15, 30, 45

09 $\frac{20}{24}$, $\frac{9}{24}$　**10** ㉡

80쪽 쪽지시험 4회

풀이는 33쪽에

01 28, 30, $<$　**02** 9, 10, $<$　**03** 10, 9, $>$

04 4, 3, $>$　**05** 7, 6, $>$　**06** 8, 0.8, $=$

07 6, 0.6, $>$　**08** $<$　**09** $<$

10 $<$

81~83쪽 단원평가 1회

A 난이도

풀이는 33쪽에

01 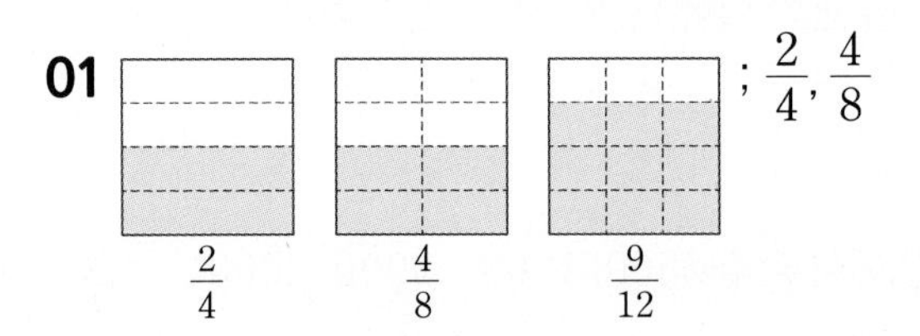 ; $\frac{2}{4}$, $\frac{4}{8}$

02 6　**03** 공통분모　**04** 4, $\frac{3}{10}$

05 2, 3　**06** 9, 2　**07** 12

08 4, 4, $\frac{5}{6}$　**09** 10, 4　**10** $\frac{8}{9}$

11 $\frac{22}{33}$, $\frac{27}{33}$　**12** 8, 15, $<$　**13** 하나

14 $\frac{49}{84}$, $\frac{26}{84}$　**15** ③　**16** $>$

17 ㉣　**18** $\frac{10}{15}$, $\frac{6}{9}$, $\frac{2}{3}$　**19** 노란색 끈

20 $\frac{1}{3}$

84~86쪽 단원평가 2회

A 난이도

풀이는 34쪽에

01 예 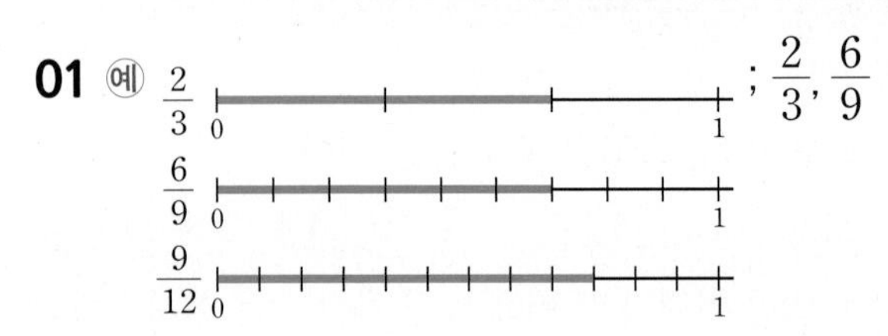 ; $\frac{2}{3}$, $\frac{6}{9}$

02 9, $\frac{45}{54}$　**03** 4, 4　**04** 기약분수

05 2, 14, 18, 7, 9; 2, 2, 4 ; 4, 4, $\frac{7}{9}$

06 ㉡　07 7, 9　08 $\frac{5}{12}$

09 $\frac{14}{18}, \frac{21}{27}, \frac{28}{36}$　10 $\frac{10}{45}, \frac{36}{45}$

11 7, 0.7, $>$　12 $\frac{8}{10}, \frac{16}{20}$에 ○표

13 $\frac{3}{13}$　14 $>$　15 ㉠

16 $\frac{1}{3}$　17 $\frac{15}{18}, \frac{4}{18}$　18 닭고기

19 $\frac{1}{6}, \frac{5}{6}$　20 ㉠, ㉢, ㉡

87~89쪽 단원평가 3회

B 난이도　풀이는 34쪽에

01 예 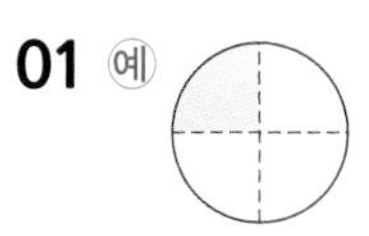 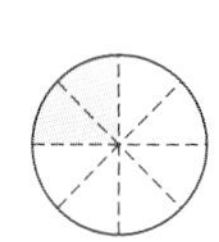 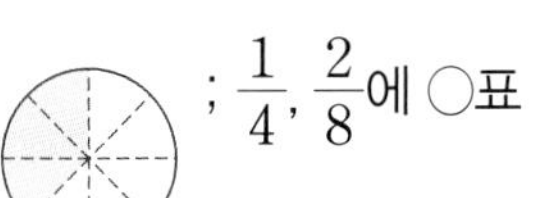 ; $\frac{1}{4}, \frac{2}{8}$에 ○표

02 (위에서부터) 3, 18, 3　03 6, 12, 12

04 3, 6 ; $\frac{21}{27}$; 3, $\frac{14}{18}$; 6, $\frac{7}{9}$

05 4, 6, 8 ; 2, 3, 4, 5, 6 ; 4, 3, 8, $\frac{6}{12}$

06 10, 27　07 $\frac{2}{5}$　08 ㉢

09 $\frac{21}{36}, \frac{14}{36}$　10 $<$　11 예 24, 48

12 ⑤　13 현우, 도희　14 2, 7, 14

15 어제　16 $\frac{9}{14}, \frac{18}{28}$

17 20, 40, 60, 80　18 $\frac{1}{2}$

19 예 $\frac{5}{6}=\frac{5\times2}{6\times2}=\frac{10}{12}, \frac{5}{6}=\frac{5\times3}{6\times3}=\frac{15}{18},$

$\frac{5}{6}=\frac{5\times4}{6\times4}=\frac{20}{24}, \frac{5}{6}=\frac{5\times5}{6\times5}=\frac{25}{30}\cdots\cdots$

$\frac{5}{6}$와 크기가 같은 분수 중에서 분모가 30보다 작은 분수는 $\frac{10}{12}, \frac{15}{18}, \frac{20}{24}$으로 모두 3개입니다. ; 3개

20 1, 2, 3, 4, 5, 6

90~92쪽 단원평가 4회

B 난이도　풀이는 35쪽에

01 2, $\frac{7}{26}$　02 36

03 $\frac{6}{10}, \frac{9}{15}$에 ○표　04 8, 15

05 8　06 $\frac{3}{18}, \frac{14}{18}$　07 $\frac{4}{5}, \frac{11}{13}, \frac{8}{15}$

08 $\frac{52}{96}, \frac{45}{96}, >$　09 (선 잇기)　10 ㉡

11 $\frac{7}{11}$에 ○표　12 $\frac{12}{21}$에 ×표　13 ①

14 찬호　15 $\frac{4}{21}, \frac{5}{14}$　16 예나

17 $\frac{5}{7}$　18 $\frac{45}{108}, \frac{42}{108}$

19 예 분모를 12로 통분하면 $\frac{2}{3}=\frac{8}{12}, \frac{5}{6}=\frac{10}{12}$입니다.

⇨ $\frac{10}{12}>\frac{8}{12}>\frac{7}{12}$ ⇨ $\frac{5}{6}>\frac{2}{3}>\frac{7}{12}$

따라서 우유가 가장 많습니다. ; 우유

20 $\frac{14}{35}$

93~95쪽 단원평가 5회

C 난이도　풀이는 36쪽에

01 20, 21, 40　02 $\frac{3}{4}$에 ○표

03 예 (그림) ; 3　04 $\frac{1}{4}$

05 $\frac{48}{90}, \frac{75}{90}$　06 $\frac{5}{18}$에 ○표

07 $\frac{56}{70}, \frac{15}{70}$　08 $<$　09 ③

10 ㉡　11 $\frac{2}{7}$　12 ①

13 (위에서부터) $\frac{1}{6}, \frac{1}{6}, \frac{4}{7}$　14 $\frac{70}{90}, \frac{78}{90}$

15 $\frac{2}{3}, \frac{2}{7}, \frac{3}{7}, \frac{6}{7}$　16 우체국

17 예 $\frac{5}{18}<\frac{\square}{6}<\frac{2}{3}$ ⇨ $\frac{5}{18}<\frac{\square\times3}{18}<\frac{12}{18}$

⇨ $5<\square\times3<12$이므로 $\square=2, 3$입니다. ; 2, 3

18 $\frac{20}{48}$　　**19** 선규

20 예 $0.6=\frac{6}{10}=\frac{24}{40}$보다 크고 $\frac{7}{8}=\frac{35}{40}$보다 작은 분수 중 분모가 40인 분수는 $\frac{25}{40}, \frac{26}{40}, \frac{27}{40}, \frac{28}{40}, \frac{29}{40}, \frac{30}{40}, \frac{31}{40}, \frac{32}{40}, \frac{33}{40}, \frac{34}{40}$입니다.
따라서 모두 10개입니다. ; 10개

96~97쪽 단계별로 연습하는 서술형평가 풀이는 36쪽에

01 ❶ $\frac{1}{6}$　❷ $\frac{2}{12}$　❸ 2조각

02 ❶ 3, 3, $\frac{5}{12}$　❷ 12, 12, $\frac{2}{3}$　❸ $\frac{5}{12}, \frac{2}{3}$

03 ❶ 45, $\frac{9}{20}$　❷ $\frac{17}{30}$　❸ 포도주스

04 ❶ 2, 3, 4, 5, 6 ; $\frac{4}{10}, \frac{6}{15}, \frac{8}{20}, \frac{10}{25}, \frac{12}{30}$
❷ $\frac{8}{20}$

98~99쪽 풀이 과정을 직접 쓰는 서술형평가 풀이는 37쪽에

01 예 지영이가 먹은 양은 전체의 $\frac{1}{4}$이므로 현수는 전체의 $\frac{1}{4}=\frac{1\times2}{4\times2}=\frac{2}{8}$를 먹어야 합니다.
⇨ 현수는 2조각을 먹어야 합니다.
; 2조각

02 예 $\frac{21}{48}=\frac{21\div3}{48\div3}=\frac{7}{16}, \frac{28}{48}=\frac{28\div4}{48\div4}=\frac{7}{12}$이므로 통분하기 전의 두 분수는 $\frac{7}{16}, \frac{7}{12}$입니다.
; $\frac{7}{16}, \frac{7}{12}$

03 예 $0.75=\frac{3}{4}$,
$\left(\frac{3}{4}, \frac{7}{12}\right) ⇨ \left(\frac{9}{12}, \frac{7}{12}\right) ⇨ \frac{3}{4}>\frac{7}{12}$,
$\left(\frac{7}{12}, \frac{1}{4}\right) ⇨ \left(\frac{7}{12}, \frac{3}{12}\right) ⇨ \frac{7}{12}>\frac{1}{4}$
따라서 $0.75>\frac{7}{12}>\frac{1}{4}$이므로 냉장고에 가장 많이 들어 있는 것은 수박주스입니다.
; 수박주스

04 예 $\frac{4}{7}=\frac{4\times2}{7\times2}=\frac{4\times3}{7\times3}=\frac{4\times4}{7\times4}=\frac{4\times5}{7\times5}$
$=\frac{4\times6}{7\times6}$……
⇨ $\frac{4}{7}$와 크기가 같은 분수를 분모가 작은 것부터 차례로 쓰면 $\frac{4}{7}=\frac{8}{14}=\frac{12}{21}=\frac{16}{28}=\frac{20}{35}=\frac{24}{42}$……이므로 이 중 분모와 분자의 차가 15인 분수는 $\frac{20}{35}$입니다.
; $\frac{20}{35}$

100쪽 밀크티 성취도평가 오답 베스트 5 풀이는 37쪽에

01 ②　**02** (　)(○)
03 ③　**04** 4개
05 병원

5 분수의 덧셈과 뺄셈

103쪽 쪽지시험 1회 　풀이는 38쪽에

01 3, 3, 10, 3, 13　02 7, 7, 7, 8, 15, 1, 1

03 $\frac{13}{21}$　04 $1\frac{11}{20}$　05 $1\frac{1}{18}$

06 $\frac{17}{40}$　07　08 $\frac{50}{63}$

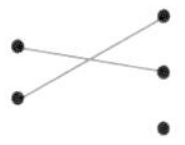

09 (　)(○)　10 $1\frac{1}{4}$

104쪽 쪽지시험 2회 　풀이는 38쪽에

01 예 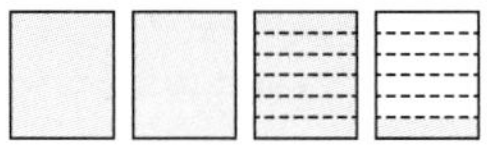 ; 3, 1

02 21, 10, 2, 31, 2, 31

03 8, 9, 56, 45, 101, 2, 31

04 $5\frac{7}{24}$　05 $4\frac{1}{6}$

06 $2\frac{4}{9}+1\frac{1}{6}-\frac{22}{9}+\frac{7}{6}-\frac{44}{18}+\frac{21}{18}-\frac{65}{18}-3\frac{11}{18}$

07 $3\frac{17}{30}$　08 (　)(○)　09 $<$

10 $8\frac{53}{56}$ cm

105쪽 쪽지시험 3회 　풀이는 38쪽에

01 4, 1　02 8, 3, 1, 5, 1, 5

03 11, 45, 22, 23, 2, 3

04 $\frac{33}{56}$　05 $3\frac{2}{15}$

06 $\frac{8}{9}-\frac{1}{6}=\frac{8\times6}{9\times6}-\frac{1\times9}{6\times9}$

$=\frac{48}{54}-\frac{9}{54}=\frac{39}{54}=\frac{13}{18}$

07 $1\frac{13}{30}$　08 $\frac{3}{28}$　09 $5\frac{3}{10}$

10 $=$

106쪽 쪽지시험 4회 　풀이는 38쪽에

01 4, 10, 10, 5　02 8, 11, 16, 11, 5

03 $\frac{19}{24}$　04 $1\frac{19}{42}$

05 $2\frac{29}{30}$　06 $2\frac{23}{36}$

07 $2\frac{3}{7}-1\frac{1}{2}=2\frac{6}{14}-1\frac{7}{14}=1\frac{20}{14}-1\frac{7}{14}$

$=(1-1)+\left(\frac{20}{14}-\frac{7}{14}\right)=\frac{13}{14}$

08 $3\frac{1}{4}-2\frac{3}{10}=\frac{13}{4}-\frac{23}{10}=\frac{65}{20}-\frac{46}{20}=\frac{19}{20}$

09 (　)(○)　10 $3\frac{7}{18}$

107~109쪽 단원평가 1회 　A 난이도　풀이는 39쪽에

01 3, 5　02 7, 3, 14, 15, 29, 1, 8

03 3, 7, 5　04 2, 3, 2, 3, 3, 5, 3, 5

05 28, 15, 28, 15, 13, 1, 13　06 $\frac{13}{18}$

07 $\frac{11}{28}$　08 $1\frac{1}{14}$　09 $2\frac{17}{24}$　10 $\frac{1}{24}$

11 $1\frac{3}{4}+1\frac{2}{5}=\frac{7}{4}+\frac{7}{5}=\frac{35}{20}+\frac{28}{20}=\frac{63}{20}=3\frac{3}{20}$

12　13 $2\frac{23}{24}$ cm　14 $2\frac{2}{3}$

15 $<$　16 $35\frac{3}{35}$ cm

17 (　)(○)　18 $\frac{29}{40}$ L　19 ㉠

20 $10\frac{7}{18}$ g

110~112쪽 단원평가 2회 　A 난이도　풀이는 39쪽에

01 2, 1　02 4 ; 3 ; 4, 3, 7

03 21, 12, 33, 1, 5　04 8, 9, 8, 9, 4, 17, 4, 17

05 37, 11, 74, 33, 41, 2, 5　06 $3\frac{23}{30}$

07 $1\frac{1}{28}$　08 $\frac{13}{77}$

09 $2\frac{1}{4}-1\frac{7}{10}=2\frac{5}{20}-1\frac{14}{20}=1\frac{25}{20}-1\frac{14}{20}=\frac{11}{20}$

10 $5\frac{5}{16}$ **11** $\frac{19}{48}$ **12** $>$

13 $5\frac{5}{24}$, $6\frac{7}{18}$ **14** 진석 **15** ㉡

16 $1\frac{5}{6}$, $1\frac{7}{30}$ **17** $3\frac{17}{20}$ km **18** $2\frac{1}{3}$

19 $1\frac{1}{5}$ **20** $6\frac{27}{28}$ kg

113~115쪽 단원평가 3회

B 난이도 풀이는 40쪽에

01 예 ; 3, 8 ; 3, 8, 11

02 8, 8, 3, 3, 16, 3, 13 **03** 21, 21, 4, 29, $4\frac{29}{45}$

04 ②, ⑤ **05** $4\frac{11}{14}$ **06** $\frac{19}{20}$ **07** $\frac{55}{63}$

08 $3\frac{1}{2}-1\frac{5}{6}=\frac{7}{2}-\frac{11}{6}=\frac{21}{6}-\frac{11}{6}$

$=\frac{10}{6}=1\frac{4}{6}=1\frac{2}{3}$

09

10 $\frac{4}{7}+\frac{2}{3}=\frac{12}{21}+\frac{14}{21}=\frac{26}{21}=1\frac{5}{21}$

11 $2\frac{1}{6}$, $3\frac{7}{12}$ **12** $1\frac{7}{18}$ m **13** $1\frac{7}{48}$ kg

14 $<$ **15** $1\frac{3}{20}$ **16** $\frac{11}{20}$

17 $\frac{41}{60}$ **18** ㉣ **19** $1\frac{3}{10}$

20 예 두 종이테이프 길이의 합에서 겹쳐진 부분의 길이를 뺍니다.

$2\frac{3}{10}+2\frac{3}{10}-\frac{5}{14}=4\frac{6}{10}-\frac{5}{14}$

$=4\frac{42}{70}-\frac{25}{70}=4\frac{17}{70}$ (m)

; $4\frac{17}{70}$ m

116~118쪽 단원평가 4회

B 난이도 풀이는 40쪽에

01 10, 12, $\frac{4}{5}$ **02** 28, 10, 18 **03** ②

04 $5\frac{7}{9}+3\frac{3}{5}=\frac{52}{9}+\frac{18}{5}=\frac{260}{45}+\frac{162}{45}$

$=\frac{422}{45}=9\frac{17}{45}$

05 $1\frac{1}{12}$ **06** $3\frac{37}{40}$ **07** $\frac{19}{30}$

08 $\frac{27}{40}$ **09** $7\frac{1}{12}$ **10** $\frac{23}{24}$ m

11 ㉡ **12** $5\frac{23}{56}$, $\frac{17}{35}$ **13** $<$

14 $4\frac{1}{10}$컵 **15** ② **16** $24\frac{2}{15}$ kg

17 $11\frac{19}{42}$ **18** $1\frac{1}{4}$ **19** 7, 8, 9

20 예 콜라와 우유는 모두 $\frac{3}{8}+\frac{4}{9}=\frac{27}{72}+\frac{32}{72}=\frac{59}{72}$ (L)입니다. ⇨ 주스는 $1-\frac{59}{72}=\frac{72}{72}-\frac{59}{72}=\frac{13}{72}$ (L) 준비해야 합니다. ; $\frac{13}{72}$ L

119~121쪽 단원평가 5회

C 난이도 풀이는 41쪽에

01 $\frac{34}{35}$ **02** $1\frac{9}{40}$ **03** $\frac{17}{42}$

04 $1\frac{9}{20}$ **05** $4\frac{19}{24}$ **06** 29

07 $6\frac{1}{5}-2\frac{3}{8}=6\frac{8}{40}-2\frac{15}{40}=5\frac{48}{40}-2\frac{15}{40}=3\frac{33}{40}$

08 $=$ **09** $\frac{35}{36}$ L **10** $1\frac{13}{30}$ **11** ㉡

12 ③, ④ **13** $\frac{19}{21}$ **14** $3\frac{11}{12}$

15 $1\frac{1}{12}$, $4\frac{3}{4}$ **16** 복숭아, $\frac{23}{90}$ kg

17 예 어제와 오늘 읽은 동화책은 전체의

$\frac{1}{2}+\frac{1}{5}=\frac{5}{10}+\frac{2}{10}=\frac{7}{10}$입니다.

⇨ 동화책을 다 읽으려면 전체의

$1-\frac{7}{10}=\frac{10}{10}-\frac{7}{10}=\frac{3}{10}$을 더 읽어야 합니다.

; $\frac{3}{10}$

18 $2\frac{1}{12}$ kg

19 $\frac{17}{48}$

20 예 어떤 수를 □라고 하면 $\square-\frac{3}{4}=\frac{5}{14}$,

$\square=\frac{5}{14}+\frac{3}{4}=\frac{10}{28}+\frac{21}{28}=\frac{31}{28}=1\frac{3}{28}$입니다.

⇨ 바르게 계산하면

$1\frac{3}{28}+\frac{3}{4}=1\frac{3}{28}+\frac{21}{28}=1\frac{24}{28}=1\frac{6}{7}$입니다.

; $1\frac{6}{7}$

122~123쪽 단계별로 연습하는 서술형평가 풀이는 42쪽에

01 ❶ 2, 3, 2, 5 ❷ 2시간 50분

02 ❶ 8, 25, 48, 25, 1, 23 ❷ $1\frac{13}{40}$ L

03 ❶ $7\frac{4}{5}$, $8\frac{2}{3}$ ❷ 민수, $\frac{13}{15}$

04 ❶ $3\frac{9}{20}$ m ❷ $4\frac{5}{12}$ m ❸ 지후

124~125쪽 풀이 과정을 직접 쓰는 서술형평가 풀이는 42쪽에

01 예 구리: $\frac{13}{20}$, 아연: $\frac{1}{5}=\frac{4}{20}$

⇨ $\frac{13}{20}>\frac{4}{20}$이므로 구리가 아연보다 전체의

$\frac{13}{20}-\frac{4}{20}=\frac{9}{20}$만큼 더 많이 사용됩니다.

; 구리, $\frac{9}{20}$

02 예 (기차를 탄 시간)+(버스를 탄 시간)

$=2\frac{1}{4}+1\frac{1}{5}=2\frac{5}{20}+1\frac{4}{20}=3\frac{9}{20}$(시간)

⇨ $3\frac{9}{20}$시간$=3\frac{27}{60}$시간=3시간 27분이므로 주영이가 기차와 버스를 탄 시간은 모두 3시간 27분입니다.

; 3시간 27분

03 예 밭 전체를 1이라고 하면

(남은 부분)$=1-\frac{2}{5}-\frac{3}{10}=\frac{10}{10}-\frac{4}{10}-\frac{3}{10}$

$=\frac{6}{10}-\frac{3}{10}=\frac{3}{10}$

⇨ 배추와 상추를 심고 남은 부분은 전체의 $\frac{3}{10}$입니다.

; $\frac{3}{10}$

04 예 • 승민이가 만든 가장 큰 대분수: 자연수 부분에 가장 큰 수를 놓아 만들면 $8\frac{1}{3}$입니다.

• 다연이가 만든 가장 작은 대분수: 자연수 부분에 가장 작은 수를 놓아 만들면 $2\frac{4}{7}$입니다.

⇨ $8\frac{1}{3}>2\frac{4}{7}$이므로 승민이가 만든 대분수가

$8\frac{1}{3}-2\frac{4}{7}=8\frac{7}{21}-2\frac{12}{21}=7\frac{28}{21}-2\frac{12}{21}$

$=5\frac{16}{21}$ 더 큽니다.

; 승민, $5\frac{16}{21}$

05 예 (명주가 마신 우유의 양)

$=\frac{1}{6}+\frac{3}{8}=\frac{4}{24}+\frac{9}{24}=\frac{13}{24}$(L)

(진호가 마신 우유의 양)

$=\frac{3}{5}+\frac{1}{2}=\frac{6}{10}+\frac{5}{10}=\frac{11}{10}=1\frac{1}{10}$(L)

⇨ $\frac{13}{24}<1\frac{1}{10}$이므로 우유를 더 많이 마신 사람은 진호입니다.

; 진호

126쪽 밀크티 성취도평가 오답 베스트 5 풀이는 43쪽에

01 $1\frac{7}{15}$

02 <

03 ㉢

04 $12\frac{9}{40}$

05 $14\frac{22}{63}$

6 다각형의 둘레와 넓이

130쪽 쪽지시험 1회
풀이는 43쪽에

01 4, 12　02 6, 30　03 세로, 4, 28
04 4　05 4, 2, 20　06 4, 20
07 8, 32　08 35 cm　09 24 cm
10 26 cm

131쪽 쪽지시험 2회
풀이는 43쪽에

01 1 cm^2　02

03 세로, 7, 35　04 6　05 4000000
06 예

07 55 cm^2
08 81 cm^2
09 24
10 48 cm^2

132쪽 쪽지시험 3회
풀이는 44쪽에

01 예　02 예

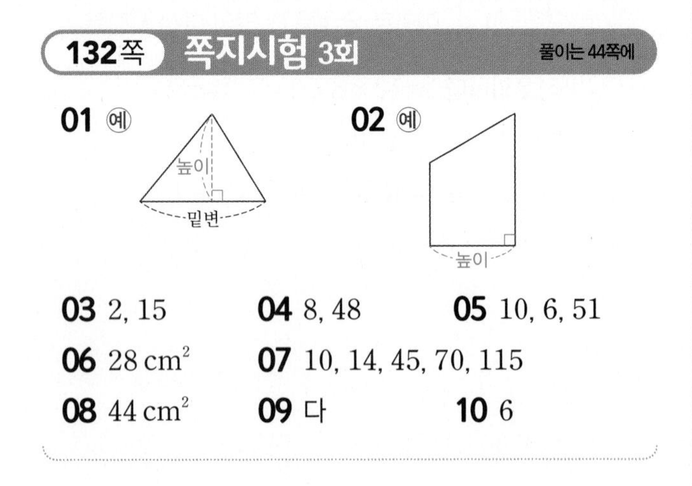

03 2, 15　04 8, 48　05 10, 6, 51
06 28 cm^2　07 10, 14, 45, 70, 115
08 44 cm^2　09 다　10 6

133~135쪽 단원평가 1회 (A 난이도)
풀이는 44쪽에

01 7, 56　02 7, 22　03 8, 26
04 8, 3　05 상구
06 (1) 예　(2) 예

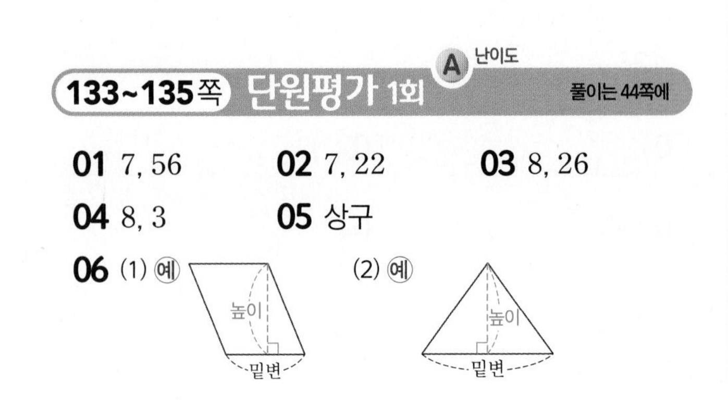

07 높이, 아랫변　08 <　09 4, 4, 44
10 121 cm^2　11 105 cm^2　12 24
13 6 cm^2　14 39 cm^2　15 60 cm^2
16 예

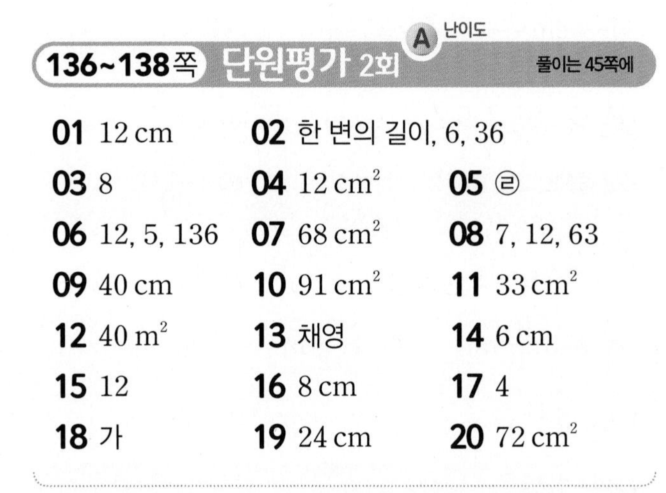

17 8
18 ㉠
19 8
20 54 cm^2

136~138쪽 단원평가 2회 (A 난이도)
풀이는 45쪽에

01 12 cm　02 한 변의 길이, 6, 36
03 8　04 12 cm^2　05 ㉣
06 12, 5, 136　07 68 cm^2　08 7, 12, 63
09 40 cm　10 91 cm^2　11 33 cm^2
12 40 m^2　13 채영　14 6 cm
15 12　16 8 cm　17 4
18 가　19 24 cm　20 72 cm^2

139~141쪽 단원평가 3회 (B 난이도)
풀이는 46쪽에

01 400000　02 6 cm^2　03 라
04 18 cm^2　05 225 cm^2
06 110 cm^2, 20 cm^2　07 130 cm^2
08 90 cm^2　09 15 m^2　10 189 cm^2
11 28 cm　12 7 cm
13 예

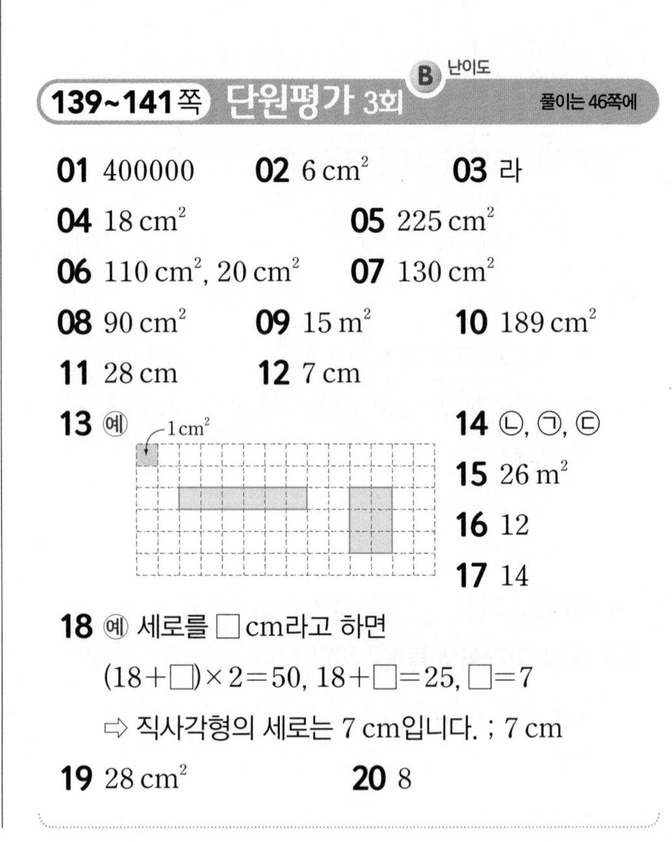

14 ㉡, ㉠, ㉢
15 26 m^2
16 12
17 14
18 예 세로를 □cm라고 하면
(18+□)×2=50, 18+□=25, □=7
⇨ 직사각형의 세로는 7 cm입니다. ; 7 cm
19 28 cm^2　20 8

142~144쪽 단원평가 4회 (B 난이도) 풀이는 46쪽에

01 32 cm **02** 8 cm^2, 9 cm^2 **03** 나

04 152 cm^2 **05** 3, 3, 12 **06** 42 cm^2

07 21

08 예

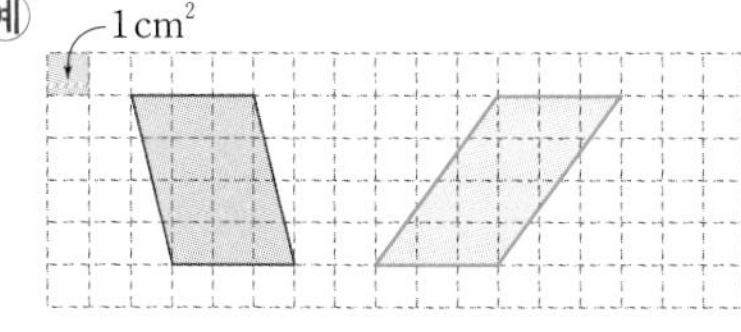

09 9 cm **10** 8 cm **11** 선호

12 4 **13** 625 cm^2 **14** ①

15 4 cm **16** 52 cm **17** 4

18 7 cm **19** 33 cm^2

20 예 가운데 마름모의 두 대각선의 길이는 모두 12 cm입니다.

$(12\times12)-(12\times12\div2)=144-72=72\,(cm^2)$

⇨ 색칠한 부분의 넓이는 72 cm^2입니다. ; 72 cm^2

145~147쪽 단원평가 5회  난이도 풀이는 47쪽에

01 16 cm **02** 24 cm^2 **03** 24 cm^2

04 56 cm **05** 28 km^2 **06** 30 cm^2

07 다 **08** 1 **09** 가

10 5 cm

11 예

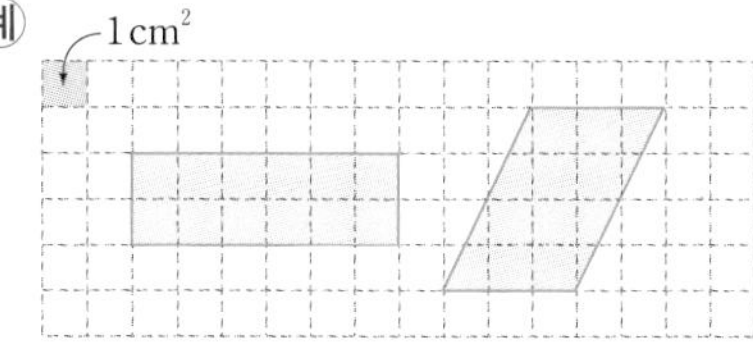

12 96 cm^2 **13** 13 **14** 12

15 예 색칠한 부분의 넓이는 가로가 $12-3=9$ (cm)이고 세로가 $10-2=8$ (cm)인 직사각형의 넓이와 같습니다.

⇨ (색칠한 부분의 넓이)$=9\times8=72\,(cm^2)$

; 72 cm^2

16 60 cm^2 **17** 4 cm

18 예 (직사각형의 둘레)$=(22+14)\times2=72$ (cm)

(정사각형의 한 변의 길이)$=72\div4=18$ (cm)

(정사각형의 넓이)$=18\times18=324\,(cm^2)$

; 324 cm^2

19 1440 cm^2 **20** 14 cm^2

148~149쪽 단계별로 연습하는 서술형평가 풀이는 48쪽에

01 ❶ 12 cm ❷ 72 cm^2

02 ❶ 180 cm^2 ❷ 196 cm^2 ❸ 나

03 ❶ 108 cm^2 ❷ 20 cm^2 ❸ 88 cm^2

04 ❶ 20 cm^2 ❷ 60 cm^2 ❸ 10

150~151쪽 풀이 과정을 직접 쓰는 서술형평가 풀이는 48쪽에

01 예 마름모의 대각선의 길이는 원의 지름과 같으므로 (마름모의 대각선의 길이)$=10\times2=20$ (cm)

⇨ (마름모의 넓이)$=20\times20\div2=200\,(cm^2)$

; 200 cm^2

02 예 (직사각형 가의 넓이)$=10\times14=140\,(cm^2)$

(정사각형 나의 넓이)$=12\times12=144\,(cm^2)$

⇨ 140 cm^2 < 144 cm^2이므로 가 < 나입니다.

; 나

03 예 (사다리꼴의 넓이)

$=(12+15)\times8\div2=108\,(cm^2)$

(마름모의 넓이)$=12\times8\div2=48\,(cm^2)$

⇨ (색칠한 부분의 넓이)

$=$(사다리꼴의 넓이)$-$(마름모의 넓이)

$=108-48=60\,(cm^2)$

; 60 cm^2

04 예 (삼각형 나의 넓이)$=9\times4\div2=18\,(cm^2)$

(삼각형 가의 넓이)$=18\times2=36\,(cm^2)$

⇨ $8\times\square\div2=36$, $8\times\square=72$, $\square=9$

; 9

152쪽 밀크티 성취도평가 오답 베스트 5 풀이는 48쪽에

01 12 cm **02** 10

03 76 cm^2 **04** ㉠

05 48 cm^2

정답 및 풀이

1 자연수의 혼합 계산

3쪽 쪽지시험 1회

01 36, 49 **02** 31, 23 **03** 18, 36

04 8, 9 **05** 24 **06** 6

07 $72-(16+25)=72-41=31$

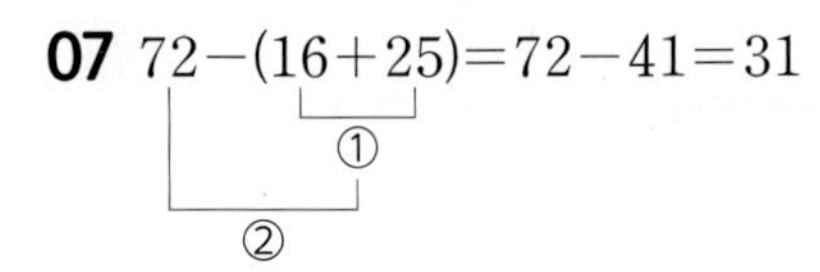

08 $6\times(8\div2)=6\times4=24$ (① $8\div2$, ② 6×4)

09 (선 잇기)

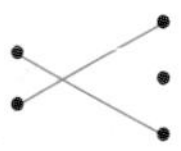

10 <

09 $52-28+19=43$, $52-(28+19)=5$ ($52-28=24$, $24+19=43$; $28+19=47$, $52-47=5$)

10 $24\times8\div16=192\div16=12$,

$96\div(3\times2)=96\div6=16$

⇨ $12<16$

4쪽 쪽지시험 2회

01 10, 25, 10, 15 **02** 12, 36, 41

03 22, 66, 26 **04** ㉢, ㉠, ㉡

05 ㉡, ㉠, ㉢ **06** 75 **07** 46

08 64 **09** ㉡ **10** 민수

09 ㉠ $5\times(7+2)-18=5\times9-18=45-18=27$

㉡ $17+2\times8-9=17+16-9=33-9=24$

10 다현: $6+4\times8-17=6+32-17$

$=38-17=21$

5쪽 쪽지시험 3회

01 3, 22, 29 **02** 6, 8, 17 **03** 4, 74, 4, 70

04 27 **05** 19 **06** 24

07 $16+7-54\div9=16+7-6$ (① $54\div9$, ② $16+7$, ③ $23-6$)

$=23-6$

$=17$

08 영주 **09** > **10** 20

09 $(40+2)\div7-3=42\div7-3=6-3=3$

⇨ $7>3$

10 • $60+(30-18)\div3=60+12\div3=60+4=64$

• $60+30-18\div3=60+30-6=90-6=84$

⇨ $84-64=20$

6쪽 쪽지시험 4회

01 9, 9, 2, 98 **02** 21, 21, 3, 8 **03** 3, 36, 9, 30

04 18×2에 밑줄 **05** $(8-4)$에 밑줄

06 64 **07** 34 **08** 9

09 = **10** 수지

09 $5\times9-(16+17)\div3=5\times9-33\div3$

$=45-33\div3$

$=45-11=34$

10 나은: $72-48\div8+7\times2=80$

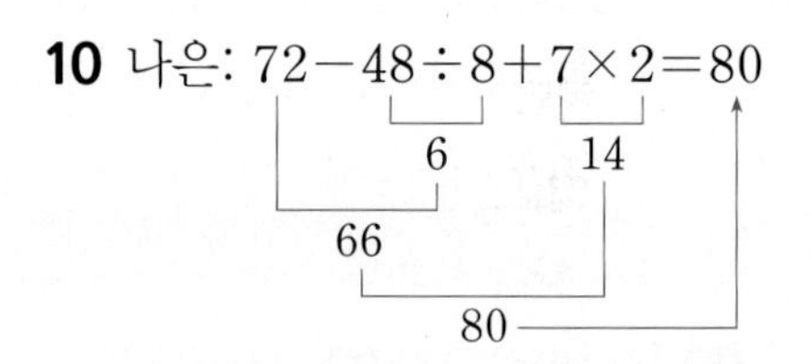

7~9쪽 단원평가 1회 (난이도 A)

01 4×2에 ○표 **02** 35, 59

03 (계산 순서대로) 8, 72, 72 **04** ( )(○)

05 ㉡, ㉢, ㉠, ㉣ **06** 12

07 96 **08** ④

09 $33+4\times7-38=33+28-38$ (① 4×7, ② $33+28$, ③ $61-38$)

$=61-38$

$=23$

10 (선 잇기) **11** > **12** 12

13 $24\times(16-7)=24\times9=216$ (① $16-7$, ② 24×9)

14 19, 25, 4, 11 ; 11 **15** ③

16 소담 **17** 14 **18** 5, 4, 15

19 43명 **20** $23+54\div(6-4)=50$

08 ④ 뺄셈보다 곱셈을 먼저 계산하므로 (　)가 없어도 계산 결과가 같습니다.

10 $49-(23+8)=49-31=18$,
$49-23+8=26+8=34$

11 $48\div2\times3=24\times3=72$,
$48\div(2\times3)=48\div6=8$
⇨ $72>8$

16 $15+(24-18)\times14\div7$
$=15+6\times14\div7$
$=15+84\div7$
$=15+12=27$

17 $75\div(5\times3)=5$, $6\times18\div12=9$
15, 5　108, 9
⇨ $5+9=14$

19 (지금 버스에 타고 있는 사람 수)
=(버스에 타고 있던 사람 수)
−(내린 사람 수)+(탄 사람 수)
$=55-23+11$
$=32+11=43$(명)

20 $23+54\div(6-4)=50$
2, 27, 50

10~12쪽 단원평가 2회 (난이도 A)

01 ㉠　**02** 51, 87
03 (계산 순서대로) 6, 48, 32, 32　**04** 2, 4, 1, 3
05 20　**06** 129　**07** ㉠
08 (선 잇기)　**09** $39+(47-26)\div3\times5=74$
① 21, ② 7, ③ 35, ④ 74
10 $<$　**11** ㉡　**12** ㉡
13 45　**14** $120\div15\times2=16$; 16
15 수현　**16** 6　**17** 17, 31, 10
18 2, 5, 18　**19** 14일　**20** ×

07 ㉠ $42\div7\times(9-3)+4$
② ① ③ ④

08 $72\div(2\times4)=72\div8=9$,
$(23-9)\div2=14\div2=7$

10 $63\div9+12=7+12=19$ ⇨ $19<21$

11 ㉡ 곱셈, 나눗셈, 뺄셈이 섞여 있는 식은 곱셈, 나눗셈을 앞에서부터 차례로 계산하므로 (　)가 없어도 계산 결과는 같습니다.

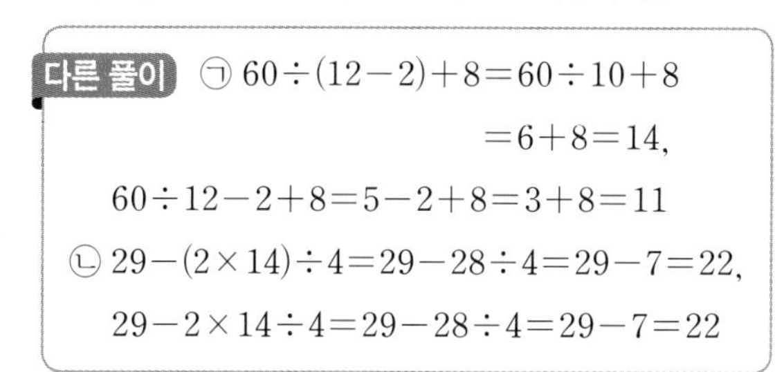
다른 풀이 ㉠ $60\div(12-2)+8=60\div10+8$
$=6+8=14$,
$60\div12-2+8=5-2+8=3+8=11$
㉡ $29-(2\times14)\div4=29-28\div4=29-7=22$,
$29-2\times14\div4=29-28\div4=29-7=22$

12 ㉠ $57-(9+2)\times3=57-11\times3$
$=57-33=24$

13 $52-(6+8)+15=52-14+15$
$=38+15=53$
⇨ $53-8=45$

16 $16+(32-17)\div5=16+15\div5$
$=16+3=19$
$120\div12+(7-4)=120\div12+3$
$=10+3=13$
⇨ $19-13=6$

17 (안경을 쓴 학생 수)
=(전체 학생 수)−(안경을 쓰지 않은 학생 수)
=(남학생 수)+(여학생 수)
−(안경을 쓰지 않은 학생 수)
$=24+17-31=41-31=10$(명)

18 $48-(4+2)\times5=48-6\times5$
$=48-30=18$(개)

19 6주는 (7×6)일입니다.
⇨ $7\times6\div3=42\div3=14$(일)

20 $26+40\times2-14=92$
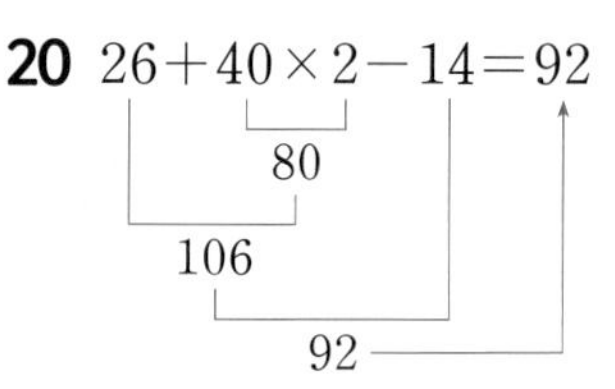

13~15쪽 단원평가 3회 (B 난이도)

01 (12+4)에 ○표

02 $32 \div 4 + 10$ (① $32 \div 4$, ② $+10$)

03 18, 18, 61　04 ×　05 7

06 22　07 ③　08 36

09 >　10 지수　11 ④

12 30　13 68　14 83

15 $16 \times 28 + 12 = 460$; 460개　16 392

17 예 12자루씩 4타가 있고 8명에게 똑같이 나누어 주었으므로 한 사람은 연필을 $12 \times 4 \div 8 = 48 \div 8 = 6$(자루) 가지게 됩니다. ; 6자루

18 200원　19 19　20 ×, +, ÷

04 $42-(8+27)=42-35=7$,
$42-8+27=34+27=61$

07 덧셈과 곱셈이 섞여 있는 식은 곱셈을 먼저 계산하므로 (　)가 없어도 계산 결과가 같습니다.

09 $16 \times 5 \div 4 = 80 \div 4 = 20$,
$9+(23-15)=9+8=17$
⇨ $20 > 17$

10 • 지수: $25+(44-11)\div 3=25+33\div 3$
$=25+11=36$
• 병찬: $68-20\times 9\div 3=68-180\div 3$
$=68-60=8$

11 (전체 자두의 수)
=(12개씩 33봉지에 있는 자두의 수)
+(15개씩 17봉지에 있는 자두의 수)
$=12\times 33+15\times 17$

12 $50-(45+15)\div 6\times 3$
$=50-60\div 6\times 3$
$=50-10\times 3$
$=50-30=20$
⇨ $20+10=30$

13 $74-(8+7)+9=68$ (15, 59, 68)

14 ㉠ $24+(18-2)\times 7=24+16\times 7$
$=24+112=136$
㉡ $56-(9+3)\div 4=56-12\div 4$
$=56-3=53$
⇨ $136-53=83$

15 (딴 사과 수)
=(16개씩 28상자에 담은 사과 수)
+(남은 사과 수)
$=16\times 28+12$
$=448+12=460$(개)

16 $49 \circledcirc 7=(49+7)\times(49\div 7)=56\times 7=392$

18 (㉯ 초콜릿 1개 값)−(㉮ 초콜릿 1개 값)
$=2700\div 3-3500\div 5$
$=900-3500\div 5$
$=900-700=200$(원)

19 $5+\square\times(23-18)=100$,
$5+\square\times 5=100$, $\square\times 5=100-5$,
$\square\times 5=95$, $\square=95\div 5$, $\square=19$

20 $7\times 5+6\div 2=38$ (35, 3, 38)

16~18쪽 단원평가 4회 (B 난이도)

01 4, 72　02 (　)(○)　03 ②

04 30　05 35

06 $84-(54+7)+3=26$ (① 61, ② 23, ③ 26)　07 <

08 $24+(19-3)\div 4=24+16\div 4=24+4=28$

09 (선 잇기)　10 120　11 13, 5, 5

12 13, 5, 2, 3

13 $(56-8)\div 12+3=7$; 7　14 36줄

15 17개　16 24개　17 14개

18 (위에서부터) 7, 25, 459, 459

19 $14 \times (15 - 9) \div 3 = 8$

20 예 복숭아 65개를 한 상자에 9개씩 7상자에 담았습니다. 남은 복숭아는 몇 개일까요? ; 예 2개

07 $210\div(5\times6)=210\div30=7$ ⇨ $7<8$

09 $5\times(48\div6)-7=5\times8-7$
$=40-7=33$
$97-(5+4)\times7=97-9\times7$
$=97-63=34$

10 $54\div(6\times3)=3$, $5\times80\div10=40$
18, 3 / 400, 40
⇨ $3\times40=120$

11 (한 사람이 받은 색종이 수)
=(전체 색종이 수)÷(사람 수)
$=(12+13)\div5$
$=25\div5=5$(장)

12 (남은 색종이 수)
=(민지가 받은 색종이 수)−(사용한 색종이 수)
$=(12+13)\div5-2$
$=25\div5-2$
$=5-2=3$(장)

14 (의자를 놓을 줄 수)
=(전체 학생 수)÷(한 줄에 앉을 수 있는 사람 수)
$=540\div(5\times3)$
$=540\div15=36$(줄)

15 삼각형을 한 개 더 만드는 데 성냥개비가 2개씩 필요하므로 삼각형이 ■개일 때 성냥개비는 $3+2\times(■-1)$개입니다.
⇨ $3+2\times7=3+14=17$(개)

16 (미호가 가지고 있는 사탕 수)
+(영은이가 가지고 있는 사탕 수)
$=7+(7\times2+3)$
$=7+(14+3)$
$=7+17=24$(개)

17 $15+6\times2=15+12=27$
$(15+6)\times2=21\times2=42$
⇨ $27<□<42$이므로 □ 안에 들어갈 수 있는 자연수는 모두 $41-28+1=14$(개)입니다.

18 $63\div㉠=9$ ⇨ $㉠=63\div9$, $㉠=7$
$㉡\times18=450$ ⇨ $㉡=450\div18$, $㉡=25$
$9+450=㉢$ ⇨ $㉢=459$

19 $4\times(15-9)\div3=8$
6, 24, 8

20 $65-9\times7=65-63=2$(개)

19~21쪽 단원평가 5회 (C 난이도)

01 4, 2, 1, 3　**02** (계산 순서대로) 7, 16, 33, 33
03 12　**04** 59　**05** 　**06** 고양이

07 $48\div(12-8)+9=48\div4+9$
$=12+9$
$=21$
①, ②, ③

08 $120-(96-16)+32=72$　**09** ⑤
80, 40, 72

10 민아　**11** 56
12 $4+4\times3$, 16 ; $4+4\times4$, 20　**13** 36개
14 ㉢
15 예 세 번째로 6×7을 계산해야 합니다.
16 $7\times40+(7-2)\times30=430$; 430번
17 15 ℃　**18** 4　**19** 29
20 예 주차할 수 있는 전체 자동차 수에서 지금 주차되어 있는 자동차 수를 뺍니다.
$60-(8\times4-17)=60-(32-17)$
$=60-15$
$=45$(대) ; 45대

---

05 $54\div9\times3=18$, $54\div(9\times3)=2$
6, 18 / 27, 2

06 • $25-(13+8)=25-21=4$
• $91+5-70=96-70=26$

09 $62-(16+9)\times2=62-25\times2=62-50=12$

10 윤지: $46-28\div(7-3)=46-28\div4$
$=46-7=39$

11 ㉠ $26-4\times9\div6=26-36\div6=26-6=20$

㉡ $48\div(8+4)\times9=48\div12\times9=4\times9=36$

⇨ $20+36=56$

12 모양이 커질수록 정사각형 모양의 각 변에서 붙임딱지의 수가 각각 1개씩 총 4개씩 일정하게 늘어납니다.

13 $4+4\times8=36$(개)

14 ㉠ $32+29-8=61-8=53$

㉡ $180\div9\times4=20\times4=80$

㉢ $84\div4\times5=21\times5=105$

㉣ $72-(16+28)=72-44=28$

⇨ ㉢ 105>㉡ 80>㉠ 53>㉣ 28

16 영주: 7×40

지혁: $(7-2)\times30$

⇨ $7\times40+(7-2)\times30$

$=7\times40+5\times30$

$=280+150$

$=430$(번)

17 $(59-32)\times5\div9=27\times5\div9$

$=135\div9=15$

⇨ 화씨 59 °F는 섭씨로 나타내면 15 ℃입니다.

18 $41-(7-\square)+16=54$

⇨ $41-(7-\square)=54-16$, $41-(7-\square)=38$,

$7-\square=41-38$, $7-\square=3$,

$\square=7-3$, $\square=4$

19 $27★9=27+(27-9)\div9$

$=27+18\div9$

$=27+2=29$

22~23쪽 단계별로 연습하는 서술형평가

01 ❶ 50, 12 ❷ 22

02 ❶ 8, 120 ; 120장 ❷ 9, 180 ; 180장

❸ 9, 8, 60 ; 60장

03 ❶ 5, 65, 13 ❷ 13, 13, 50, 10 ; 10

04 ❶ 7, 2100 ; 2100원 ❷ 5, 3500 ; 3500원

❸ 7, 5, 1400 ; 1400원

01 ❶ 120에서 50을 뺀 수를 7로 나누어야 하므로 ( )를 사용하여 하나의 식으로 나타냅니다.

❷ $(120-50)\div7+12=70\div7+12$

$=10+12$

$=22$

02 ❸ (파란색 색종이의 수)−(노란색 색종이의 수)

$=20\times9-15\times8$

$=180-120$

$=60$(장)

03 ❷ 60◎5=13이므로 13◎37을 계산하여 답을 구합니다.

04 ❸ $(300\times7+700\times5)\div4$

$=(2100+700\times5)\div4$

$=(2100+3500)\div4$

$=5600\div4=1400$(원)

24~25쪽 풀이 과정을 직접 쓰는 서술형평가

01 예 9와 18을 더한 수에 4를 곱해야 하므로 ( )를 이용하여 하나의 식으로 나타냅니다.

$(9+18)\times4\div9=27\times4\div9=108\div9=12$

; 12

02 예 사탕은 (20×8)개, 초콜릿은 (30×5)개임을 이용하여 사탕은 초콜릿보다 몇 개 더 많은지 구합니다. ⇨ $20\times8-30\times5=160-150=10$(개)

; 10개

03 예 ( ) 안에 있는 7◎18을 먼저 계산합니다.

7◎18$=(18-7)\times3=11\times3=33$

⇨ 33◎42$=(42-33)\times3=9\times3=27$; 27

04 예 떡볶이 3인분은 (2500×3)원, 튀김 2인분은 (3000×2)원이므로 한 명이 내야 하는 돈을 식으로 나타내면 $(2500\times3+3000\times2)\div5$입니다.

$(2500\times3+3000\times2)\div5$

$=(7500+3000\times2)\div5$

$=(7500+6000)\div5$

$=13500\div5$

$=2700$(원) ; 2700원

01

배점	채점기준
상	( )를 이용하여 하나의 식으로 나타내어 답을 바르게 구함
중	풀이 과정이 부족하나 답은 맞음
하	문제를 전혀 해결하지 못함

02

배점	채점기준
상	하나의 식으로 나타내어 답을 바르게 구함
중	풀이 과정이 부족하나 답은 맞음
하	문제를 전혀 해결하지 못함

03

배점	채점기준
상	( ) 안에 있는 7◎18을 먼저 계산하여 답을 바르게 구함
중	풀이 과정이 부족하나 답은 맞음
하	문제를 전혀 해결하지 못함

04

배점	채점기준
상	한 명이 얼마씩 내야 하는지 하나의 식으로 나타내어 답을 바르게 구함
중	풀이 과정이 부족하나 답은 맞음
하	문제를 전혀 해결하지 못함

26쪽 밀크티 성취도평가 오답 베스트 5

01 8개 **02** ㉡, ㉠, ㉢ **03** 39
04 280원 **05** 2250원

01 $15-5\times2+3=15-10+3=5+3=8$(개)

03 $53-7\times(5+3)\div4=53-7\times8\div4$
$=53-56\div4$
$=53-14=39$

04 (자두 1개의 값)$=4200\div6=700$(원)
(귤 1개의 값)$=2940\div7=420$(원)
자두 1개는 귤 1개보다 $700-420=280$(원) 더 비쌉니다.

05 오이 5개의 값은 $4500\div6\times5=3750$(원)이고, 양파 10개의 값은 $6000\div15\times10=4000$(원)입니다. 따라서 준수에게 남은 돈은 $10000-3750-4000=2250$(원)입니다.

2 약수와 배수

29쪽 쪽지시험 1회

01 7, 4, 1 ; 7, 14, 28 **02** 7, 14, 21 ; 7, 14, 21
03 1, 2, 7, 14 **04** 1, 3, 5, 9, 15, 45
05 9, 18, 27, 36, 45 **06** 배수, 약수
07 ○ **08** × **09** ㉠, ㉣
10 9개

03 $14\div1=14$, $14\div2=7$, $14\div7=2$, $14\div14=1$

04 $45\div1=45$, $45\div3=15$, $45\div5=9$, $45\div9=5$, $45\div15=3$, $45\div45=1$

05 $9\times1=9$, $9\times2=18$, $9\times3=27$, $9\times4=36$, $9\times5=45$

07 $48\div6=8$

08 $45\div7=6\cdots3$

09 ㉠ $8\times10=80$, ㉣ $8\times8=64$

10 36의 약수: 1, 2, 3, 4, 6, 9, 12, 18, 36 ⇨ 9개

30쪽 쪽지시험 2회

01 1, 5 **02** 6, 12 ; 6, 9, 18 ; 3, 6 ; 6
03 2, 4 **04** 1, 2, 4, 8 **05** 1, 5 ; 5
06 2, 3 ; 7, 14 **07** 3, 18, 5, 6 ; 3, 9
08 4 **09** 10 **10** 1, 3, 9, 27

08 $8=2\times2\times2$, $20=2\times2\times5$
⇨ 8과 20의 최대공약수: $2\times2=4$

09 $30=2\times3\times5$, $50=2\times5\times5$
⇨ 30과 50의 최대공약수: $2\times5=10$

10 최대공약수가 27인 두 수의 공약수를 찾는 것은 27의 약수를 찾는 것과 같습니다. 따라서 27의 약수는 $1\times27=27$, $3\times9=27$이므로 1, 3, 9, 27입니다.

31쪽 쪽지시험 3회

01 4, 8, 12, 16　**02** 4
03 8, 12, 16, 20, 24 ; 16, 24, 32, 40, 48
04 8, 16, 24 ; 8　**05** 30, 60, 90
06 18, 36, 54 ; 18　**07** 32
08 15　**09** 36, 72, 108　**10** 60, 90

07 8의 배수: 8, 16, 24, ㉜, 40, 48, 56……
32의 배수: ㉜, 64, 96……

08 3의 배수: 3, 6, 9, 12, ⑮, 18, 21, 24……
5의 배수: 5, 10, ⑮, 20, 25, 30……

09 최소공배수가 36인 두 수의 공배수를 찾는 것은 36의 배수를 찾는 것과 같습니다.
따라서 36의 배수는 $36\times1=36$, $36\times2=72$, $36\times3=108$……입니다.

10 6의 배수: 6, 12, 18, 24, 30, 36, 42, 48, 54, 60, 66, 72, 78, 84, 90, 96, 102 ……
10의 배수: 10, 20, 30, 40, 50, 60, 70, 80, 90, 100……
⇨ 6의 배수이면서 10의 배수는 30, 60, 90……입니다. 그중 51부터 100까지의 수는 60, 90입니다.

32쪽 쪽지시험 4회

01 2, 5, 40　**02** 3, 75
03 3, 4 ; 3, 4, 108　**04** 6, 5, 2 ; 3, 5, 2, 60
05 ㉮ 2) 50 70
5) 25 35
5 7 ; $2\times5\times5\times7=350$
06 78　**07** 42　**08** 48
09 90　**10** 210

06 13) 26 39
2 3
⇨ 26과 39의 최소공배수: $13\times2\times3=78$

08 $12=2\times2\times3$, $16=2\times2\times2\times2$
⇨ 12와 16의 최소공배수:
$2\times2\times3\times2\times2=48$

10 ■와 ★의 최소공배수: $2\times7\times3\times5=210$

33~35쪽 단원평가 1회 (A 난이도)

01 5, 2, 1 ; 2, 5, 10　**02** 8, 12, 16 ; 8, 12, 16
03 6, 12, 18　**04** 배수에 ○표, 약수에 ○표
05 ( )( )(×)　**06** 8에 ×표
07 1, 2, 4 ; 4　**08** 36
09 5, 5, 20, 1, 4 ; 2, 5, 10　**10** ㉢
11 90
12
13 (출발), 26, 48, 56, 24, 39, 52, 65
13 ③, ④　**14** ③　**15** 28, 84
16 21, 28, 35　**17** 14, 28, 42　**18** 9
19 ㉡　**20** 3번

13 3과 5의 공배수는 최소공배수인 15의 배수와 같습니다.
⇨ 3과 5의 공배수: 15, 30, 45……

15 2) 84 28
2) 42 14
7) 21 7
3 1
⇨ 최대공약수: $2\times2\times7=28$
최소공배수: $2\times2\times7\times3\times1=84$

16 $7\times2=14$, $7\times3=21$, $7\times4=28$, $7\times5=35$, $7\times6=42$……이므로 20보다 크고 40보다 작은 7의 배수는 21, 28, 35입니다.

17 두 수의 공배수는 두 수의 최소공배수의 배수와 같습니다. 따라서 어떤 두 수의 공배수는 14의 배수입니다.

18 45와 36의 최대공약수를 구합니다.

$$\begin{array}{r|rr} 3 & 45 & 36 \\ \hline 3 & 15 & 12 \\ \hline & 5 & 4 \end{array}$$

⇨ 최대공약수: $3\times3=9$

19 두 수의 공약수는 최대공약수인 16의 약수와 같으므로 1, 2, 4, 8, 16입니다.

20 3과 2의 최소공배수는 6이므로 6분에 한 번씩 만나게 됩니다. 출발 후 출발점에서 만나는 시간은 6분, 12분, 18분, 24분……후이므로 20분 동안 3번 다시 만납니다.

36~38쪽 단원평가 2회 (A 난이도)

01 3, 6, 9, 12 ; 3, 6, 9, 12 **02** 5, 10, 15, 20

03 배수, 약수 **04** 1, 2, 4, 8 **05** ㉡

06 1, 2, 3, 6 ; 6 **07** 1, 2, 4, 7, 8, 14, 28, 56

08 5, 15, 1 ; 15 **09** 2, 5, 7, 140

10 예 $\begin{array}{r|rr} 3 & 27 & 45 \\ \hline 3 & 9 & 15 \\ \hline & 3 & 5 \end{array}$; $3\times3=9$

11 3, 9, 21, 3, 7 ; 3, 3, 7, 126 **12** 6 ; 1, 2, 3, 6

13 56, 112, 168 **14** ②

15 7개 **16** 2, 2, 5 ; 2 ; 40

17 1, 3, 9 **18** 8개

19 3명, 12명에 ○표 **20** 4명

05 ㉡ $7\times7=49$이므로 7은 49의 약수이고 49는 7의 배수입니다.

13 7과 8의 공배수는 7과 8의 최소공배수인 56의 배수와 같으므로 56, 112, 168……입니다.

14 오른쪽 수를 왼쪽 수로 나누었을 때 나누어떨어지는 것을 찾습니다.

① $7\div2=3\cdots1$ ② $16\div4=4$

③ $12\div5=2\cdots2$ ④ $18\div12=1\cdots6$

⑤ $20\div15=1\cdots5$

15 7, 14, 21, 28, 35, 42, 49 ⇨ 7개

16 • 최대공약수: 두 수의 곱셈식에 공통된 수인 2입니다.

• 최소공배수: $2\times2\times2\times5=40$

17 두 수의 공약수는 최대공약수 9의 약수입니다.

⇨ 1, 3, 9

18 4와 6의 공배수는 4와 6의 최소공배수인 12의 배수입니다.

따라서 12, 24, 36, 48, 60, 72, 84, 96으로 모두 8개입니다.

19 사람 수가 24의 약수인 1, 2, 3, 4, 6, 8, 12, 24일 때 연필을 똑같이 나누어 가질 수 있습니다.

20 $\begin{array}{r|rr} 2 & 20 & 24 \\ \hline 2 & 10 & 12 \\ \hline & 5 & 6 \end{array}$

⇨ 최대공약수: $2\times2=4$

따라서 최대 4명에게 나누어 줄 수 있습니다.

39~41쪽 단원평가 3회 (B 난이도)

01 1, 2, 3, 4 ; 1, 2, 4

02 배수에 ○표, 약수에 ○표

03 8, 16, 24, 32, 40

04 4, 8, 16 ; 3, 4, 6, 8, 12, 24 ; 1, 2, 4, 8

05 ( )( )(○) **06** 5, 10

07 14

08 예 $\begin{array}{r|rr} 2 & 28 & 42 \\ \hline 7 & 14 & 21 \\ \hline & 2 & 3 \end{array}$; $2\times7\times2\times3=84$

09 예 3 **10** 1, 3, 5, 15 **11** 108

12 9, 18, 27, 36, 45 **13** ②, ④

14 ( )(○) **15** 28 **16** 10, 20, 30

17 1, 2, 5, 7, 10, 14, 35, 70 **18** 15일 후

19 3가지

20 예 3과 8의 공배수 중에서 100에 가장 가까운 수를 구합니다. 3과 8의 최소공배수가 24이므로 24의 배수 중에서 100에 가장 가까운 수를 찾으면 $24\times4=96$입니다. ; 96

05 $15\div2=7\cdots1$, $23\div6=3\cdots5$, $36\div9=4$

09 큰 수를 작은 수로 나누었을 때 나누어떨어지면 두 수는 약수와 배수의 관계입니다.

14 2) 12 18 / 3) 6 9 / 2 3　　3) 15 30 / 5) 5 10 / 1 2

⇨ 최대공약수: $2\times3=6$　　⇨ 최대공약수: $3\times5=15$

15 7의 배수: 7, 14, 21, 28, 35……

따라서 7의 배수이고 30보다 작은 수 중 가장 큰 자연수는 28입니다.

18 3과 5의 최소공배수가 15입니다.

따라서 다음번에 민우와 예진이가 함께 도서관에 가는 날은 15일 후입니다.

19 $1\times16=16$, $2\times8=16$, $4\times4=16$이므로 가로와 세로가 (1 cm, 16 cm), (2 cm, 8 cm), (4 cm, 4 cm)인 직사각형을 만들 수 있습니다.

⇨ 3가지

42~44쪽 단원평가 4회 (B 난이도)

01 ④　**02** 배수, 약수　**03** ㉣

04 (　)(○)(　)　**05** ④

06 ④　**07** 2, 12, 14, 6, 7 ; 2, 2, 4

08 144　**09** 42, 84

10 예 2) 12 48 / 2) 6 24 / 3) 3 12 / 1 4 ; 48　**11** 1, 3, 9

12 ㉡　**13** ①　**14** 61

15 1, 5, 25　**16** 10

17 예 2) 24 40 / 2) 12 20 / 2) 6 10 / 3 5 ⇨ 24와 40의 최대공약수: $2\times2\times2=8$

따라서 최대 8명까지 나누어 줄 수 있습니다. ; 8명

18 1, 2, 19, 38　**19** 9번　**20** 84

06 ① $3\times6=18$　② $5\times4=20$

③ $14\times3=42$　⑤ $7\times9=63$

12 ㉠ 2) 12 16 / 2) 6 8 / 3 4 ⇨ 최소공배수: $2\times2\times3\times4=48$

㉡ 2) 20 36 / 2) 10 18 / 5 9 ⇨ 최소공배수: $2\times2\times5\times9=180$

㉢ 3) 18 27 / 3) 6 9 / 2 3 ⇨ 최소공배수: $3\times3\times2\times3=54$

13 ④ 14의 약수: 1, 2, 7, 14 ⇨ 4개

⑤ 10, 15, 20, 25, 30, 35, 40, 45, 50, 55, 60, 65, 70, 75, 80, 85, 90, 95 ⇨ 18개

14 30의 약수: 1, 2, 3, 5, 6, 10, 15, 30

⇨ $6+10+15+30=61$

18 □ 안에 들어갈 수 있는 수는 38의 약수입니다.

$38\div1=38$, $38\div2=19$, $38\div19=2$, $38\div38=1$

19 9시 정각에 첫차가 출발하고 7분 간격으로 출발하므로 7의 배수인 시각이 출발 시각이 됩니다.

9시, 9시 7분, 9시 14분, 9시 21분, 9시 28분, 9시 35분, 9시 42분, 9시 49분, 9시 56분으로 10시까지 순환 버스는 9번 출발합니다.

20 $2\times2\times3\times6\times$㉠$=504$, $72\times$㉠$=504$, ㉠$=7$

2) 72 ㉮ / 2) 36 42 / 3) 18 21 / 6 7

⇨ ㉮: $2\times42=84$

45~47쪽 단원평가 5회 (C 난이도)

01 2, 3, 21, 14, 42　**02** 2, 3, 24

03 35, 5, 7 ; 1, 5, 7, 35 ; 1, 5, 7, 35

04 ㉢　**05** 90　**06** 1, 2, 3, 6

07 예 2) 30 54 / 3) 15 27 / 5 9 ; 270　**08** ②, ④

09 5, 105

10 21, 42, 63

11 105　12 70　13 105

14 5개　15 20　16 4개 ; 5병

17 예 4와 5의 최소공배수는 20이므로 다음번에 두 사람이 함께 자전거를 타는 날은 20일 후인 5월 22일입니다. ; 5월 22일

18 21　19 73

20 예

2) 56 48
2) 28 24
2) 14 12
　 7 6

⇨ 56과 48의 최대공약수: $2\times2\times2=8$

한 변의 길이가 8 cm인 정사각형으로 만들 수 있으므로 가로에 $56\div8=7$(장)씩, 세로에 $48\div8=6$(장)씩 만들 수 있습니다. 따라서 모두 $7\times6=42$(장) 만들 수 있습니다. ; 42장

11 $3\times35=105$, $5\times21=105$, $7\times15=105$이므로 105의 약수입니다. ⇨ □$=1\times105=105$

13 $100\div15=6\cdots10$

$15\times6=90$, $15\times7=105$이므로 100에 가장 가까운 15의 배수는 105입니다.

15 9의 약수: 1, 3, 9 ⇨ 3개

10의 약수: 1, 2, 5, 10 ⇨ 4개

20의 약수: 1, 2, 4, 5, 10, 20 ⇨ 6개

25의 약수: 1, 5, 25 ⇨ 3개

16

2) 16 20
2) 8 10
　 4 5

⇨ 16과 20의 최대공약수: $2\times2=4$

최대한 4명에게 나누어 줄 수 있으므로 한 사람이 받게 되는 빵은 $16\div4=4$(개), 주스는 $20\div4=5$(병)입니다.

18 • $7\times1=7$ ⇨ (7의 약수의 합)$=1+7=8$

• $7\times2=14$ ⇨ (14의 약수의 합)$=1+2+7+14=24$

• $7\times3=21$ ⇨ (21의 약수의 합)$=1+3+7+21=32$

19

2) 10 14
　 5 7

⇨ 10과 14의 최소공배수: $2\times5\times7=70$

따라서 어떤 수 중에서 가장 작은 두 자리 수는 $70+3=73$입니다.

48~49쪽 단계별로 연습하는 서술형평가

01 ❶ 약수　❷ 1, 3, 5, 9, 15, 45　❸ 6개

02 ❶ 공배수에 ○표　❷ 30, 60, 90, 120, 150　❸ 3개

03 ❶ 공약수에 ○표　❷ 1, 2, 7, 14　❸ 14 cm

04 ❶ 120 cm　❷ 3장, 5장　❸ 15장

01 ❷ $45\div1=45$, $45\div3=15$, $45\div5=9$, $45\div9=5$, $45\div15=3$, $45\div45=1$

❸ 45의 약수는 1, 3, 5, 9, 15, 45이므로 모두 6개입니다.

02 ❷

5) 10 15
　 2 3

⇨ 10과 15의 최소공배수: $5\times2\times3=30$

30의 배수: 30, 60, 90, 120, 150……

❸ 10의 배수도 되고 15의 배수도 되는 수는 10과 15의 최소공배수의 배수인 30의 배수이므로 두 자리 수는 30, 60, 90으로 모두 3개입니다.

03 ❷ 70의 약수: 1, 2, 5, 7, 10, 14, 35, 70

42의 약수: 1, 2, 3, 6, 7, 14, 21, 42

⇨ 70과 42의 공약수: 1, 2, 7, 14

❸ 70과 42의 최대공약수가 14이므로 한 도막의 길이를 될 수 있는 대로 길게 하려면 14 cm씩 잘라야 합니다.

04 ❶

2) 40 24
2) 20 12
2) 10 6
　 5 3

⇨ 40과 24의 최소공배수: $2\times2\times2\times5\times3=120$

만들 수 있는 가장 작은 정사각형의 한 변의 길이는 120 cm입니다.

❷ (가로)$=120\div40=3$(장), (세로)$=120\div24=5$(장)

❸ 타일은 모두 $3\times5=15$(장) 필요합니다.

50~51쪽 풀이 과정을 직접 쓰는 서술형평가

01 예 288을 9로 나누면 나누어떨어지기 때문입니다.

⇨ $288 \div 9 = 32$

02 예 어떤 두 수의 공약수는 두 수의 최대공약수인 30의 약수와 같습니다. 30의 약수는 1, 2, 3, 5, 6, 10, 15, 30으로 모두 8개입니다.

; 8개

03 예 5의 배수도 되고 7의 배수도 되는 수는 두 수의 공배수입니다. 5와 7의 공배수는 35, 70, 105…… 이고 이 중 두 자리 수는 35, 70으로 모두 2개입니다. ; 2개

04 예 32와 60의 최대공약수를 구합니다.

$$\begin{array}{r|rr} 2 & 32 & 60 \\ \hline 2 & 16 & 30 \\ \hline & 8 & 15 \end{array}$$

⇨ 32와 60의 최대공약수: $2 \times 2 = 4$

따라서 두 색 테이프를 4 cm씩 잘라야 합니다.

; 4 cm

05 예

$$\begin{array}{r|rr} 3 & 30 & 21 \\ \hline & 10 & 7 \end{array}$$

⇨ 30과 21의 최소공배수:

$3 \times 10 \times 7 = 210$

만들 수 있는 가장 작은 정사각형의 한 변의 길이가 210 cm이므로 (가로)$=210 \div 30 = 7$(장), (세로)$=210 \div 21 = 10$(장)을 놓아야 합니다.

따라서 도화지는 모두 $7 \times 10 = 70$(장) 필요합니다.

; 70장

01

배점	채점기준
상	어떤 수를 어떤 수의 약수로 나누면 나누어떨어짐을 알고 답을 바르게 구함
중	풀이 과정이 부족하나 답은 맞음
하	문제를 전혀 해결하지 못함

02

배점	채점기준
상	두 수의 최대공약수의 약수는 두 수의 공약수와 같음을 알고 답을 바르게 구함
중	풀이 과정이 부족하나 답은 맞음
하	문제를 전혀 해결하지 못함

03

배점	채점기준
상	5와 7의 공배수를 구하여 답을 바르게 구함
중	풀이 과정이 부족하나 답은 맞음
하	문제를 전혀 해결하지 못함

04

배점	채점기준
상	32와 60의 최대공약수를 구하여 답을 바르게 구함
중	풀이 과정이 부족하나 답은 맞음
하	문제를 전혀 해결하지 못함

05

배점	채점기준
상	30과 21의 최소공배수를 구하여 답을 바르게 구함
중	풀이 과정이 부족하나 답은 맞음
하	문제를 전혀 해결하지 못함

52쪽 밀크티 성취도평가 오답 베스트 5

01 72 **02** ③ **03** 4개
04 30 **05** 8 cm

02 두 수의 공약수는 두 수의 최대공약수의 약수와 같으므로 18의 약수를 구합니다. 18의 약수는 1, 2, 3, 6, 9, 18로 모두 6개입니다.

03 어떤 두 수의 공약수는 최대공약수인 27의 약수와 같습니다. 27의 약수는 1, 3, 9, 27로 모두 4개입니다.

04 어떤 수를 ㉠이라고 하면

$$\begin{array}{r|rr} 6 & 24 & ㉠ \\ \hline & 4 & ㉡ \end{array}$$

이므로 최소공배수는 $6 \times 4 \times$㉡$=120$입니다.

$24 \times$㉡$=120$, ㉡$=120 \div 24$, ㉡$=5$이므로 어떤 수는 $6 \times 5 = 30$입니다.

05 $112(=8 \times 14)$와 $104(=8 \times 13)$의 최대공약수는 8입니다. 따라서 가장 큰 정사각형의 한 변의 길이는 8 cm입니다.

3 규칙과 대응

55쪽 쪽지시험 1회

01 14개 02 2 03 6, 8
04 20개 05 2 06 12, 18, 24
07 48개
08 예 바퀴의 수는 트럭의 수의 6배입니다.
09 3, 6, 9, 12
10 예 공책의 수는 사람의 수의 3배입니다.

01 사각형 1개에 삼각형이 2개씩 필요하므로 사각형이 7개일 때 삼각형은 14개 필요합니다.
02 사각형의 수가 1개씩 늘어날 때 삼각형의 수는 2개씩 늘어나므로 삼각형의 수는 사각형의 수의 2배입니다.
03 사각판의 수가 1개씩 늘어날 때 삼각판의 수는 2개씩 늘어납니다.
04 사각판 10개를 일렬로 놓을 때 위, 아래에 각각 삼각판을 10개씩 놓으므로 삼각판은 20개 필요합니다.
05 사각판의 수가 1개씩 늘어날 때 삼각판의 수는 2개씩 늘어나므로 삼각판의 수는 사각판의 수의 2배입니다.
06 트럭의 수가 1대씩 늘어날 때 바퀴의 수는 6개씩 늘어납니다.
07 바퀴의 수는 트럭의 수의 6배이므로 트럭이 8대이면 바퀴는 $8\times6=48$(개)입니다.
09 사람의 수가 1명씩 늘어날 때 공책의 수는 3권씩 늘어납니다.

56쪽 쪽지시험 2회

01 6, 9, 12 02 3 03 45개
04 2550, 3400 05 850 06 3, 4, 5
07 ⊙+1=☆(또는 ☆−1=⊙) 08 8, 9
09 (서윤이의 나이)+2012=(연도)
또는 (연도)−2012=(서윤이의 나이)
10 18살

01 의자의 수가 1개씩 늘어날 때 의자 다리의 수는 3개씩 늘어납니다.
02 △×3=○ 또는 ○÷3=△로 나타낼 수 있습니다.
03 의자가 15개이면 의자 다리는 $15\times3=45$(개)입니다.
04 비행기가 이동하는 시간이 1시간씩 늘어날 때마다 비행기가 이동하는 거리는 850 km씩 늘어납니다.
05 △÷850=☆ 또는 ☆×850=△로 나타낼 수 있습니다.
06 의자의 수가 1개씩 늘어날 때 팔걸이의 수는 1개씩 늘어납니다.
08 일 년씩 지날 때 나이는 한 살씩 늘어납니다.
10 2030년에 서윤이는 $2030-2012=18$(살)이 됩니다.

57~59쪽 단원평가 1회 A 난이도

01 2도막 02 3번 03 3, 4, 5
04 1 05 5, 6 06 12개
07 2 08 12, 16 09 4
10 48개 11 6, 8
12 ○×2=△(또는 △÷2=○) 13 28개
14 ☆+3=□(또는 □−3=☆) 15 12, 16
16 △×4=⊙(또는 ⊙÷4=△)
17 24개 18 13, 14
19 ◉−2006=◈ (또는 ◈+2006=◉)
20 2700, 3600 ; □×900=△(또는 △÷900=□)

01 리본을 한 번 자르면 리본은 2도막이 됩니다.
02 그림에서 리본이 4도막일 때 리본을 자른 횟수는 3번입니다.

03 리본 도막의 수는 리본을 자른 횟수보다 항상 1개가 많습니다.

04 리본 도막의 수에서 1을 빼면 리본을 자른 횟수와 같습니다.
또는 '리본을 자른 횟수에 1을 더하면 리본 도막의 수와 같습니다'라고 나타낼 수도 있습니다.

05 삼각판의 수는 사각판의 수보다 항상 2개가 많습니다.

06 삼각판은 사각판 양옆에 2개가 항상 있고 위쪽에 사각판의 수만큼 있으므로 사각판이 10개이면 삼각판은 위쪽에 10개, 양쪽에 2개가 있으므로 12개입니다.

07 삼각판의 수는 사각판의 수보다 항상 2개가 많으므로 삼각판의 수와 사각판의 수는 2만큼 차이가 납니다.

08 의자의 수가 1개씩 늘어날 때 의자 다리의 수는 4개씩 늘어납니다.

09 의자 다리의 수는 의자의 수의 4배입니다.

10 의자가 12개이면 의자 다리는 $12\times4=48$(개)입니다.

11 닭은 한 마리에 다리가 2개 있으므로 닭의 수가 1마리씩 늘어날 때 다리의 수는 2개씩 늘어납니다.

12 닭의 다리의 수는 닭의 수의 2배입니다.
⇨ ○×2=△
닭의 수는 닭의 다리의 수의 반과 같습니다.
⇨ △÷2=○

13 닭이 14마리이면 닭의 다리는 $14\times2=28$(개)입니다.

14 $1+3=4$, $2+3=5$, $3+3=6$, $4+3=7$……이므로 ☆+3=□입니다.

15 자동차의 수가 1대씩 늘어날 때 자동차 바퀴의 수는 4개씩 늘어납니다.

16
- 자동차 바퀴의 수는 자동차의 수의 4배입니다.
  ⇨ △×4=⊙
- 자동차의 수는 자동차 바퀴의 수를 4로 나눈 것과 같습니다.
  ⇨ ⊙÷4=△

17 자동차가 6대이면 자동차 바퀴는 $6\times4=24$(개)입니다.

18 준호의 나이는 연도보다 2006 작은 수이므로 각 연도에서 2006을 뺍니다.

19
- 준호의 나이는 연도보다 2006 작은 수입니다.
  ⇨ ◉−2006=◈
- 연도는 준호의 나이보다 2006 큰 수입니다.
  ⇨ ◈+2006=◉

20 판매 금액은 아이스크림 수의 900배입니다.
⇨ □×900=△

60~62쪽 단원평가 2회 (A 난이도)

01 30, 40 **02** 50개 **03** 7판
04 예 달걀의 수는 달걀판의 수의 10배입니다.
05 30 **06** 20개
07 예 사각형의 수는 삼각형의 수의 3배입니다.
08 27, 36 **09** 9 **10** 63명
11 6대 **12** 6000, 8000
13 □×2000=△(또는 △÷2000=□)
14 28000원 **15** ◉×7=◇(또는 ◇÷7=◉)
16 □+3=○(또는 ○−3=□)
17 ☆×12=○(또는 ○÷12=☆)
18 9, 12, 15 **19** ○×3=△(또는 △÷3=○)
20 200 cm

01 달걀판의 수가 1개씩 늘어날 때 달걀의 수는 10개씩 늘어납니다.

02 달걀이 5판이면 달걀은 $5\times10=50$(개)입니다.

03 달걀이 70개일 때 달걀판은 $70\div10=7$(판) 필요합니다.

05 삼각형 1개에 사각형이 3개 필요하므로 삼각형이 10개일 때 필요한 사각형의 수는 $10\times3=30$(개)입니다.

06 사각형 3개에 삼각형 1개가 필요하므로 사각형이 60개일 때 삼각형은 20개 필요합니다.

08 승합차 1대에 9명의 사람이 탈 수 있으므로 승합차가 1대씩 늘어날 때 탈 수 있는 사람 수는 9명씩 늘어납니다.

09 ○×9=△ 또는 △÷9=○로 나타낼 수 있습니다.

10 승합차가 7대 있으면 탈 수 있는 사람은 $7\times9=63$(명)입니다.

11 사람이 54명 있을 때 승합차는 $54\div9=6$(대) 필요합니다.

12 팔린 팝콘 수가 1개씩 늘어날 때 판매 금액은 2000원씩 늘어납니다.

13 판매 금액은 팔린 팝콘 수의 2000배입니다.

14 팔린 팝콘이 14개일 때 판매 금액은 $14\times2000=28000$(원)입니다.

15 연필의 수는 필통의 수의 7배입니다.
⇨ ◉×7=◇

16 • ○는 □보다 3 큽니다.
⇨ □+3=○
• □는 ○보다 3 작습니다.
⇨ ○−3=□

17

샤워기를 사용한 시간(분)	1	2	3	4	……
나온 물의 양(L)	12	24	36	48	……

⇨ ☆×12=○(또는 ○÷12=☆)

18 정삼각형의 수가 1개씩 늘어날 때 성냥개비의 수는 3개씩 늘어납니다.

19 성냥개비의 수는 정삼각형의 수의 3배입니다.

20 간 거리는 걸음 수의 40배입니다.
⇨ $40\times5=200$ (cm)

63~65쪽 단원평가 3회 B 난이도

01 6　02 15개　03 1
04 ⑤　05 1500, 2000　06 500
07 7명　08 70, 105, 140
09 △×35=⊙(또는 ⊙÷35=△)　10 315 g
11 15, 16, 17 ; 2005　12 10, 15, 20
13 ○×5=◇(또는 ◇÷5=○)
14 예 (필요한 꽃잎의 수)=(꽃의 수)×5
=8×5=40(장)
⇨ 꽃을 8송이 만들 때 필요한 꽃잎의 수는 40장입니다. ; 40장
15 3, 4, 5　16 ⊙+1=△(또는 △−1=⊙)
17 11개　18 8, 12, 16
19 □×4=△(또는 △÷4=□)　20 320개

01 삼각형이 가장 왼쪽에 1개 있고 아래쪽에 사각형의 수만큼 있으므로 사각형이 5개일 때 필요한 삼각형의 수는 $5+1=6$(개)입니다.

02 사각형이 14개일 때 삼각형은 $14+1=15$(개) 필요합니다.

03 삼각형의 수는 사각형의 수보다 항상 1개가 많습니다.

04 • ☆은 ♡의 3배입니다.
⇨ ♡×3=☆
• ♡는 ☆을 3으로 나눈 것과 같습니다.
⇨ ☆÷3=♡

05 성인 입장객 수가 1명씩 늘어날 때 성인 입장료는 500원씩 늘어납니다.

06 ☆은 △의 500배입니다.

07 △×500=3500, △=7(명)

08 음료가 1병씩 늘어날 때 설탕은 35 g씩 늘어납니다.

09 설탕의 양은 음료의 수의 35배입니다.

10 음료가 9병이면 설탕의 양은 $9\times35=315$ (g)입니다.

11 용미의 나이는 연도보다 2005 작은 수이므로 각 연도에서 2005를 뺀 수는 용미의 나이와 같습니다.

12 꽃의 수가 1송이씩 늘어날 때 꽃잎의 수는 5장씩 늘어납니다.

13 한 송이의 꽃에 달린 꽃잎의 수가 5장이므로 (꽃의 수)×5=(꽃잎의 수)입니다.
⇨ ○×5=◇

15 도화지의 수가 1장씩 늘어날 때 누름 못의 수는 1개씩 늘어납니다.

16 누름 못의 수는 도화지의 수보다 하나 더 많습니다. ⇨ ⊙+1=△

17 도화지 10장을 붙이려면 누름 못은 10+1=11(개) 필요합니다.

18 정사각형의 수가 1개씩 늘어날 때 성냥개비의 수는 4개씩 늘어납니다.

19 성냥개비의 수는 정사각형의 수의 4배입니다. ⇨ □×4=△

20 정사각형 80개를 만드는 데 성냥개비는 80×4=320(개) 필요합니다.

66~68쪽 단원평가 4회

01 2, 4, 6, 8 **02** 40

03 예 사각형의 수는 삼각형의 수의 2배입니다.

04 25개 **05** 10, 15, 20

06 예 호두의 수는 피자의 수의 5배입니다.

07 □×5=△(또는 △÷5=□) **08** 8판

09 (탑의 층수)×3=(성냥개비의 수) 또는 (성냥개비의 수)÷3=(탑의 층수)

10 27개 **11** 39, 40, 41 ; 39세

12 8, 12, 16

13 (요구르트 팩 수)×4=(요구르트 수) 또는 (요구르트 수)÷4=(요구르트 팩 수)

14 9팩

15 (위에서부터) 2500, 1500 ; 3000, 2000

16 (윤제가 모은 돈)+1000=(서윤이가 모은 돈) 또는 (서윤이가 모은 돈)−1000=(윤제가 모은 돈)

17 6000원

18 60, 90, 120 ; ○×30=◎(또는 ◎÷30=○)

19 △+3=☆(또는 ☆−3=△)

20 예 (도막 수)=(자른 횟수)+1이므로 통나무를 9번 자르면 10도막이 됩니다. ⇨ 2×9=18(분) ; 18분

01 삼각형의 수가 1개씩 늘어날 때 사각형의 수는 2개씩 늘어납니다.

02 삼각형 1개에 사각형은 2개 필요하므로 삼각형이 20개일 때 필요한 사각형의 수는 20×2=40(개)입니다.

04 사각형 2개에 삼각형은 1개 필요하므로 사각형이 50개일 때 삼각형은 50÷2=25(개) 필요합니다.

05 피자의 수가 1판씩 늘어날 때 호두의 수는 5개씩 늘어납니다.

07 호두의 수는 피자의 수의 5배입니다. ⇨ □×5=△

08 □×5=40이고 □=40÷5, □=8이므로 피자를 8판까지 만들 수 있습니다.

09 탑의 층수가 1층씩 늘어날 때 성냥개비의 수는 3개씩 늘어납니다.

10 탑을 9층까지 쌓는 데 성냥개비는 9×3=27(개) 필요합니다.

11 상민이의 학년이 올라갈 때마다 선생님의 연세가 1세씩 늘어납니다.

12 요구르트 팩 수가 1팩씩 늘어날 때 요구르트의 수는 4개씩 늘어납니다.

14 요구르트 팩 수를 □라 하면 □×4=36이고 □=36÷4, □=9이므로 요구르트 36개는 9팩입니다.

15 일주일이 지날 때마다 서윤이가 모은 돈과 윤제가 모은 돈은 각각 500원씩 많아집니다.

16 서윤이가 모은 돈은 윤제가 모은 돈보다 1000원 더 많습니다.

17 서윤이가 7000원을 모았을 때 윤제는 7000−1000=6000(원)을 모았습니다.

18
- ◎는 ○의 30배입니다. ⇨ ○×30=◎
- ○는 ◎를 30으로 나눈 것과 같습니다. ⇨ ◎÷30=○

19 1+3=4, 3+3=6, 6+3=9, 2+3=5이므로 명우가 답한 수는 슬기가 말한 수보다 3 큽니다.

69~71쪽 단원평가 5회 C 난이도

01 4, 6, 8 **02** 26개 **03** 2

04 (위에서부터) 4, 15

05 △+13=◎(또는 ◎−13=△)

06 11, 22, 33, 44

07 △×11=◇(또는 ◇÷11=△)

08 6 **09** 60, 90, 120

10 (걸린 시간)×30=(이동 거리)
또는 (이동 거리)÷30=(걸린 시간)

11 15초 **12** ㉡ **13** ◇×◇=⊙

14 예 일곱 번째의 한 변에 놓인 가장 작은 정사각형의 수는 7개입니다.
⇨ (가장 작은 정사각형의 전체 개수)
=7×7=49(개) ; 49개

15 오전 5시, 오전 7시

16 ○×4=△(또는 △÷4=○) **17** 24

18 14개 **19** 24개

20 예 실을 접은 횟수와 도막 수 사이의 대응 관계를 표로 나타내면

접은 횟수(번)	1	2	3	
도막 수(도막)	3	4	5	……

도막 수는 접은 횟수보다 2 더 크므로
(실을 6번 접은 후 가운데를 자른 도막 수)
=6+2=8(도막)입니다. ; 8도막

01 오토바이의 수가 1대씩 늘어날 때 오토바이 바퀴 수는 2개씩 늘어납니다.

02 오토바이가 13대이면 오토바이 바퀴는
13×2=26(개)입니다.

05 ◎는 △보다 13 큽니다.
⇨ △+13=◎

06 줄넘기를 한 시간이 1분씩 늘어날 때 소모된 열량은 11킬로칼로리씩 늘어납니다.

07 소모된 열량은 줄넘기를 한 시간의 11배입니다.
⇨ △×11=◇

08 18÷6=3, 24÷6=4, 30÷6=5, 36÷6=6이므로 ⊙는 ☆을 6으로 나눈 것과 같습니다.

09 걸린 시간이 1초씩 늘어날 때 이동 거리는 30 m씩 늘어납니다.

10 지하철의 이동 거리는 걸린 시간의 30배입니다.

11 지하철의 이동 거리가 450 m이면 걸린 시간은 450÷30=15(초)입니다.

12 ㉡ 사람의 수를 □, 공책의 수를 △라고 할 때 두 양 사이의 대응 관계는 □×3=△입니다.

13 가장 작은 정사각형의 전체 개수는 한 변에 놓인 가장 작은 정사각형의 개수를 두 번 곱한 것과 같습니다.

15 서울의 시각이 뉴욕의 시각보다 14시간 빠릅니다.

16 3×4=12, 7×4=28, 1×4=4, 4×4=16이므로 주호가 답한 수는 혜리가 말한 수의 4배입니다.

17 ○×4=96이고 ○=96÷4, ○=24이므로 혜리가 말한 수는 24입니다.

18 탁자가 1개씩 늘어날 때 의자는 3개씩 늘어나므로 의자를 42개 놓을 때 탁자는 42÷3=14(개) 필요합니다.

19 수 카드의 수가 1씩 늘어날 때 모양 조각은 2개씩 늘어나므로 수 카드가 12일 때 모양 조각은 12×2=24(개) 필요합니다.

72쪽 단계별로 연습하는 서술형평가

01 ❶ 6, 7, 8 ❷ 3 ❸ 18개

02 ❶ 75, 100, 125 ❷ 25 ❸ 375장

01 ❶ 배열 순서가 1씩 늘어날 때 사각형 조각의 수는 1개씩 늘어납니다.
❸ 배열 순서가 15일 때 사각형 조각은 15+3=18(개) 필요합니다.

02 ❸ 만화 영화를 15초 상영하려면 그림은 15×25=375(장) 필요합니다.

73쪽 풀이 과정을 직접 쓰는 서술형평가

01 예 (배열 순서)$\times$2=(사각형 조각의 수)이므로 배열 순서가 20일 때 사각형 조각은 $20\times2=40$(개) 필요합니다.
; 40개

02 예 (색종이의 수)$\div$6=(응원 도구의 수)이므로 색종이 108장으로 응원 도구를 $108\div6=18$(개) 만들 수 있습니다.
; 18개

01

배점	채점기준
상	배열 순서와 사각형 조각의 수 사이의 대응 관계를 식으로 나타내어 답을 바르게 구함
중	풀이 과정이 부족하나 답은 맞음
하	문제를 전혀 해결하지 못함

02

배점	채점기준
상	색종이의 수와 응원 도구의 수 사이의 대응 관계를 식으로 나타내어 답을 바르게 구함
중	풀이 과정이 부족하나 답은 맞음
하	문제를 전혀 해결하지 못함

74쪽 밀크티 성취도평가 오답 베스트 5

01 ③ **02** ② **03** 22개
04 60개 **05** 117분

02

탁자의 수(개)	1	2	3	……
의자의 수(개)	4	6	8	……

(탁자의 수)$\times$2+2=(의자의 수)이므로 14개의 의자를 놓을 때 탁자의 수를 □개라 하면 □$\times2+2=14$, □$\times2=12$, □$=6$입니다.

03

정사각형의 수(개)	1	2	3	4	5	6	7
성냥개비의 수(개)	4	7	10	13	16	19	22

정사각형을 7개 만드는 데 필요한 성냥개비는 22개입니다.

04 바둑돌의 수가 1번째에는 4개, 2번째에는 8개, 3번째에는 12개입니다.
즉, □번째에는 바둑돌의 수가 (□$\times$4)개이므로 15번째에 놓을 바둑돌은 $15\times4=60$(개)입니다.

05 (통나무 도막의 수)=(자른 횟수)+1이므로 통나무가 14도막이 되려면 13번을 잘라야 합니다.
따라서 걸리는 시간은 자른 횟수의 9배이므로 $9\times13=117$(분)이 걸립니다.

4 약분과 통분

77쪽 쪽지시험 1회

01 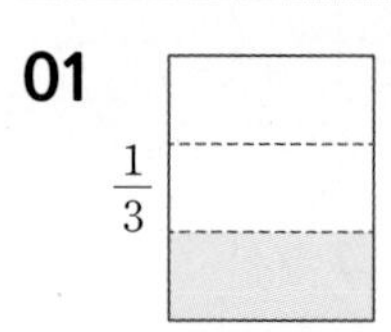 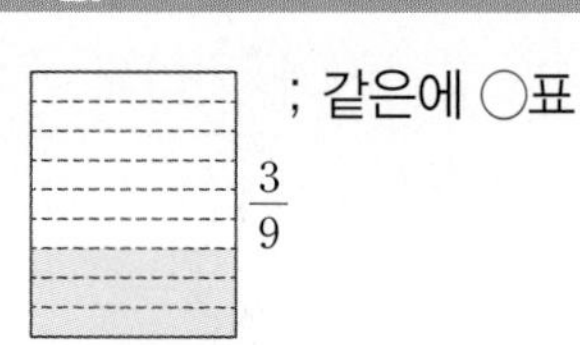 ; 같은에 ○표

02 예 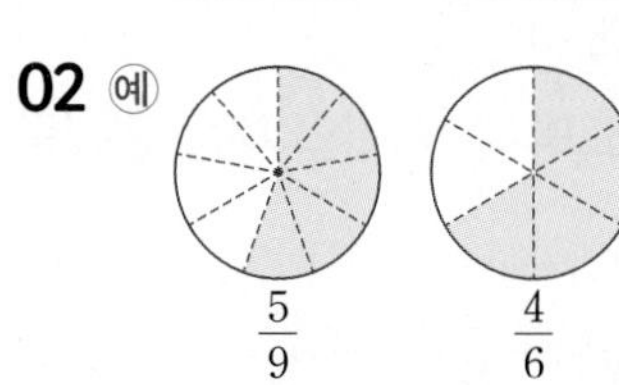 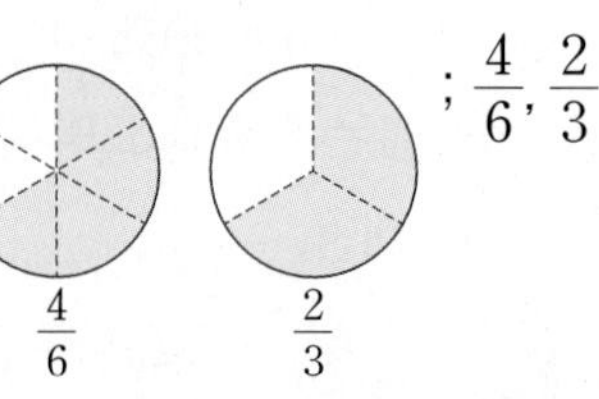 ; $\frac{4}{6}$, $\frac{2}{3}$

03 예 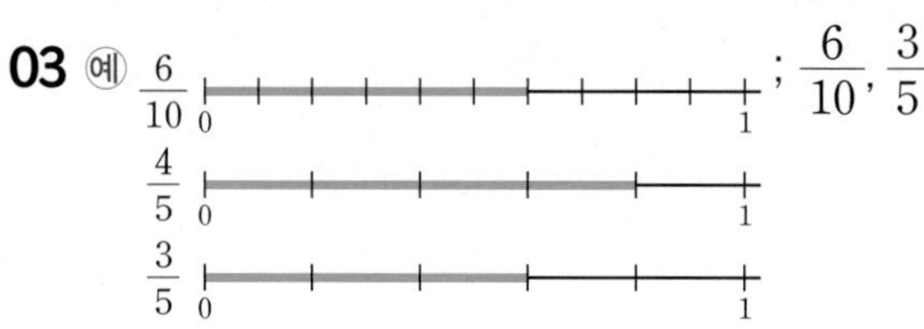 ; $\frac{6}{10}$, $\frac{3}{5}$

04 4, 12 **05** 9, 1 **06** 6, 42
07 4, 6 **08** 18, 27 **09** 12, 8
10 $\frac{4}{6}$, $\frac{24}{36}$에 ○표

78쪽 쪽지시험 2회

01 2, 21 ; 3, 14 ; 6, 7 **02** 8, $\frac{2}{5}$
03 14, $\frac{2}{3}$ **04** 3 **05** 5
06 $\frac{1}{5}$ **07** $\frac{1}{2}$ **08** $\frac{4}{5}$
09 $\frac{7}{9}$, $\frac{3}{10}$ **10** ㉠

09 분모와 분자의 공약수가 1뿐인 분수를 모두 찾습니다.

10 $\frac{45}{60}=\frac{45\div3}{60\div3}=\frac{15}{20}$, $\frac{45}{60}=\frac{45\div5}{60\div5}=\frac{9}{12}$,

$\frac{45}{60}=\frac{45\div15}{60\div15}=\frac{3}{4}$

79쪽 쪽지시험 3회

01 32, 27
02 $\frac{35}{42}, \frac{24}{42}$
03 9, 14
04 21, 22
05 $\frac{33}{36}, \frac{28}{36}$
06 36, 14
07 35, 12
08 예 15, 30, 45
09 $\frac{20}{24}, \frac{9}{24}$
10 ㉡

02 $\left(\frac{5}{6}, \frac{4}{7}\right) \Rightarrow \left(\frac{5\times7}{6\times7}, \frac{4\times6}{7\times6}\right) \Rightarrow \left(\frac{35}{42}, \frac{24}{42}\right)$

05 $\left(\frac{11}{12}, \frac{7}{9}\right) \Rightarrow \left(\frac{11\times3}{12\times3}, \frac{7\times4}{9\times4}\right) \Rightarrow \left(\frac{33}{36}, \frac{28}{36}\right)$

08 두 분수 $\frac{1}{5}$, $\frac{7}{15}$을 통분할 때 공통분모가 될 수 있는 수는 5와 15의 공배수인 15, 30, 45, 60……입니다.

09 6과 8의 공통분모 중 가장 작은 수는 최소공배수인 24입니다.

$\left(\frac{5}{6}, \frac{3}{8}\right) \Rightarrow \left(\frac{5\times4}{6\times4}, \frac{3\times3}{8\times3}\right) \Rightarrow \left(\frac{20}{24}, \frac{9}{24}\right)$

10 $\left(\frac{3}{10}, \frac{3}{4}\right) \Rightarrow \left(\frac{3\times2}{10\times2}, \frac{3\times5}{4\times5}\right) \Rightarrow \left(\frac{6}{20}, \frac{15}{20}\right)$

80쪽 쪽지시험 4회

01 28, 30, <
02 9, 10, <
03 10, 9, >
04 4, 3, >
05 7, 6, >
06 8, 0.8, =
07 6, 0.6, >
08 <
09 <
10 <

08 $\left(\frac{7}{15}, \frac{26}{45}\right) \Rightarrow \left(\frac{21}{45}, \frac{26}{45}\right) \Rightarrow \frac{7}{15} < \frac{26}{45}$

09 $\frac{2}{5}=\frac{4}{10}=0.4 \Rightarrow 0.24 < \frac{2}{5}$

10 $1\frac{3}{4}=1\frac{75}{100}=1.75 \Rightarrow 1\frac{3}{4} < 1.77$

81~83쪽 단원평가 1회 (A 난이도)

01 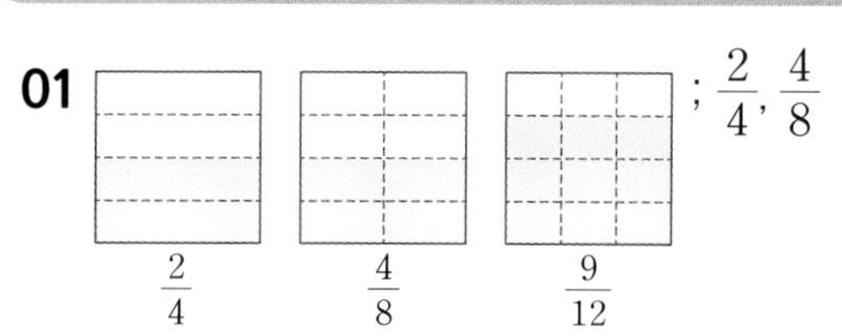 ; $\frac{2}{4}, \frac{4}{8}$

02 6
03 공통분모
04 4, $\frac{3}{10}$
05 2, 3
06 9, 2
07 12
08 4, 4, $\frac{5}{6}$
09 10, 4
10 $\frac{8}{9}$
11 $\frac{22}{33}, \frac{27}{33}$
12 8, 15, <
13 하나
14 $\frac{49}{84}, \frac{26}{84}$
15 ③
16 >
17 ㉣
18 $\frac{10}{15}, \frac{6}{9}, \frac{2}{3}$
19 노란색 끈
20 $\frac{1}{3}$

07
```
2) 48  60
2) 24  30
3) 12  15
    4   5
```
⇨ 48과 60의 최대공약수: $2\times2\times3=12$

분모와 분자를 각각 48과 60의 최대공약수인 12로 나누어야 합니다.

13 $\frac{1}{3}=\frac{1\times2}{3\times2}=\frac{2}{6}$, $\frac{1}{3}=\frac{1\times4}{3\times4}=\frac{4}{12}$,

$\frac{1}{3}=\frac{1\times5}{3\times5}=\frac{5}{15}$

진우가 가지고 있는 수와 크기가 같은 분수를 가지고 있는 사람은 하나입니다.

16 $\frac{3}{5}=\frac{6}{10}=0.6 \Rightarrow 0.7>\frac{3}{5}$

18 30과 45의 공약수는 1, 3, 5, 15이므로 3, 5, 15로 분모와 분자를 각각 나눕니다.

$\frac{30}{45}=\frac{30\div3}{45\div3}=\frac{10}{15}$, $\frac{30}{45}=\frac{30\div5}{45\div5}=\frac{6}{9}$,

$\frac{30}{45}=\frac{30\div15}{45\div15}=\frac{2}{3}$

19 $\left(\frac{8}{15}, \frac{5}{9}\right) \Rightarrow \left(\frac{24}{45}, \frac{25}{45}\right) \Rightarrow \frac{8}{15}<\frac{5}{9}$

⇨ 노란색 끈이 더 깁니다.

20 $\left(\frac{4}{15}, \frac{1}{3}\right) \Rightarrow \left(\frac{4}{15}, \frac{5}{15}\right) \Rightarrow \frac{4}{15} < \frac{1}{3}$

$\left(\frac{1}{3}, \frac{3}{10}\right) \Rightarrow \left(\frac{10}{30}, \frac{9}{30}\right) \Rightarrow \frac{1}{3} > \frac{3}{10}$

$\left(\frac{4}{15}, \frac{3}{10}\right) \Rightarrow \left(\frac{8}{30}, \frac{9}{30}\right) \Rightarrow \frac{4}{15} < \frac{3}{10}$

$\Rightarrow \frac{4}{15} < \frac{3}{10} < \frac{1}{3}$

84~86쪽 단원평가 2회 (A 난이도)

01 예 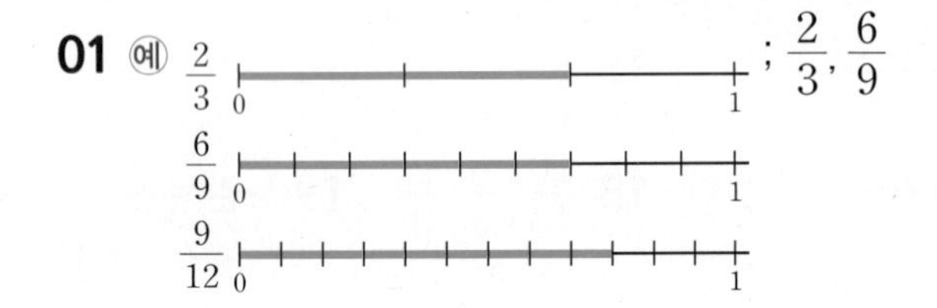 ; $\frac{2}{3}, \frac{6}{9}$

02 9, $\frac{45}{54}$ **03** 4, 4 **04** 기약분수

05 2, 14, 18, 7, 9; 2, 2, 4 ; 4, 4, $\frac{7}{9}$

06 ㉡ **07** 7, 9 **08** $\frac{5}{12}$

09 $\frac{14}{18}, \frac{21}{27}, \frac{28}{36}$ **10** $\frac{10}{45}, \frac{36}{45}$

11 7, 0.7, $>$ **12** $\frac{8}{10}, \frac{16}{20}$에 ○표

13 $\frac{3}{13}$ **14** $>$ **15** ㉠

16 $\frac{1}{3}$ **17** $\frac{15}{18}, \frac{4}{18}$ **18** 닭고기

19 $\frac{1}{6}, \frac{5}{6}$ **20** ㉠, ㉢, ㉡

14 $1\frac{1}{4} = 1\frac{25}{100} = 1.25 \Rightarrow 1.54 > 1\frac{1}{4}$

16 12조각 중 4조각은 $\frac{4}{12}$입니다.

$\Rightarrow \frac{4}{12} = \frac{4 \div 4}{12 \div 4} = \frac{1}{3}$

18 15와 12의 최소공배수인 60을 공통분모로 하여 통분합니다.

$\frac{4}{15} = \frac{16}{60}, \frac{7}{12} = \frac{35}{60} \Rightarrow \frac{16}{60} < \frac{35}{60} \Rightarrow \frac{4}{15} < \frac{7}{12}$

따라서 닭고기가 더 많습니다.

19 분모가 6인 진분수는 $\frac{1}{6}, \frac{2}{6}, \frac{3}{6}, \frac{4}{6}, \frac{5}{6}$입니다.

이 중에서 기약분수는 $\frac{1}{6}, \frac{5}{6}$입니다.

20 $\left(\frac{5}{6}, \frac{8}{15}\right) \Rightarrow \left(\frac{25}{30}, \frac{16}{30}\right) \Rightarrow \frac{5}{6} > \frac{8}{15}$

$\left(\frac{8}{15}, \frac{7}{10}\right) \Rightarrow \left(\frac{16}{30}, \frac{21}{30}\right) \Rightarrow \frac{8}{15} < \frac{7}{10}$

$\left(\frac{5}{6}, \frac{7}{10}\right) \Rightarrow \left(\frac{25}{30}, \frac{21}{30}\right) \Rightarrow \frac{5}{6} > \frac{7}{10}$

$\Rightarrow \frac{5}{6} > \frac{7}{10} > \frac{8}{15} \Rightarrow$ ㉠>㉢>㉡

87~89쪽 단원평가 3회 (B 난이도)

01 예 ; $\frac{1}{4}, \frac{2}{8}$에 ○표

02 (위에서부터) 3, 18, 3 **03** 6, 12, 12

04 3, 6 ; $\frac{21}{27}$; 3, $\frac{14}{18}$; 6, $\frac{7}{9}$

05 4, 6, 8 ; 2, 3, 4, 5, 6 ; 4, 3, 8, $\frac{6}{12}$

06 10, 27 **07** $\frac{2}{5}$ **08** ㉢

09 $\frac{21}{36}, \frac{14}{36}$ **10** $<$ **11** 예 24, 48

12 ⑤ **13** 현우, 도희 **14** 2, 7, 14

15 어제 **16** $\frac{9}{14}, \frac{18}{28}$

17 20, 40, 60, 80 **18** $\frac{1}{2}$

19 예 $\frac{5}{6} = \frac{5 \times 2}{6 \times 2} = \frac{10}{12}, \frac{5}{6} = \frac{5 \times 3}{6 \times 3} = \frac{15}{18},$

$\frac{5}{6} = \frac{5 \times 4}{6 \times 4} = \frac{20}{24}, \frac{5}{6} = \frac{5 \times 5}{6 \times 5} = \frac{25}{30} \cdots\cdots$

$\frac{5}{6}$와 크기가 같은 분수 중에서 분모가 30보다 작은 분수는 $\frac{10}{12}, \frac{15}{18}, \frac{20}{24}$으로 모두 3개입니다. ; 3개

20 1, 2, 3, 4, 5, 6

16 36과 56의 공약수: 1, 2, 4

$\frac{36}{56} = \frac{36 \div 2}{56 \div 2} = \frac{18}{28}, \frac{36}{56} = \frac{36 \div 4}{56 \div 4} = \frac{9}{14}$

$\Rightarrow \frac{9}{14}, \frac{18}{28}$

17 4와 10의 공배수가 공통분모가 될 수 있으므로 20의 배수가 공통분모가 될 수 있습니다. 따라서 20의 배수 중에서 100보다 작은 수는 20, 40, 60, 80입니다.

18 $0.8=\frac{8}{10}=\frac{4}{5}$

$\left(\frac{1}{2}, \frac{4}{5}\right) \Rightarrow \left(\frac{5}{10}, \frac{8}{10}\right) \Rightarrow \frac{1}{2}<\frac{4}{5}$

$\left(\frac{4}{5}, \frac{14}{15}\right) \Rightarrow \left(\frac{12}{15}, \frac{14}{15}\right) \Rightarrow \frac{4}{5}<\frac{14}{15}$

$\Rightarrow \frac{1}{2}<\frac{4}{5}<\frac{14}{15}$

20 $\frac{5}{8}=\frac{25}{40}$, $\frac{\square}{10}=\frac{\square\times 4}{40}$

$\Rightarrow \frac{25}{40}>\frac{\square\times 4}{40} \Rightarrow 25>\square\times 4$

따라서 □ 안에 들어갈 수 있는 자연수는 1, 2, 3, 4, 5, 6입니다.

90~92쪽 단원평가 4회 (B 난이도)

01 2, $\frac{7}{26}$ **02** 36

03 $\frac{6}{10}$, $\frac{9}{15}$에 ○표 **04** 8, 15

05 8 **06** $\frac{3}{18}$, $\frac{14}{18}$ **07** $\frac{4}{5}$, $\frac{11}{13}$, $\frac{8}{15}$

08 $\frac{52}{96}$, $\frac{45}{96}$, $>$ **09** (풀이 참조) **10** ㉡

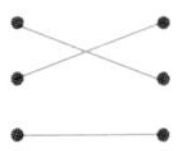

11 $\frac{7}{11}$에 ○표 **12** $\frac{12}{21}$에 ×표 **13** ①

14 찬호 **15** $\frac{4}{21}$, $\frac{5}{14}$ **16** 예나

17 $\frac{5}{7}$ **18** $\frac{45}{108}$, $\frac{42}{108}$

19 예 분모를 12로 통분하면 $\frac{2}{3}=\frac{8}{12}$, $\frac{5}{6}=\frac{10}{12}$입니다.

$\Rightarrow \frac{10}{12}>\frac{8}{12}>\frac{7}{12} \Rightarrow \frac{5}{6}>\frac{2}{3}>\frac{7}{12}$

따라서 우유가 가장 많습니다. ; 우유

20 $\frac{14}{35}$

03 그림에서 5칸 중에 3칸만큼 색칠되어 있으므로 $\frac{3}{5}$입니다. $\frac{3}{5}$과 크기가 같은 분수는 $\frac{6}{10}$, $\frac{9}{15}$입니다.

09 $\frac{7}{12}=\frac{7\times 3}{12\times 3}=\frac{21}{36}$, $\frac{3}{8}=\frac{3\times 5}{8\times 5}=\frac{15}{40}$,

$\frac{15}{25}=\frac{15\div 5}{25\div 5}=\frac{3}{5}$

11 $\frac{3}{4}=\frac{33}{44}$, $\frac{7}{11}=\frac{28}{44} \Rightarrow \frac{33}{44}>\frac{28}{44} \Rightarrow \frac{3}{4}>\frac{7}{11}$

12 $\frac{30}{48}=\frac{30\div 2}{48\div 2}=\frac{15}{24}$, $\frac{30}{48}=\frac{30\div 3}{48\div 3}=\frac{10}{16}$,

$\frac{30}{48}=\frac{30\div 6}{48\div 6}=\frac{5}{8}$

13 두 분모의 최소공배수를 각각 구합니다.

① 8 ② 60 ③ 24 ④ 15 ⑤ 36

14 $1.7=1\frac{7}{10}=1\frac{21}{30}$, $1\frac{8}{15}=1\frac{16}{30} \Rightarrow 1\frac{21}{30}>1\frac{16}{30}$

따라서 멀리뛰기 기록이 더 좋은 사람은 찬호입니다.

15 $\frac{8}{42}=\frac{8\div 2}{42\div 2}=\frac{4}{21}$, $\frac{15}{42}=\frac{15\div 3}{42\div 3}=\frac{5}{14}$

16 예나가 먹은 케이크의 양: $\frac{3}{5}$,

찬우가 먹은 케이크의 양: $\frac{4}{10}$

$\left(\frac{3}{5}, \frac{4}{10}\right) \Rightarrow \left(\frac{6}{10}, \frac{4}{10}\right) \Rightarrow \frac{6}{10}>\frac{4}{10} \Rightarrow \frac{3}{5}>\frac{4}{10}$

따라서 예나가 더 많은 양을 먹었습니다.

17 $\frac{(\text{남은 색 테이프의 길이})}{(\text{가지고 있던 색 테이프의 길이})}=\frac{60}{84}$

$\Rightarrow \frac{60}{84}=\frac{60\div 12}{84\div 12}=\frac{5}{7}$

18 12와 18의 공배수인 36의 배수 중에서 100에 가장 가까운 수는 108입니다.

$\left(\frac{5}{12}, \frac{7}{18}\right) \Rightarrow \left(\frac{5\times 9}{12\times 9}, \frac{7\times 6}{18\times 6}\right)$

$\Rightarrow \left(\frac{45}{108}, \frac{42}{108}\right)$

20 $\frac{2}{5}=\frac{4}{10}=\frac{6}{15}=\frac{8}{20}=\frac{10}{25}=\frac{12}{30}=\frac{14}{35}$……이고

이 중에서 분모와 분자의 차가 21인 분수는 $\frac{14}{35}$입니다.

93~95쪽 단원평가 5회 (C 난이도)

01 20, 21, 40

02 $\frac{3}{4}$에 ○표

03 예 ; 3

04 $\frac{1}{4}$

05 $\frac{48}{90}, \frac{75}{90}$

06 $\frac{5}{18}$에 ○표

07 $\frac{56}{70}, \frac{15}{70}$

08 <

09 ③

10 ㉡

11 $\frac{2}{7}$

12 ①

13 (위에서부터) $\frac{1}{6}, \frac{1}{6}, \frac{4}{7}$

14 $\frac{70}{90}, \frac{78}{90}$

15 $\frac{2}{3}, \frac{2}{7}, \frac{3}{7}, \frac{6}{7}$

16 우체국

17 예 $\frac{5}{18} < \frac{\square}{6} < \frac{2}{3} \Rightarrow \frac{5}{18} < \frac{\square \times 3}{18} < \frac{12}{18}$

⇨ $5 < \square \times 3 < 12$이므로 $\square = 2, 3$입니다. ; 2, 3

18 $\frac{20}{48}$

19 선규

20 예 $0.6 = \frac{6}{10} = \frac{24}{40}$보다 크고 $\frac{7}{8} = \frac{35}{40}$보다 작은 분수 중 분모가 40인 분수는 $\frac{25}{40}, \frac{26}{40}, \frac{27}{40}, \frac{28}{40}, \frac{29}{40}, \frac{30}{40}, \frac{31}{40}, \frac{32}{40}, \frac{33}{40}, \frac{34}{40}$입니다.

따라서 모두 10개입니다. ; 10개

15 분모가 3인 진분수: $\frac{2}{3}$

분모가 6인 진분수: $\frac{2}{6}, \frac{3}{6}$

분모가 7인 진분수: $\frac{2}{7}, \frac{3}{7}, \frac{6}{7}$

⇨ 이 중에서 기약분수는 $\frac{2}{3}, \frac{2}{7}, \frac{3}{7}, \frac{6}{7}$입니다.

16 $6.4 = 6\frac{4}{10} = 6\frac{8}{20}$, $6\frac{1}{4} = 6\frac{5}{20}$, $6\frac{11}{20}$

⇨ $6\frac{5}{20} < 6\frac{8}{20} < 6\frac{11}{20} \Rightarrow 6\frac{1}{4} < 6.4 < 6\frac{11}{20}$

따라서 집에서 가장 가까운 곳은 우체국입니다.

18 $\frac{5}{12} = \frac{10}{24} = \frac{15}{36} = \frac{20}{48} \cdots\cdots$

⇨ 분모와 분자의 차가 28인 분수는 $\frac{20}{48}$입니다.

19 윤아는 전체 56칸 중 16칸을 색칠하였으므로 $\frac{16}{56} = \frac{2}{7}$이고 선규는 전체 42칸 중 14칸을 색칠하였으므로 $\frac{14}{42} = \frac{1}{3}$입니다. 윤아와 선규가 색칠한 부분의 분수를 통분하면

$\left(\frac{2}{7}, \frac{1}{3}\right) \Rightarrow \left(\frac{6}{21}, \frac{7}{21}\right) \Rightarrow \frac{6}{21} < \frac{7}{21}$

이므로 색칠한 부분이 더 넓은 사람은 선규입니다.

96~97쪽 단계별로 연습하는 서술형평가

01 ❶ $\frac{1}{6}$ ❷ $\frac{2}{12}$ ❸ 2조각

02 ❶ 3, 3, $\frac{5}{12}$ ❷ 12, 12, $\frac{2}{3}$ ❸ $\frac{5}{12}, \frac{2}{3}$

03 ❶ 45, $\frac{9}{20}$ ❷ $\frac{17}{30}$ ❸ 포도주스

04 ❶ 2, 3, 4, 5, 6 ; $\frac{4}{10}, \frac{6}{15}, \frac{8}{20}, \frac{10}{25}, \frac{12}{30}$

❷ $\frac{8}{20}$

01 ❷ $\frac{1}{6} = \frac{1 \times 2}{6 \times 2} = \frac{2}{12}$

❸ 혜정이가 전체의 $\frac{1}{6}$을 먹었으므로 지혁이는 $\frac{1}{6} = \frac{1 \times 2}{6 \times 2} = \frac{2}{12}$를 먹어야 합니다.

⇨ 지혁이는 2조각을 먹어야 합니다.

03 ❷ $\left(\frac{9}{20}, \frac{7}{15}\right) \Rightarrow \left(\frac{27}{60}, \frac{28}{60}\right) \Rightarrow \frac{9}{20} < \frac{7}{15}$,

$\left(\frac{7}{15}, \frac{17}{30}\right) \Rightarrow \left(\frac{14}{30}, \frac{17}{30}\right) \Rightarrow \frac{7}{15} < \frac{17}{30}$

$\frac{9}{20} < \frac{7}{15} < \frac{17}{30}$이므로 $\frac{17}{30}$이 가장 큽니다.

❸ $0.45 < \frac{7}{15} < \frac{17}{30}$이므로 냉장고에 가장 많이 들어 있는 것은 포도주스입니다.

04 ❷ $20 - 8 = 12$이므로 분모와 분자의 차가 12인 분수는 $\frac{8}{20}$입니다.

98~99쪽 풀이 과정을 직접 쓰는 서술형평가

01 예 지영이가 먹은 양은 전체의 $\frac{1}{4}$이므로 현수는 전체의 $\frac{1}{4}=\frac{1\times2}{4\times2}=\frac{2}{8}$를 먹어야 합니다.

⇨ 현수는 2조각을 먹어야 합니다. ; 2조각

02 예 $\frac{21}{48}=\frac{21\div3}{48\div3}=\frac{7}{16}$, $\frac{28}{48}=\frac{28\div4}{48\div4}=\frac{7}{12}$이므로 통분하기 전의 두 분수는 $\frac{7}{16}$, $\frac{7}{12}$입니다.

; $\frac{7}{16}$, $\frac{7}{12}$

03 예 $0.75=\frac{3}{4}$,

$\left(\frac{3}{4}, \frac{7}{12}\right)$ ⇨ $\left(\frac{9}{12}, \frac{7}{12}\right)$ ⇨ $\frac{3}{4}>\frac{7}{12}$,

$\left(\frac{7}{12}, \frac{1}{4}\right)$ ⇨ $\left(\frac{7}{12}, \frac{3}{12}\right)$ ⇨ $\frac{7}{12}>\frac{1}{4}$

따라서 $0.75>\frac{7}{12}>\frac{1}{4}$이므로 냉장고에 가장 많이 들어 있는 것은 수박주스입니다. ; 수박주스

04 예 $\frac{4}{7}=\frac{4\times2}{7\times2}=\frac{4\times3}{7\times3}=\frac{4\times4}{7\times4}=\frac{4\times5}{7\times5}$

$=\frac{4\times6}{7\times6}$……

⇨ $\frac{4}{7}$와 크기가 같은 분수를 분모가 작은 것부터 차례로 쓰면 $\frac{4}{7}=\frac{8}{14}=\frac{12}{21}=\frac{16}{28}=\frac{20}{35}=\frac{24}{42}$ ……이므로 이 중 분모와 분자의 차가 15인 분수는 $\frac{20}{35}$입니다. ; $\frac{20}{35}$

01

배점	채점기준
상	지영이가 먹은 양은 전체의 얼마인지 구하여 답을 바르게 구함
중	풀이 과정이 부족하나 답은 맞음
하	문제를 전혀 해결하지 못함

02

배점	채점기준
상	분모와 분자의 최대공약수를 이용해 약분하여 답을 바르게 구함
중	풀이 과정이 부족하나 답은 맞음
하	문제를 전혀 해결하지 못함

03

배점	채점기준
상	세 수의 크기를 비교하여 답을 바르게 구함
중	풀이 과정이 부족하나 답은 맞음
하	문제를 전혀 해결하지 못함

04

배점	채점기준
상	크기가 같은 분수를 만들어 답을 바르게 구함
중	풀이 과정이 부족하나 답은 맞음
하	문제를 전혀 해결하지 못함

인정답안

7과 4의 차가 3임을 이용하여 구한 경우도 답으로 인정합니다.

100쪽 밀크티 성취도평가 오답 베스트 5

01 ② **02** ( )(○) **03** ③
04 4개 **05** 병원

01 $\frac{6}{20}=\frac{6\div2}{20\div2}=\frac{3}{10}$이므로 기약분수가 아닙니다.

02 $0.5=\frac{5}{10}=\frac{10}{20}$

⇨ $\frac{9}{20}<\frac{10}{20}$이므로 $\frac{9}{20}<0.5$입니다.

03 $\frac{36}{108}=\frac{18}{54}=\frac{12}{36}=\frac{9}{27}=\frac{6}{18}=\frac{4}{12}$

04 두 분수의 공통분모는 두 분모의 공배수입니다. 8과 12의 최소공배수는 24이고, 공배수는 24, 48, 72, 96, 120……이므로 100보다 작은 수는 4개입니다.

05 $\frac{4}{5}=\frac{4\times2}{5\times2}=\frac{8}{10}=0.8$

⇨ 0.8 km<0.87 km이므로 집에서 더 가까운 곳은 병원입니다.

5 분수의 덧셈과 뺄셈

103쪽 쪽지시험 1회

01 3, 3, 10, 3, 13 **02** 7, 7, 7, 8, 15, 1, 1

03 $\frac{13}{21}$ **04** $1\frac{11}{20}$ **05** $1\frac{1}{18}$

06 $\frac{17}{40}$ **07**  **08** $\frac{50}{63}$

09 ( )(○) **10** $1\frac{1}{4}$

09 $\frac{2}{5}+\frac{3}{10}=\frac{4}{10}+\frac{3}{10}=\frac{7}{10}$

$\frac{7}{12}+\frac{3}{4}=\frac{7}{12}+\frac{9}{12}=\frac{16}{12}=1\frac{4}{12}=1\frac{1}{3}$

10 $\frac{4}{9}=\frac{16}{36}$, $\frac{5}{6}=\frac{30}{36}$, $\frac{5}{12}=\frac{15}{36}$이므로

$\frac{5}{6}>\frac{4}{9}>\frac{5}{12}$

⇨ $\frac{5}{6}+\frac{5}{12}=\frac{10}{12}+\frac{5}{12}=\frac{15}{12}=1\frac{3}{12}=1\frac{1}{4}$

104쪽 쪽지시험 2회

01 예 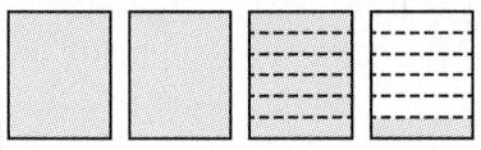 ; 3, 1

02 21, 10, 2, 31, 2, 31

03 8, 9, 56, 45, 101, 2, 31

04 $5\frac{7}{24}$ **05** $4\frac{1}{6}$

06 $2\frac{4}{9}+1\frac{1}{6}=\frac{22}{9}+\frac{7}{6}=\frac{44}{18}+\frac{21}{18}=\frac{65}{18}=3\frac{11}{18}$

07 $3\frac{17}{30}$ **08** ( )(○) **09** <

10 $8\frac{53}{56}$ cm

09 $3\frac{1}{4}+1\frac{5}{9}=4\frac{29}{36}$, $2\frac{1}{2}+2\frac{3}{4}=5\frac{1}{4}$

⇨ $4\frac{29}{36}<5\frac{1}{4}$

10 $5\frac{3}{8}+3\frac{4}{7}=5\frac{21}{56}+3\frac{32}{56}=8\frac{53}{56}$ (cm)

105쪽 쪽지시험 3회

01 4, 1 **02** 8, 3, 1, 5, 1, 5

03 11, 45, 22, 23, 2, 3

04 $\frac{33}{56}$ **05** $3\frac{2}{15}$

06 $\frac{8}{9}-\frac{1}{6}=\frac{8\times6}{9\times6}-\frac{1\times9}{6\times9}$

$=\frac{48}{54}-\frac{9}{54}=\frac{39}{54}=\frac{13}{18}$

07 $1\frac{13}{30}$ **08** $\frac{3}{28}$ **09** $5\frac{3}{10}$

10 =

09 $8\frac{4}{5}-3\frac{1}{2}=8\frac{8}{10}-3\frac{5}{10}=5\frac{3}{10}$

10 $\frac{11}{12}-\frac{3}{4}=\frac{11}{12}-\frac{9}{12}=\frac{2}{12}=\frac{1}{6}$ ⇨ $\frac{1}{6}=\frac{1}{6}$

106쪽 쪽지시험 4회

01 4, 10, 10, 5 **02** 8, 11, 16, 11, 5

03 $\frac{19}{24}$ **04** $1\frac{19}{42}$

05 $2\frac{29}{30}$ **06** $2\frac{23}{36}$

07 $2\frac{3}{7}-1\frac{1}{2}=2\frac{6}{14}-1\frac{7}{14}=1\frac{20}{14}-1\frac{7}{14}$

$=(1-1)+\left(\frac{20}{14}-\frac{7}{14}\right)=\frac{13}{14}$

08 $3\frac{1}{4}-2\frac{3}{10}=\frac{13}{4}-\frac{23}{10}=\frac{65}{20}-\frac{46}{20}=\frac{19}{20}$

09 ( )(○) **10** $3\frac{7}{18}$

09 $4\frac{1}{6}-1\frac{5}{8}=2\frac{13}{24}$, $5\frac{7}{8}-2\frac{11}{12}=2\frac{23}{24}$

⇨ $2\frac{13}{24}<2\frac{23}{24}$

10 $5\frac{2}{9}>3\frac{1}{2}>1\frac{5}{6}$

⇨ $5\frac{2}{9}-1\frac{5}{6}=5\frac{4}{18}-1\frac{15}{18}$

$=4\frac{22}{18}-1\frac{15}{18}=3\frac{7}{18}$

107~109쪽 단원평가 1회 (A 난이도)

01 3, 5 **02** 7, 3, 14, 15, 29, 1, 8

03 3, 7, 5 **04** 2, 3, 2, 3, 3, 5, 3, 5

05 28, 15, 28, 15, 13, 1, 13 **06** $\frac{13}{18}$

07 $\frac{11}{28}$ **08** $1\frac{1}{14}$ **09** $2\frac{17}{24}$ **10** $\frac{1}{24}$

11 $1\frac{3}{4}+1\frac{2}{5}=\frac{7}{4}+\frac{7}{5}=\frac{35}{20}+\frac{28}{20}=\frac{63}{20}=3\frac{3}{20}$

12 (점 잇기) **13** $2\frac{23}{24}$ cm **14** $2\frac{2}{3}$

15 < **16** $35\frac{3}{35}$ cm

17 ( )(○) **18** $\frac{29}{40}$ L **19** ㉠

20 $10\frac{7}{18}$ g

14 $\square+1\frac{7}{12}=4\frac{1}{4}$

⇨ $\square=4\frac{1}{4}-1\frac{7}{12}=4\frac{3}{12}-1\frac{7}{12}$

$=3\frac{15}{12}-1\frac{7}{12}=2\frac{8}{12}=2\frac{2}{3}$

15 $3\frac{3}{4}-1\frac{2}{3}=3\frac{9}{12}-1\frac{8}{12}$

$=(3-1)+\left(\frac{9}{12}-\frac{8}{12}\right)$

$=2+\frac{1}{12}=2\frac{1}{12}$

⇨ $2\frac{1}{12}<2\frac{5}{12}$

16 (가로와 세로의 합)

$=21\frac{4}{5}+13\frac{2}{7}=21\frac{28}{35}+13\frac{10}{35}$

$=34\frac{38}{35}=35\frac{3}{35}$ (cm)

19 ㉠ $1\frac{7}{12}+3\frac{5}{9}=1\frac{21}{36}+3\frac{20}{36}=4\frac{41}{36}=5\frac{5}{36}$

㉡ $6\frac{5}{6}-2\frac{1}{4}=6\frac{10}{12}-2\frac{3}{12}=4\frac{7}{12}$

⇨ $5\frac{5}{36}>4\frac{7}{12}$

20 (초록색 물감의 양)

$=4\frac{5}{9}+5\frac{5}{6}=4\frac{10}{18}+5\frac{15}{18}=9\frac{25}{18}=10\frac{7}{18}$ (g)

110~112쪽 단원평가 2회 (A 난이도)

01 2, 1 **02** 4 ; 3 ; 4, 3, 7

03 21, 12, 33, 1, 5 **04** 8, 9, 8, 9, 4, 17, 4, 17

05 37, 11, 74, 33, 41, 2, 5 **06** $3\frac{23}{30}$

07 $1\frac{1}{28}$ **08** $\frac{13}{77}$

09 $2\frac{1}{4}-1\frac{7}{10}=2\frac{5}{20}-1\frac{14}{20}=1\frac{25}{20}-1\frac{14}{20}=\frac{11}{20}$

10 $5\frac{5}{16}$ **11** $\frac{19}{48}$ **12** >

13 $5\frac{5}{24}$, $6\frac{7}{18}$ **14** 진석 **15** ㉡

16 $1\frac{5}{6}$, $1\frac{7}{30}$ **17** $3\frac{17}{20}$ km **18** $2\frac{1}{3}$

19 $1\frac{1}{5}$ **20** $6\frac{27}{28}$ kg

04 자연수는 자연수끼리, 분수는 분수끼리 더합니다.

12 $\frac{4}{15}-\frac{3}{20}=\frac{16}{60}-\frac{9}{60}=\frac{7}{60}>\frac{1}{10}\left(=\frac{6}{60}\right)$

15 ㉠ $\frac{1}{3}+\frac{7}{12}=\frac{4}{12}+\frac{7}{12}=\frac{11}{12}$

㉡ $\frac{4}{7}+\frac{1}{2}=\frac{8}{14}+\frac{7}{14}=\frac{15}{14}=1\frac{1}{14}$

16 $1\frac{2}{3}+\frac{1}{6}=1\frac{4}{6}+\frac{1}{6}=1\frac{5}{6}$

$1\frac{5}{6}-\frac{3}{5}=1\frac{25}{30}-\frac{18}{30}=1\frac{7}{30}$

18 $5\frac{5}{6}>4\frac{2}{3}>3\frac{1}{2}$

가장 큰 수는 $5\frac{5}{6}$이고 가장 작은 수는 $3\frac{1}{2}$입니다.

⇨ $5\frac{5}{6}-3\frac{1}{2}=5\frac{5}{6}-3\frac{3}{6}=2\frac{2}{6}=2\frac{1}{3}$

19 $\square-\frac{8}{15}=\frac{2}{3}$,

$\square=\frac{2}{3}+\frac{8}{15}=\frac{10}{15}+\frac{8}{15}=\frac{18}{15}=1\frac{3}{15}=1\frac{1}{5}$

20 (배의 무게)

=(배 한 상자의 무게)−(상자만의 무게)

$=8\frac{3}{14}-1\frac{1}{4}=8\frac{6}{28}-1\frac{7}{28}$

$=7\frac{34}{28}-1\frac{7}{28}=6\frac{27}{28}$ (kg)

113~115쪽 단원평가 3회 B 난이도

01 예 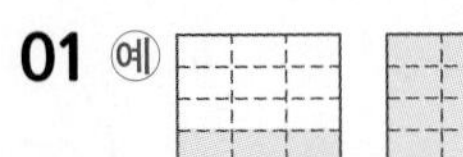 ; 3, 8 ; 3, 8, 11

02 8, 8, 3, 3, 16, 3, 13 **03** 21, 21, 4, 29, $4\frac{29}{45}$

04 ②, ⑤ **05** $4\frac{11}{14}$ **06** $\frac{19}{20}$ **07** $\frac{55}{63}$

08 $3\frac{1}{2}-1\frac{5}{6}=\frac{7}{2}-\frac{11}{6}=\frac{21}{6}-\frac{11}{6}$

$=\frac{10}{6}=1\frac{4}{6}=1\frac{2}{3}$

09 **10** $\frac{4}{7}+\frac{2}{3}=\frac{12}{21}+\frac{14}{21}=\frac{26}{21}=1\frac{5}{21}$

11 $2\frac{1}{6}$, $3\frac{7}{12}$ **12** $1\frac{7}{18}$ m **13** $1\frac{7}{48}$ kg

14 $<$ **15** $1\frac{3}{20}$ **16** $\frac{11}{20}$

17 $\frac{41}{60}$ **18** ㉣ **19** $1\frac{3}{10}$

20 예 두 종이테이프 길이의 합에서 겹쳐진 부분의 길이를 뺍니다.

$2\frac{3}{10}+2\frac{3}{10}-\frac{5}{14}=4\frac{6}{10}-\frac{5}{14}$

$=4\frac{42}{70}-\frac{25}{70}=4\frac{17}{70}$ (m)

; $4\frac{17}{70}$ m

15 $2\frac{2}{5}-\square=1\frac{1}{4}$

⇨ $\square=2\frac{2}{5}-1\frac{1}{4}=2\frac{8}{20}-1\frac{5}{20}=1\frac{3}{20}$

17 $\frac{3}{4}-\frac{2}{5}+\frac{1}{3}=\frac{15}{20}-\frac{8}{20}+\frac{1}{3}$

$=\frac{7}{20}+\frac{1}{3}=\frac{21}{60}+\frac{20}{60}=\frac{41}{60}$

18 ㉠ $3\frac{13}{30}$ ㉡ $4\frac{1}{28}$ ㉢ $4\frac{1}{9}$ ㉣ $2\frac{13}{15}$

⇨ ㉣$<$㉠$<$㉡$<$㉢

19 어떤 수를 □라고 하면

$\square-\frac{1}{2}=\frac{4}{5}$,

$\square=\frac{4}{5}+\frac{1}{2}=\frac{8}{10}+\frac{5}{10}=\frac{13}{10}=1\frac{3}{10}$

따라서 어떤 수는 $1\frac{3}{10}$입니다.

116~118쪽 단원평가 4회 B 난이도

01 10, 12, $\frac{4}{5}$ **02** 28, 10, 18 **03** ②

04 $5\frac{7}{9}+3\frac{3}{5}=\frac{52}{9}+\frac{18}{5}=\frac{260}{45}+\frac{162}{45}$

$=\frac{422}{45}=9\frac{17}{45}$

05 $1\frac{1}{12}$ **06** $3\frac{37}{40}$ **07** $\frac{19}{30}$

08 $\frac{27}{40}$ **09** $7\frac{1}{12}$ **10** $\frac{23}{24}$ m

11 ㉡ **12** $5\frac{23}{56}$, $\frac{17}{35}$ **13** $<$

14 $4\frac{1}{10}$컵 **15** ② **16** $24\frac{2}{15}$ kg

17 $11\frac{19}{42}$ **18** $1\frac{1}{4}$ **19** 7, 8, 9

20 예 콜라와 우유는 모두 $\frac{3}{8}+\frac{4}{9}=\frac{27}{72}+\frac{32}{72}=\frac{59}{72}$ (L) 입니다.

⇨ 주스는 $1-\frac{59}{72}=\frac{72}{72}-\frac{59}{72}=\frac{13}{72}$ (L) 준비해야 합니다. ; $\frac{13}{72}$ L

12 $3\frac{2}{7}+2\frac{1}{8}=3\frac{16}{56}+2\frac{7}{56}=5\frac{23}{56}$,

$3\frac{2}{7}-2\frac{4}{5}=3\frac{10}{35}-2\frac{28}{35}=2\frac{45}{35}-2\frac{28}{35}=\frac{17}{35}$

13 $7\frac{3}{4}-5\frac{4}{7}=7\frac{21}{28}-5\frac{16}{28}=2\frac{5}{28}$,

$4\frac{1}{2}-1\frac{9}{14}=4\frac{7}{14}-1\frac{9}{14}$

$=3\frac{21}{14}-1\frac{9}{14}=2\frac{12}{14}=2\frac{24}{28}$

⇨ $2\frac{5}{28}<2\frac{24}{28}$

14 $6\frac{1}{2}-2\frac{2}{5}=6\frac{5}{10}-2\frac{4}{10}=4\frac{1}{10}$ (컵)

15 ① $\frac{12}{35}$ ② $1\frac{1}{3}$ ③ $\frac{19}{24}$ ④ $\frac{7}{12}$ ⑤ $\frac{17}{36}$

16 (두 사람이 캔 감자의 무게)

$=11\frac{5}{6}+12\frac{3}{10}=11\frac{25}{30}+12\frac{9}{30}$

$=23\frac{34}{30}=24\frac{4}{30}=24\frac{2}{15}$ (kg)

17 $\square - 3\frac{3}{14} = 8\frac{5}{21}$

⇨ $\square = 8\frac{5}{21} + 3\frac{3}{14} = 8\frac{10}{42} + 3\frac{9}{42} = 11\frac{19}{42}$

18 $4\frac{4}{5} - 2\frac{1}{4} - 1\frac{3}{10} = 4\frac{16}{20} - 2\frac{5}{20} - 1\frac{3}{10}$

$= 2\frac{11}{20} - 1\frac{6}{20} = 1\frac{5}{20} = 1\frac{1}{4}$

19 $8\frac{4}{5} - 2\frac{3}{4} = 8\frac{16}{20} - 2\frac{15}{20} = 6\frac{1}{20}$

$6\frac{1}{20} < \square < 10$이므로 □ 안에 들어갈 수 있는 자연수는 7, 8, 9입니다.

119~121쪽 단원평가 5회 (C 난이도)

01 $\frac{34}{35}$ **02** $1\frac{9}{40}$ **03** $\frac{17}{42}$

04 $1\frac{9}{20}$ **05** $4\frac{19}{24}$ **06** 29

07 $6\frac{1}{5} - 2\frac{3}{8} = 6\frac{8}{40} - 2\frac{15}{40} = 5\frac{48}{40} - 2\frac{15}{40} = 3\frac{33}{40}$

08 = **09** $\frac{35}{36}$ L **10** $1\frac{13}{30}$ **11** ㉡

12 ③, ④ **13** $\frac{19}{21}$ **14** $3\frac{11}{12}$

15 $1\frac{1}{12}$, $4\frac{3}{4}$ **16** 복숭아, $\frac{23}{90}$ kg

17 예 어제와 오늘 읽은 동화책은 전체의

$\frac{1}{2} + \frac{1}{5} = \frac{5}{10} + \frac{2}{10} = \frac{7}{10}$입니다.

⇨ 동화책을 다 읽으려면 전체의

$1 - \frac{7}{10} = \frac{10}{10} - \frac{7}{10} = \frac{3}{10}$을 더 읽어야 합니다.

; $\frac{3}{10}$

18 $2\frac{1}{12}$ kg **19** $\frac{17}{48}$

20 예 어떤 수를 □라고 하면 $\square - \frac{3}{4} = \frac{5}{14}$,

$\square = \frac{5}{14} + \frac{3}{4} = \frac{10}{28} + \frac{21}{28} = \frac{31}{28} = 1\frac{3}{28}$입니다.

⇨ 바르게 계산하면

$1\frac{3}{28} + \frac{3}{4} = 1\frac{3}{28} + \frac{21}{28} = 1\frac{24}{28} = 1\frac{6}{7}$입니다.

; $1\frac{6}{7}$

10 $\frac{7}{10} = \frac{21}{30}$, $\frac{3}{5} = \frac{18}{30}$, $\frac{5}{6} = \frac{25}{30}$이므로

$\frac{5}{6} > \frac{7}{10} > \frac{3}{5}$

⇨ $\frac{5}{6} + \frac{3}{5} = \frac{25}{30} + \frac{18}{30} = \frac{43}{30} = 1\frac{13}{30}$

12 ① $\frac{13}{18}$ ② $\frac{3}{8}$ ③ $1\frac{1}{24}$ ④ $1\frac{5}{24}$ ⑤ $\frac{23}{30}$

13 $\frac{1}{3} + \frac{4}{7} = \frac{7}{21} + \frac{12}{21} = \frac{19}{21}$

14 $5\frac{1}{4} + \square = 9\frac{1}{6}$

⇨ $\square = 9\frac{1}{6} - 5\frac{1}{4} = 9\frac{2}{12} - 5\frac{3}{12}$

$= 8\frac{14}{12} - 5\frac{3}{12} = 3\frac{11}{12}$

15 $2\frac{5}{6} - 1\frac{3}{4} = 2\frac{10}{12} - 1\frac{9}{12} = 1\frac{1}{12}$,

$1\frac{1}{12} + 3\frac{2}{3} = 1\frac{1}{12} + 3\frac{8}{12} = 4\frac{9}{12} = 4\frac{3}{4}$

18 (가은이가 딴 딸기의 무게)

$= \frac{2}{3} + \frac{3}{4} = \frac{8}{12} + \frac{9}{12} = \frac{17}{12} = 1\frac{5}{12}$ (kg)

⇨ (두 사람이 딴 딸기의 무게)

$= \frac{2}{3} + 1\frac{5}{12} = \frac{8}{12} + 1\frac{5}{12} = 1\frac{13}{12} = 2\frac{1}{12}$ (kg)

19 $\square + \frac{7}{12} = 1\frac{5}{16}$

⇨ $\square = 1\frac{5}{16} - \frac{7}{12} = 1\frac{15}{48} - \frac{28}{48}$

$= \frac{63}{48} - \frac{28}{48} = \frac{35}{48}$

㉠ $+ \frac{3}{8} = \frac{35}{48}$

⇨ ㉠ $= \frac{35}{48} - \frac{3}{8} = \frac{35}{48} - \frac{18}{48} = \frac{17}{48}$

122~123쪽 단계별로 연습하는 서술형평가

01 ❶ 2, 3, 2, 5 ❷ 2시간 50분

02 ❶ 8, 25, 48, 25, 1, 23 ❷ $1\frac{13}{40}$ L

03 ❶ $7\frac{4}{5}$, $8\frac{2}{3}$ ❷ 민수, $\frac{13}{15}$

04 ❶ $3\frac{9}{20}$ m ❷ $4\frac{5}{12}$ m ❸ 지후

01 ❷ $2\frac{5}{6}$시간$=2\frac{50}{60}$시간$=2$시간 50분

02 ❷ $1\frac{23}{40}-\frac{1}{4}=1\frac{23}{40}-\frac{10}{40}=1\frac{13}{40}$ (L)

03 ❶ 가장 큰 대분수를 만들려면 자연수 부분에 가장 큰 수를 놓아야 합니다.

❷ $7\frac{4}{5}<8\frac{2}{3}$이므로 민수가 만든 대분수가

$8\frac{2}{3}-7\frac{4}{5}=8\frac{10}{15}-7\frac{12}{15}$

$=7\frac{25}{15}-7\frac{12}{15}=\frac{13}{15}$ 더 큽니다.

04 ❶ (노란색 테이프의 길이)

+(파란색 테이프의 길이)

$=2\frac{1}{5}+1\frac{1}{4}=2\frac{4}{20}+1\frac{5}{20}=3\frac{9}{20}$ (m)

❷ (빨간색 테이프의 길이)

+(보라색 테이프의 길이)

$=1\frac{7}{12}+2\frac{5}{6}=1\frac{7}{12}+2\frac{10}{12}$

$=3\frac{17}{12}=4\frac{5}{12}$ (m)

❸ $3\frac{9}{20}<4\frac{5}{12}$이므로 가지고 있는 색 테이프의 길이의 합이 더 긴 사람은 지후입니다.

124~125쪽 풀이 과정을 직접 쓰는 서술형평가

01 예 구리: $\frac{13}{20}$, 아연: $\frac{1}{5}=\frac{4}{20}$

⇨ $\frac{13}{20}>\frac{4}{20}$이므로 구리가 아연보다 전체의 $\frac{13}{20}-\frac{4}{20}=\frac{9}{20}$만큼 더 많이 사용됩니다.

; 구리, $\frac{9}{20}$

02 예 (기차를 탄 시간)+(버스를 탄 시간)

$=2\frac{1}{4}+1\frac{1}{5}=2\frac{5}{20}+1\frac{4}{20}=3\frac{9}{20}$(시간)

⇨ $3\frac{9}{20}$시간$=3\frac{27}{60}$시간$=3$시간 27분이므로 주영이가 기차와 버스를 탄 시간은 모두 3시간 27분입니다. ; 3시간 27분

03 예 밭 전체를 1이라고 하면

(남은 부분)$=1-\frac{2}{5}-\frac{3}{10}=\frac{10}{10}-\frac{4}{10}-\frac{3}{10}$

$=\frac{6}{10}-\frac{3}{10}=\frac{3}{10}$

⇨ 배추와 상추를 심고 남은 부분은 전체의 $\frac{3}{10}$입니다. ; $\frac{3}{10}$

04 예 • 승민이가 만든 가장 큰 대분수: 자연수 부분에 가장 큰 수를 놓아 만들면 $8\frac{1}{3}$입니다.

• 다연이가 만든 가장 작은 대분수: 자연수 부분에 가장 작은 수를 놓아 만들면 $2\frac{4}{7}$입니다.

⇨ $8\frac{1}{3}>2\frac{4}{7}$이므로 승민이가 만든 대분수가

$8\frac{1}{3}-2\frac{4}{7}=8\frac{7}{21}-2\frac{12}{21}$

$=7\frac{28}{21}-2\frac{12}{21}=5\frac{16}{21}$ 더 큽니다.

; 승민, $5\frac{16}{21}$

05 예 (명주가 마신 우유의 양)

$=\frac{1}{6}+\frac{3}{8}=\frac{4}{24}+\frac{9}{24}=\frac{13}{24}$ (L)

(진호가 마신 우유의 양)

$=\frac{3}{5}+\frac{1}{2}=\frac{6}{10}+\frac{5}{10}=\frac{11}{10}=1\frac{1}{10}$ (L)

⇨ $\frac{13}{24}<1\frac{1}{10}$이므로 우유를 더 많이 마신 사람은 진호입니다.

; 진호

01

배점	채점기준
상	구리와 아연의 양을 비교하여 답을 바르게 구함
중	풀이 과정이 부족하나 답은 맞음
하	문제를 전혀 해결하지 못함

02

배점	채점기준
상	주영이가 기차와 버스를 탄 시간을 분수의 덧셈으로 구하여 답을 바르게 구함
중	풀이 과정이 부족하나 답은 맞음
하	문제를 전혀 해결하지 못함

03

배점	채점기준
상	밭 전체가 1임을 알고 답을 바르게 구함
중	풀이 과정이 부족하나 답은 맞음
하	문제를 전혀 해결하지 못함

인정답안
배추와 상추를 심은 부분의 합을 이용하여 구한 경우도 답으로 인정합니다.

04

배점	채점기준
상	승민이와 다연이가 만든 대분수를 각각 구하여 답을 바르게 구함
중	풀이 과정이 부족하나 답은 맞음
하	문제를 전혀 해결하지 못함

05

배점	채점기준
상	명주와 진호가 어제와 오늘 마신 우유의 양을 각각 구하여 답을 바르게 구함
중	풀이 과정이 부족하나 답은 맞음
하	문제를 전혀 해결하지 못함

126쪽 밀크티 성취도평가 오답 베스트 5

01 $1\frac{7}{15}$　**02** <　**03** ㉢
04 $12\frac{9}{40}$　**05** $14\frac{22}{63}$

03 ㉠ $6\frac{5}{6}-3\frac{5}{12}=6\frac{10}{12}-3\frac{5}{12}=3\frac{5}{12}$

㉡ $7\frac{3}{8}-3\frac{1}{12}=7\frac{9}{24}-3\frac{2}{24}=4\frac{7}{24}$

㉢ $10\frac{3}{8}-5\frac{1}{6}=10\frac{9}{24}-5\frac{4}{24}=5\frac{5}{24}$

⇨ $5\frac{5}{24}>4\frac{7}{24}>3\frac{5}{12}$이므로 계산 결과가 가장 큰 것은 ㉢입니다.

04 가장 큰 대분수: $8\frac{3}{5}$, 가장 작은 대분수: $3\frac{5}{8}$

⇨ $8\frac{3}{5}+3\frac{5}{8}=8\frac{24}{40}+3\frac{25}{40}=11\frac{49}{40}=12\frac{9}{40}$

05 가장 큰 대분수: $9\frac{4}{7}$, 가장 작은 대분수: $4\frac{7}{9}$

⇨ $9\frac{4}{7}+4\frac{7}{9}=9\frac{36}{63}+4\frac{49}{63}=13\frac{85}{63}=14\frac{22}{63}$

6 다각형의 둘레와 넓이

130쪽 쪽지시험 1회

01 4, 12　**02** 6, 30　**03** 세로, 4, 28
04 4　**05** 4, 2, 20　**06** 4, 20
07 8, 32　**08** 35 cm　**09** 24 cm
10 26 cm

06 (마름모의 둘레)=(한 변의 길이)×4
=5×4=20 (cm)

07 (마름모의 둘레)=(한 변의 길이)×4
=8×4=32 (cm)

08 (정오각형의 둘레)=(한 변의 길이)×(변의 수)
=7×5=35 (cm)

09 (직사각형의 둘레)=((가로)+(세로))×2
=(8+4)×2=24 (cm)

10 (평행사변형의 둘레)
=((한 변의 길이)+(다른 한 변의 길이))×2
=(7+6)×2=26 (cm)

131쪽 쪽지시험 2회

01 $1\ cm^2$　**02**

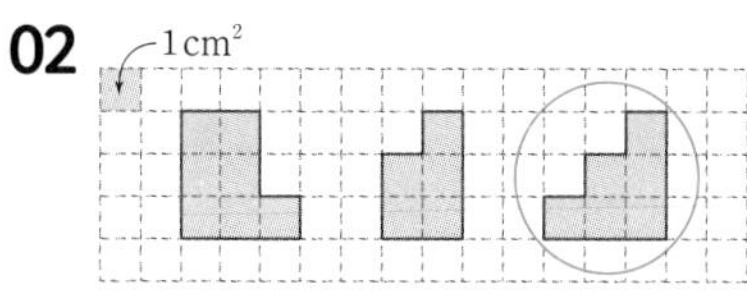

03 세로, 7, 35　**04** 6　**05** 4000000

06 예

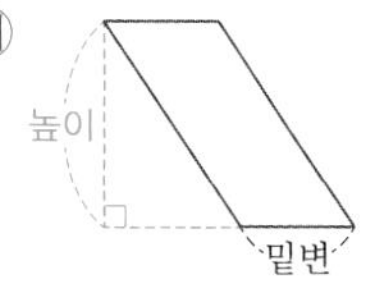

07 $55\ cm^2$
08 $81\ cm^2$
09 24
10 $48\ cm^2$

01 (정사각형의 넓이)
=(한 변의 길이)×(한 변의 길이)
$=1\times1=1\ (cm^2)$

02 $1\ cm^2$가 6개인 도형을 찾습니다.

03 (직사각형의 넓이)=(가로)×(세로)

$=5\times7=35\ (\mathrm{cm}^2)$

04 $10000\ \mathrm{cm}^2=1\ \mathrm{m}^2$이므로 $60000\ \mathrm{cm}^2=6\ \mathrm{m}^2$입니다.

05 $1\ \mathrm{km}^2=1000000\ \mathrm{m}^2$이므로 $4\ \mathrm{km}^2=4000000\ \mathrm{m}^2$입니다.

06 평행사변형의 높이는 두 밑변 사이의 거리입니다.

07 (직사각형의 넓이)$=11\times5=55\ (\mathrm{cm}^2)$

08 (정사각형의 넓이)$=9\times9=81\ (\mathrm{cm}^2)$

09 $6\times4=24\ (\mathrm{km}^2)$ ⇨ $1\ \mathrm{km}^2$가 24번

10 (평행사변형의 넓이)$=8\times6=48\ (\mathrm{cm}^2)$

132쪽 쪽지시험 3회

01 예

02 예

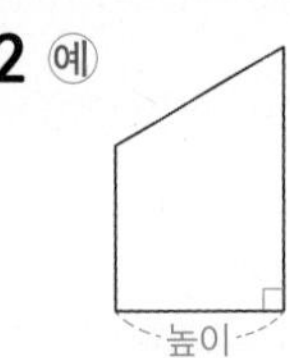

03 2, 15 **04** 8, 48 **05** 10, 6, 51

06 $28\ \mathrm{cm}^2$ **07** 10, 14, 45, 70, 115

08 $44\ \mathrm{cm}^2$ **09** 다 **10** 6

01 삼각형의 높이는 밑변과 마주 보는 꼭짓점에서 밑변에 수직으로 그은 선분의 길이입니다.

02 사다리꼴의 높이는 두 밑변 사이의 거리입니다.

06 (삼각형의 넓이)$=7\times8\div2=28\ (\mathrm{cm}^2)$

08 (마름모의 넓이)$=11\times8\div2=44\ (\mathrm{cm}^2)$

09 넓이가 같으려면 밑변의 길이와 높이가 각각 같아야 합니다. 가, 나, 다는 높이는 모두 같지만 밑변의 길이는 가와 나만 같습니다.

10 $8\times\square\div2=24$, $8\times\square=48$, $\square=6$

133~135쪽 단원평가 1회 (A 난이도)

01 7, 56 **02** 7, 22 **03** 8, 26

04 8, 3 **05** 상구

06 (1) 예

(2) 예

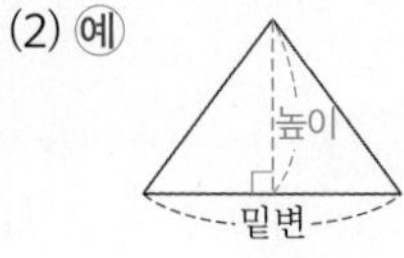

07 높이, 아랫변 **08** < **09** 4, 4, 44

10 $121\ \mathrm{cm}^2$ **11** $105\ \mathrm{cm}^2$ **12** 24

13 $6\ \mathrm{cm}^2$ **14** $39\ \mathrm{cm}^2$ **15** $60\ \mathrm{cm}^2$

16 예 1 cm 1 cm **17** 8

18 ㉠

19 8

20 $54\ \mathrm{cm}^2$

04 도형 가: 모눈종이 한 칸의 넓이가 $1\ \mathrm{cm}^2$이고 도형 가는 $1\ \mathrm{cm}^2$가 8개이므로 넓이는 $8\ \mathrm{cm}^2$입니다.

도형 나: 모눈종이 한 칸의 넓이가 $1\ \mathrm{cm}^2$이고 도형 나는 $1\ \mathrm{cm}^2$가 3개이므로 넓이는 $3\ \mathrm{cm}^2$입니다.

05 교실의 넓이는 $1\ \mathrm{m}^2$ 단위를 사용하여 재면 편리합니다.

06 (1) 평행사변형의 높이: 두 밑변 사이의 거리

(2) 삼각형의 높이: 밑변과 마주 보는 꼭짓점에서 밑변에 수직으로 그은 선분의 길이

07 사다리꼴에서 평행한 두 변을 위치에 따라 윗변, 아랫변이라고 합니다. 또 두 밑변 사이의 거리를 높이라고 합니다.

08 $30\ \mathrm{km}^2=30000000\ \mathrm{m}^2$

⇨ $300000\ \mathrm{m}^2<30\ \mathrm{km}^2$

09 정사각형은 네 변의 길이가 모두 같습니다.

10 (정사각형의 넓이)

=(한 변의 길이)×(한 변의 길이)

$=11\times11=121\ (\mathrm{cm}^2)$

11 (평행사변형의 넓이)$=15\times7=105\ (\mathrm{cm}^2)$

12 직사각형의 넓이는 $6\times4=24\ (\mathrm{m}^2)$이므로 $1\ \mathrm{m}^2$가 24번 들어갑니다.

13 (삼각형의 넓이)$=4\times3\div2=6$ (cm^2)

14 (사다리꼴의 넓이)$=(8+5)\times6\div2=39$ (cm^2)

15 (마름모의 넓이)
$=$(한 대각선의 길이)$\times$(다른 대각선의 길이)$\div2$
$=12\times10\div2=60$ (cm^2)

16 (한 변의 길이)$=16\div4=4$ (cm)인 정사각형을 그립니다.

17 $10\times\square=80$, $\square=80\div10=8$

18 ㉠ (정사각형의 넓이)$=7\times7=49$ (cm^2)
㉡ (직사각형의 넓이)$=6\times8=48$ (cm^2)
⇨ 49 cm^2 $>$ 48 cm^2

19 $9\times\square\div2=36$, $\square=36\times2\div9=8$

20 직사각형의 세로를 $\square$ cm라 하면
$(9+\square)\times2=30$, $9+\square=15$, $\square=6$
⇨ (직사각형의 넓이)$=9\times6=54$ (cm^2)

136~138쪽 단원평가 2회 

01 12 cm	**02** 한 변의 길이, 6, 36	
03 8	**04** 12 cm^2	**05** ㄹ
06 12, 5, 136	**07** 68 cm^2	**08** 7, 12, 63
09 40 cm	**10** 91 cm^2	**11** 33 cm^2
12 40 m^2	**13** 채영	**14** 6 cm
15 12	**16** 8 cm	**17** 4
18 가	**19** 24 cm	**20** 72 cm^2

01 가로가 4 cm, 세로가 2 cm인 직사각형이므로 직사각형의 둘레는 $(4+2)\times2=12$ (cm)입니다.

02 (정사각형의 넓이)
$=$(한 변의 길이)$\times$(한 변의 길이)
$=6\times6=36$ (cm^2)

03 1000000 m^2$=$1 km^{2}이므로
8000000 m^2$=$8 km^{2}입니다.

04 모눈종이 한 칸의 넓이가 1 cm^{2}이고 도형은 1 cm^{2}가 12개이므로 도형의 넓이는 12 cm^{2}입니다.

05 밑변과 마주 보는 꼭짓점에서 밑변에 수직으로 그은 선분의 길이를 찾습니다.

06 사각형 ㄱㄴㅁㅂ은 밑변의 길이가 (12+5) cm이고, 높이가 8 cm인 평행사변형입니다.

07 (사다리꼴 ㄱㄴㄷㄹ의 넓이)
$=$(사각형 ㄱㄴㅁㅂ의 넓이)$\div2$
$=136\div2=68$ (cm^2)

08 (사다리꼴의 넓이)$=(6\times7\div2)+(12\times7\div2)$
$=21+42=63$ (cm^2)

09 (정사각형의 둘레)$=$(한 변의 길이)$\times4$
$=10\times4=40$ (cm)

10 (평행사변형의 넓이)$=7\times13=91$ (cm^2)

11 (마름모의 넓이)$=11\times6\div2=33$ (cm^2)

12 500 cm$=$5 m이므로
(직사각형의 넓이)$=8\times5=40$ (m^2)입니다.

13 높이가 3 cm로 모두 같고 밑변의 길이를 예림이와 수호는 4 cm로, 채영이는 3 cm로 그렸으므로 넓이가 다른 사각형을 그린 사람은 채영입니다.

14 (마름모의 둘레)$=$(한 변의 길이)$\times4$이므로
(한 변의 길이)$\times4=24$,
(한 변의 길이)$=24\div4=6$ (cm)입니다.

15 (정오각형의 한 변의 길이)$=60\div5=12$ (cm)

16 (직사각형의 넓이)$=$(가로)$\times$(세로)
세로를 $\square$ cm라 하면
$13\times\square=104$, $\square=104\div13=8$입니다.

17 $7\times\square\div2=14$, $7\times\square=28$,
$\square=28\div7=4$

18 (가의 넓이)$=10\times12\div2=60$ (cm^2)
(나의 넓이)$=14\times8\div2=56$ (cm^2)
⇨ 60 cm^2 $>$ 56 cm^2

19 (삼각형의 높이)$=$(넓이)$\times2\div$(밑변의 길이)
$=216\times2\div18$
$=432\div18=24$ (cm)

20 (처음 색종이의 넓이)$=9\times9=81$ (cm^2)
(오려낸 색종이의 넓이)$=3\times3=9$ (cm^2)
⇨ (남은 색종이의 넓이)$=81-9=72$ (cm^2)

139~141쪽 단원평가 3회 (B 난이도)

01 400000 02 $6\ \text{cm}^2$ 03 라

04 $18\ \text{cm}^2$ 05 $225\ \text{cm}^2$

06 $110\ \text{cm}^2$, $20\ \text{cm}^2$ 07 $130\ \text{cm}^2$

08 $90\ \text{cm}^2$ 09 $15\ \text{m}^2$ 10 $189\ \text{cm}^2$

11 28 cm 12 7 cm

13 예 $1\ \text{cm}^2$

14 ㉡, ㉠, ㉢

15 $26\ \text{m}^2$

16 12

17 14

18 예 세로를 □cm라고 하면

$(18+\square)\times2=50$, $18+\square=25$, $\square=7$

⇨ 직사각형의 세로는 7 cm입니다. ; 7 cm

19 $28\ \text{cm}^2$ 20 8

03 나: $5\ \text{cm}^2$, 다: $4\ \text{cm}^2$, 라: $6\ \text{cm}^2$, 마: $8\ \text{cm}^2$

06 (평행사변형의 넓이)$=11\times10=110\ (\text{cm}^2)$,

(삼각형의 넓이)$=(15-11)\times10\div2$

$=20\ (\text{cm}^2)$

09 500 cm=5 m

⇨ (직사각형의 넓이)$=5\times3=15\ (\text{m}^2)$

12 (정사각형의 넓이)

=(한 변의 길이)×(한 변의 길이)

⇨ $7\times7=49$이므로 (한 변의 길이)=7 cm입니다.

14 ㉠ $(8+5)\times2=26$ (cm)

㉡ $7\times4=28$ (cm)

㉢ $(6+4)\times2=20$ (cm)

⇨ ㉡>㉠>㉢

16 $\square\times8=96$, $\square=96\div8=12$

17 $9\times\square\div2=63$, $\square=63\times2\div9=14$

19 (색칠한 부분의 넓이)

$=(4\times7\div2)\times2$

$=14\times2=28\ (\text{cm}^2)$

20 (삼각형의 넓이)$=14\times16\div2=112\ (\text{cm}^2)$

밑변의 길이가 28 cm일 때의 넓이도 $112\ \text{cm}^2$이므로 $28\times\square\div2=112$,

$\square=112\times2\div28=8$입니다.

142~144쪽 단원평가4회 (B 난이도)

01 32 cm 02 $8\ \text{cm}^2$, $9\ \text{cm}^2$ 03 나

04 $152\ \text{cm}^2$ 05 3, 3, 12 06 $42\ \text{cm}^2$

07 21

08 예

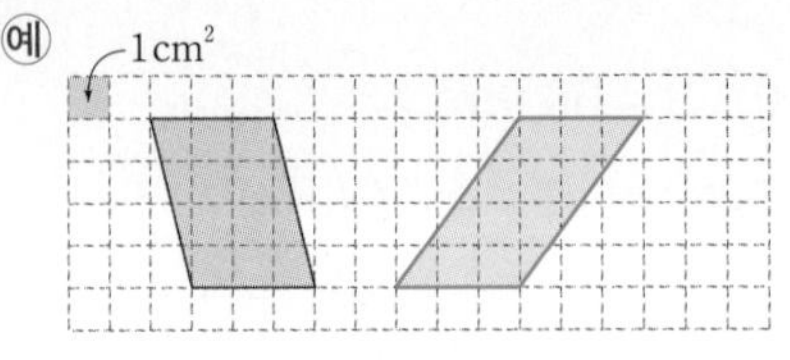

09 9 cm 10 8 cm 11 선호

12 4 13 $625\ \text{cm}^2$ 14 ①

15 4 cm 16 52 cm 17 4

18 7 cm 19 $33\ \text{cm}^2$

20 예 가운데 마름모의 두 대각선의 길이는 모두 12 cm입니다.

$(12\times12)-(12\times12\div2)=144-72=72\ (\text{cm}^2)$

⇨ 색칠한 부분의 넓이는 $72\ \text{cm}^2$입니다. ; $72\ \text{cm}^2$

07 (직사각형의 넓이)

$=7000\times3000$

$=21000000\ (\text{m}^2)=21\ (\text{km}^2)$

⇨ $21\ \text{km}^2$는 $1\ \text{km}^2$가 21번 들어갑니다.

08 $1\ \text{cm}^2$가 12개인 평행사변형을 그립니다.

09 $9\times9=81$이므로 정사각형의 한 변의 길이는 9 cm입니다.

10 높이를 □cm라고 하면

$13\times\square=104$, $\square=104\div13=8$

11 선호가 말한 방법은 평행사변형의 넓이를 구하는 방법입니다.

12 700 cm=7 m ⇨ $7\times\square=28$, $\square=4$

13 만들 수 있는 가장 큰 정사각형의 한 변의 길이는 25 cm입니다.

⇨ (정사각형의 넓이)$=25\times25=625\ (\text{cm}^2)$

14 ① $11\times4=44$ (cm)

② $8\times5=40$ (cm)

③ $10\times4=40$ (cm)

④ $(10+6)\times2=32$ (cm)

⑤ $(13+8)\times2=42$ (cm)

⇨ 44 cm>42 cm>40 cm>32 cm

15 높이를 □ cm라고 하면

$(4+7)\times□\div 2=22$, $11\times□=22\times 2$,

$□=44\div 11=4$

16 ⇨ (도형의 둘레)

$=(16+10)\times 2$

$=52$ (cm)

17 (평행사변형의 넓이)$=6\times 6=36$ (cm^2)

⇨ 밑변의 길이가 9 cm일 때 높이가 □ cm이므로 $9\times□=36$, $□=4$입니다.

18 (정사각형의 넓이)$=14\times 14=196$ (cm^2)

(직사각형의 세로)$=196\div 28=7$ (cm)

19 (도형의 넓이)$=8\times 3\div 2+(8+6)\times 3\div 2$

$=12+21=33$ (cm^2)

145~147쪽 단원평가 5회 (난이도 C)

01 16 cm	**02** 24 cm^2	**03** 24 cm^2
04 56 cm	**05** 28 km^2	**06** 30 cm^2
07 다	**08** 1	**09** 가

10 5 cm

11 예

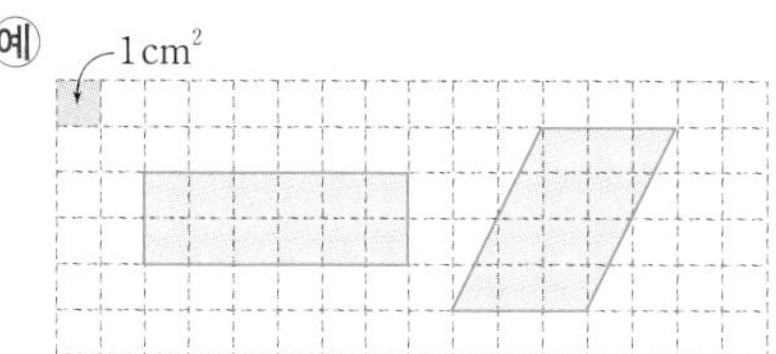

12 96 cm^2	**13** 13	**14** 12

15 예 색칠한 부분의 넓이는 가로가 $12-3=9$ (cm)이고 세로가 $10-2=8$ (cm)인 직사각형의 넓이와 같습니다.

⇨ (색칠한 부분의 넓이)$=9\times 8=72$ (cm^2)

; 72 cm^2

16 60 cm^2　**17** 4 cm

18 예 (직사각형의 둘레)$=(22+14)\times 2=72$ (cm)

(정사각형의 한 변의 길이)$=72\div 4=18$ (cm)

(정사각형의 넓이)$=18\times 18=324$ (cm^2)

; 324 cm^2

19 1440 cm^2　**20** 14 cm^2

10 (직사각형의 둘레)$=((가로)+(세로))\times 2$이므로 세로를 □ cm라고 하면

$(12+□)\times 2=34$, $12+□=17$, $□=5$입니다.

13 $(□-6)\times 8=56$, $□-6=7$, $□=7+6=13$

> **다른 풀이** (밑변의 길이)$\times 8=56$
> ⇨ (밑변의 길이)$=7$ cm ⇨ $□=7+6=13$

14 (왼쪽 삼각형의 넓이)

$=15\times 16\div 2=120$ (cm^2)

⇨ $20\times□\div 2=120$, $□=120\times 2\div 20=12$

16 (색칠한 부분의 넓이)

$=(20\times 12\div 2)-(20\times 6\div 2)$

$=120-60=60$ (cm^2)

17 마름모 가의 넓이는 $8\times 6\div 2=24$ (cm^2)입니다.

마름모 나의 넓이도 24 cm^{2}이므로

$12\times$(다른 대각선의 길이)$\div 2=24$,

(다른 대각선의 길이)$=24\times 2\div 12=4$ (cm)

19 (삼각형 ㄱㅂㄹ의 넓이)

$=40\times 30\div 2=600$ (cm^2)

삼각형 ㄱㅂㄹ에서 밑변의 길이가 50 cm일 때 높이는 선분 ㅁㅂ이므로

(선분 ㅁㅂ)$=600\times 2\div 50=24$ (cm)

⇨ (사다리꼴 ㄱㄴㄷㄹ의 넓이)

$=(50+70)\times 24\div 2=1440$ (cm^2)

20 (색칠한 부분의 넓이)

$=$(정사각형 2개의 넓이의 합)$-$(삼각형의 넓이)

$=3\times 3+5\times 5-(3+5)\times 5\div 2$

$=9+25-20=14$ (cm^2)

148~149쪽 단계별로 연습하는 서술형평가

01 ❶ 12 cm	❷ 72 cm^2	
02 ❶ 180 cm^2	❷ 196 cm^2	❸ 나
03 ❶ 108 cm^2	❷ 20 cm^2	❸ 88 cm^2
04 ❶ 20 cm^2	❷ 60 cm^2	❸ 10

01 ❶ 마름모의 대각선의 길이는 원의 지름과 같으므로
(마름모의 대각선의 길이) $=6\times2=12$ (cm)
입니다.
❷ (마름모의 넓이) $=12\times12\div2=72$ (cm^2)

02 ❶ (직사각형 가의 넓이) $=30\times6=180$ (cm^2)
❷ (정사각형 나의 넓이) $=14\times14=196$ (cm^2)
❸ 180 cm^2 $<$ 196 cm^{2}이므로 가 $<$ 나입니다.

03 ❶ (사다리꼴 ㄱㄴㄷㄹ의 넓이)
$=(10+14)\times9\div2=108$ (cm^2)
❷ (삼각형 ㄱㄴㅁ의 넓이)
$=10\times4\div2=20$ (cm^2)
❸ (색칠한 부분의 넓이)
=(사다리꼴 ㄱㄴㄷㄹ의 넓이)
−(삼각형 ㄱㄴㅁ의 넓이)
$=108-20=88$ (cm^2)

04 ❶ (마름모 나의 넓이) $=8\times5\div2=20$ (cm^2)
❷ (마름모 가의 넓이) $=20\times3=60$ (cm^2)
❸ $12\times\square\div2=60$, $12\times\square=120$, $\square=10$

150~151쪽 풀이 과정을 직접 쓰는 서술형평가

01 예 마름모의 대각선의 길이는 원의 지름과 같으므로 (마름모의 대각선의 길이) $=10\times2=20$ (cm)
⇨ (마름모의 넓이) $=20\times20\div2=200$ (cm^2)
; 200 cm^2

02 예 (직사각형 가의 넓이) $=10\times14=140$ (cm^2)
(정사각형 나의 넓이) $=12\times12=144$ (cm^2)
⇨ 140 cm^2 $<$ 144 cm^{2}이므로 가 $<$ 나입니다. ; 나

03 예 (사다리꼴의 넓이)
$=(12+15)\times8\div2=108$ (cm^2)
(마름모의 넓이) $=12\times8\div2=48$ (cm^2)
⇨ (색칠한 부분의 넓이)
=(사다리꼴의 넓이)−(마름모의 넓이)
$=108-48=60$ (cm^2) ; 60 cm^2

04 예 (삼각형 나의 넓이) $=9\times4\div2=18$ (cm^2)
(삼각형 가의 넓이) $=18\times2=36$ (cm^2)
⇨ $8\times\square\div2=36$, $8\times\square=72$, $\square=9$; 9

01

배점	채점기준
상	마름모의 대각선의 길이는 원의 지름과 같음을 알고 답을 바르게 구함
중	풀이 과정이 부족하나 답은 맞음
하	문제를 전혀 해결하지 못함

02

배점	채점기준
상	가와 나의 넓이를 각각 구하여 답을 바르게 구함
중	풀이 과정이 부족하나 답은 맞음
하	문제를 전혀 해결하지 못함

03

배점	채점기준
상	사다리꼴과 마름모의 넓이를 각각 구하여 답을 바르게 구함
중	풀이 과정이 부족하나 답은 맞음
하	문제를 전혀 해결하지 못함

04

배점	채점기준
상	가의 넓이가 나의 넓이의 2배임을 알고 답을 바르게 구함
중	풀이 과정이 부족하나 답은 맞음
하	문제를 전혀 해결하지 못함

152쪽 밀크티 성취도평가 오답 베스트 5

01 12 cm **02** 10 **03** 76 cm^2
04 ㉠ **05** 48 cm^2

01 밑변의 길이를 □cm라고 하면
$\square\times5=60$, $\square=60\div5$, $\square=12$이므로 밑변의 길이는 12 cm입니다.

02 $\square\times8\div2=40$, $\square\times8=80$, $\square=10$

03 (사다리꼴의 넓이) $=(5+14)\times8\div2=76$ (cm^2)

04 ㉠ $8\times8=64$ (cm^2), ㉡ $15\times4=60$ (cm^2)
㉢ $7\times9=63$ (cm^2)
⇨ $64>63>60$이므로 넓이가 가장 넓은 것은 ㉠입니다.

05 (가의 넓이) $=8\times6\div2=24$ (cm^2)
(나의 넓이) $=12\times4\div2=24$ (cm^2)
⇨ $24+24=48$ (cm^2)

최고를 꿈꾸는 아이들의 수준 높은 상위권 문제집!

한 가지 이상 해당된다면 **최고수준** 해야 할 때!

- 응용과 심화 중간단계의 학습이 필요하다면? ······ 최고수준S
- 처음부터 너무 어려운 심화서로 시작하기 부담된다면? ······ 최고수준S
- 창의·융합 문제를 통해 사고력을 폭넓게 기르고 싶다면? ······ 최고수준
- 각종 경시대회를 준비 중이거나 준비 할 계획이라면? ······ 최고수준

정답은
이안에
있어!

My name~

초등학교		
학년	반	번
이름		

주의 책 모서리에 다칠 수 있으니 주의하시기 바랍니다.
부주의로 인한 사고의 경우 책임지지 않습니다.

천재교육

교육과 IT가 만나
새로운 미래를 만들어갑니다